तेजज्ञान ग्लोबल फाउण्डेशन

आत्मनिर्भर कैसे बनें

आज की नारी और आप

स्वीकार मंत्र मुद्रा

सरश्री की आध्यात्मिक खोज का सफर उनके बचपन से प्रारंभ हो गया था। इस खोज के दौरान उन्होंने अनेक प्रकार की पुस्तकों का अध्ययन किया। इसके साथ ही अपने आध्यात्मिक अनुसंधान के दौरान अनेक ध्यान पद्धतियों का अभ्यास किया। उनकी इसी खोज ने उन्हें कई वैचारिक और शैक्षणिक संस्थानों की ओर बढ़ाया। इसके बावजूद भी वे अंतिम सत्य से दूर रहे।

उन्होंने अपने तत्कालीन अध्यापन कार्य को भी विराम लगाया ताकि वे अपना अधिक से अधिक समय सत्य की खोज में लगा सकें। जीवन का रहस्य समझने के लिए उन्होंने एक लंबी अवधि तक मनन करते हुए अपनी खोज जारी रखी। जिसके अंत में उन्हें आत्मबोध प्राप्त हुआ। आत्मसाक्षात्कार के बाद उन्होंने जाना कि अध्यात्म का हर मार्ग जिस कड़ी से जुड़ा है वह है - समझ (अण्डरस्टैण्डिंग)।

सरश्री कहते हैं कि 'सत्य के सभी मार्गों की शुरुआत अलग-अलग प्रकार से होती है लेकिन सभी के अंत में एक ही समझ प्राप्त होती है। 'समझ' ही सब कुछ है और यह 'समझ' अपने आपमें पूर्ण है। आध्यात्मिक ज्ञान प्राप्ति के लिए इस 'समझ' का श्रवण ही पर्याप्त है।'

यही 'समझ' प्रदान करने के लिए सरश्री ने 'तेजज्ञान' का निर्माण किया। तेजज्ञान एक अनूठी ज्ञान प्रणाली है, जो आपको आत्मविकास से आत्मसाक्षात्कार तक ले जाती है। आध्यात्मिक ज्ञान प्राप्ति के लिए इस 'समझ' का श्रवण ही पर्याप्त है और इस समझ की शुरुआत होती है स्वीकार मंत्र से। स्वीकार मंत्र है - 'क्या मैं इसे स्वीकार कर सकता हूँ?' (स्वीकार मंत्र के बारे में अधिक जानकारी प्राप्त करने के लिए मुफ्त में डाउनलोड करें - हिंदी PDF 'स्वीकार का जादू' और अंग्रेजी पुस्तक 'Secret of Happiness' इस लिंक से www.tejgyan.org/downloads.aspx)

सरश्री ने दो हजार से अधिक प्रवचन दिए हैं और सत्तर से अधिक पुस्तकों की रचना की है। ये पुस्तकें दस से अधिक भाषाओं में अनुवादित की जा चुकी हैं और प्रमुख प्रकाशिकों द्वारा प्रकाशित की गई हैं जैसे पेंगुइन बुक्स, हे हाऊस पब्लिशर्स, जैको बुक्स, हिंद पॉकेट बुक्स, मंजुल पब्लिशिंग हाऊस, प्रभात प्रकाशन, राजपाल ॲण्ड सन्स इत्यादि। सरश्री की शिक्षाओं ने लाखों लोगों के जीवन में परिवर्तन लाया है और विश्व की चेतना को उठाने के लिए कई सामाजिक कार्यों की पहल भी की है।

सरश्री द्वारा रचित श्रेष्ठ पुस्तकें

१. **इन पुस्तकों द्वारा आध्यात्मिक विकास करें**

- निःशब्द संवाद का जादू - जीवन की १११ जिज्ञासाओं का समाधान
- विचार नियम - द पावर ऑफ हॅपी थॉट्स
- धर्मयोग नाइन्टी - स्वभाव ही धर्म है
- The मन - कैसे बने मन : नमन, सुमन, अमन और अकंप
- संपूर्ण ध्यान - २२२ सवाल
- अभिमान से मुक्ति- नम्रता की शक्ति
- तुम्हें जो लगे अच्छा वही मेरी इच्छा - भक्ति नियामत
- निराकार - कुल-मूल-लक्ष्य
- खोज - परमात्मा को कैसे प्राप्त करें
- मोक्ष - अंतिम सफलता का राजमार्ग
- ध्यान नियम - ध्यान योग नाइन्टी
- महापुरुषों के जीवन से - १२ शक्तियों की अभिव्यक्ति

२. **इन पुस्तकों द्वारा स्वमदद करें**

- संपूर्ण लक्ष्य - संपूर्ण विकास कैसे करें
- शांति की शक्ति - आपका लक्ष्य
- आलस्य से मुक्ति के 7 कदम
- धीरज का जादू - संतुलित जीवन संगीत
- आपके जीवन का पहला इंटरवल - अपनी क्षमता बढ़ाएँ
- नींव नाइन्टी - नैतिक मूल्यों की संपत्ति
- स्वसंवाद का जादू - अपना रिमोट कंट्रोल कैसे प्राप्त करें
- संपूर्ण सफलता का लक्ष्य

३. **इन पुस्तकों द्वारा हर समस्या का समाधान पाएँ**

- स्वास्थ्य त्रिकोण - स्वास्थ्य संपन्न
- खुशी का रहस्य - सुख पाएँ, दुःख भगाएँ : ३० दिन में
- रिश्तों में नई रोशनी

४. **इन आध्यात्मिक उपन्यासों द्वारा जीवन के गहरे सत्य जानें**

- पृथ्वी लक्ष्य - मृत्यु का महासत्य
- स्वयं का सामना - हरक्युलिस की आंतरिक खोज
- कैसे करें ईश्वर की नौकरी - एक जिम्मेदार इंसान की कहानी, समझ मिलने के बाद
- कर्मजीवन सरश्री और आप - कर्म पथ पर जीवन की अमर कहानी
- तनाव का डॉक्टर आपके अंदर - नया जीवन, नई राहें
- १० अवतार का जन्म आपके अंदर
- सन ऑफ बुद्धा

Explore your strength

आज की नारी और आप

आत्मनिर्भर कैसे बनें

Self mastery through understanding yourSelf

संपादक दीपिका

आज की नारी और आप
आत्मनिर्भर कैसे बनें

© Tejgyan Global Foundation

All Rights Reserved 2011.
Tejgyan Global Foundation is a charitable organisation with its head-quarter in Pune, India.

सर्वाधिकार सुरक्षित

यह पुस्तक इस शर्त पर विक्रय की जा रही है कि प्रकाशक की लिखित पूर्वानुमति के बिना इसे व्यावसायिक अथवा अन्य किसी भी रूप में उपयोग नहीं किया जा सकता। इसे पुनः प्रकाशित कर बेचा या किराए पर नहीं दिया जा सकता तथा जिल्दबंद या खुले किसी भी अन्य रूप में पाठकों के मध्य इसका परिचालन नहीं किया जा सकता। ये सभी शर्तें पुस्तक के खरीददार पर भी लागू होंगी। इस संदर्भ में सभी प्रकाशनाधिकार सुरक्षित हैं। इस पुस्तक का आंशिक रूप में पुनः प्रकाशन या पुनः प्रकाशनार्थ अपने रिकॉर्ड में सुरक्षित रखने, इसे पुनः प्रस्तुत करने की प्रति अपनाने, इसका अनूदित रूप तैयार करने अथवा इलेक्ट्रॉनिक, मैकेनिकल, फोटोकॉपी और रिकॉर्डिंग आदि किसी भी पद्धति से इसका उपयोग करने हेतु समस्त प्रकाशनाधिकार रखनेवाले अधिकारी तथा पुस्तक के प्रकाशक की पूर्वानुमति लेना अनिवार्य है।

संपादक : दीपिका
सातवाँ संस्करण : जून २०११
रिप्रिंट : नवंबर २०१३
प्रकाशक : तेजज्ञान ग्लोबल फाउण्डेशन, पूना

Atmanirbhar Kaise Bane

संपूर्ण नारी - संपूर्ण विषय सूची

प्रस्तावना	आत्मनिर्भर नारी तेरा लक्ष्य है महान	०९
	प्रस्तावना	

खण्ड १ : आज की नारी आत्मनिर्भर कैसे बने — १९

भाग १	स्त्री और पुरुष, शरीर नहीं गुण है	१९
	ईश्वर की रचना	
भाग २	गुणों की शक्ति से आत्मनिर्भर बनें	२२
	स्त्रियों के मुख्य गुण	
भाग ३	आत्मनिर्भर बनने में बाधा	३१
	स्त्री का पहला अवगुण - ईर्ष्या	
भाग ४	आत्मनिर्भर बनें, सोचकर बोलें	३५
	स्त्री का दूसरा अवगुण - बोलकर सोचने की आदत	
भाग ५	सारे अवगुणों को प्रकाश में लायें	४३
	स्त्री के अन्य १३ अवगुण	
भाग ६	आत्मनिर्भर बनने के लिए नींव नाइन्टी मजबूत करें	५२
	अपने जीवन के बिल्डर बनें	
भाग ७	आत्मसम्मान कैसे प्राप्त करें	६०
	१७ मददगार कदम	
भाग ८	आत्मगौरव प्राप्त करें	७०
	आपकी राय, आपके बारे में	
भाग ९	धैर्य बढ़ाने के लिए ८ सुझाव	७३
	धीरज का फल पकने पर मीठा क्यों होता है	
भाग १०	आत्मनिरीक्षण की कला सीखें	७८
	आत्मविकास रहस्य	
भाग ११	आत्मविश्वास की दवा लें	८१
	हीन भावना से मुक्ति प्राप्त करने के ७ कदम	

खण्ड २ : कामकाजी नारी — ८९

भाग १	कामकाजी महिलाएँ और गृहिणियाँ	८९
	दोनों की समस्याएँ और उनका समाधान	

भाग २	कार्ययोजना बनायें	९२
	उन्नति का रास्ता	
भाग ३	ऑफिस में काम और व्यायाम प्राप्त करें	९६
	रहें हरदम चुस्त और फुर्त	
भाग ४	ऑफिस में प्रभावशाली कैसे बनें	९९
	जिम्मेदारी को बोझ नहीं, मौका समझें	
भाग ५	घर और काम में संतुलन कैसे बनाये रखें	१०४
	संतुलित जीवन जीयें	
भाग ६	आज की महिला और मनचाही खरीददारी	१०७
	ध्यान देने योग्य बातें	

खण्ड ३ : नारी - परिवार की शक्ति — १११

भाग १	संवादहीनता	१११
	सांसारिक संबंधों में बाधा	
भाग २	संवादमंच	११९
	बेहतर रिश्ते की नींव	
भाग ३	घर को स्वर्ग बनायें, नरक नहीं	१२३
	घर के सदस्यों को भी घर स्वर्ग लगे	
भाग ४	परिवार की नींव मजबूत करें	१२८
	पति के साथ मिलकर ग्रुप बनायें	

खण्ड ४ : स्वस्थ नारी — १३३

भाग १	स्वस्थ नारी के हाथ विश्व का भविष्य	१३३
	निरोग नारी बनें	
भाग २	स्वस्थ नारी आत्मनिर्भर बन सकती है	१३६
	स्वस्थ रहने के १३ उपाय	
भाग ३	अतिरिक्त समय दिये बिना शरीर को तंदुरुस्त रखें	१४३
	स्वस्थ रहने के लिए छोटी मगर उपयोगी बातें	
भाग ४	स्वच्छता है स्व की इच्छा	१४६
	अंतर्बाह्य स्वच्छता कैसे करें	

भाग ५	स्व संवाद द्वारा आत्मनिर्भर बनें	१५०
	सकारात्मक शब्दों से स्वास्थ्य प्राप्त करें	
भाग ६	जीवन का जोश बनाये रखें	१६०
	मिड-लाईफ अंत नहीं शुरुआत है	

खण्ड ५ निरोग नारी — १६३

भाग १	मासिक धर्म – तकलीफें और उपचार	१६३
	योग्य जानकारी और योग अभ्यास	
भाग २	मेनोपॉज	१८९
	रजोनिवृत्ति को नये रूप से देखें	
भाग ३	महिलाओं की समस्या – श्वेतप्रदर	१९४
	जानकारी और निदान	

खण्ड ६ : गर्भवती नारी — १९८

भाग १	स्त्री का माँ न बनना क्या अधूरापन है	१९८
	शारीरिक पूर्णता ही पूर्णता नहीं है	
भाग २	बच्चे के जन्म के साथ स्त्री का पुनर्जन्म	२०२
	तेज प्रेम व्यक्त करने का मौका	
भाग ३	गर्भावस्था में संतुलित जीवन का महत्त्व	२०५
	मातृत्व की नयी सुखद राह की ओर	

शेष भाग सुखी वैवाहिक जीवन का रहस्य — २२२

भाग १	रिश्तों में ज्ञान और पहचान बढ़े	२२२
भाग २	जीवनसाथी का स्वभाव जानें	२३१
भाग ३	स्त्री-पुरुष संबंध और शिक्षा	२३९
भाग ४	लेडी ए टू जेड (A TO Z FOR LADIES)	२४६

अतिरिक्त जानकारी — २५८

| भाग १ | क्या आप जाग्रत महिला हैं | २५९ |

आज की नारी
शारीरिक सतर्कता,
मानसिक तनाव मुक्तता,
सामाजिक कुशलता,
आर्थिक योग्यता
भावनात्मक परिपक्वता और
आध्यात्मिक पूर्णता प्राप्त करे

प्रस्तावना

आत्मनिर्भर नारी तेरा लक्ष्य है महान

आठ मार्च विश्व में 'महिला दिवस' (Woman's Day) के रूप में मनाया जाता है। सन २००५ के इसी दिन पर तेज आश्रम में महिला जागृति के लिए 'महिला दिवस' उत्सव मनाया गया। इस दिवस की विशेषता यह थी कि इस दिन सरश्री द्वारा महिलाओं के लिए 'चेतना संदेश' दिया गया। यह चेतना संदेश हर महिला के लिए समझना आवश्यक है तथा उन्हें आज के युग में संपूर्ण जीवन पर मार्गदर्शन मिलना नितांत जरूरी है। इसी बात से प्रेरित होकर कई लोगों के सहयोग से यह पुस्तक लिखी गयी है।

इसका पूरा लाभ लेने के लिए नारी अपने लक्ष्य को निर्धारित करे। जब सरश्री से यह सवाल पूछा गया कि 'संपूर्ण उन्नति के लिए एक नारी का संपूर्ण लक्ष्य क्या हो सकता है?' तब सरश्री द्वारा जो मार्गदर्शन मिला वह इस प्रकार है।

'सभी के लिए संपूर्ण लक्ष्य एक ही है। **नारी के संपूर्ण लक्ष्य का एक हिस्सा है कि वह घर को पूर्ण बनाये और दूसरे हिस्से में वह बाकी सारे कामकाज करते हुए स्वयं को जानकर पूर्ण बने। जब ये दोनों हिस्से पूरे होंगे तभी संपूर्ण लक्ष्य पूरा होगा।** जब दो लोग तेज संसारी बनते हैं तब वे यह जानते हुए शादी करते हैं कि दोनों को एक-दूसरे के लिए संपूर्ण लक्ष्य प्राप्त करने में निमित्त बनना है। इंसान पृथ्वी पर जो अनुभव प्राप्त करने के लिए आया है, वह प्राप्त करने के लिए पति-पत्नी एक-दूसरे को मदद करें।'

'नारी के जीवन की शुरुआत सही ढंग से हुई तो नारी को संपूर्ण लक्ष्य प्राप्त हो सकता है। स्त्री-पुरुष (तेज संसारी) दोनों यह लक्ष्य जानते हैं। स्त्री और पुरुष दोनों को आपस में एक-दूसरे के लक्ष्य में शामिल करना चाहिए, जिससे दोनों का संपूर्ण लक्ष्य पूरा हो सकता है। अगर स्त्री संपूर्ण लक्ष्य के एक ही हिस्से पर यह सोचकर काम करे कि 'मैंने घर को अच्छा रखा तो मेरा लक्ष्य पूरा हुआ ... मैं माँ बन गयी तो मेरा लक्ष्य पूरा हुआ' तो स्त्री संपूर्ण लक्ष्य प्राप्त नहीं कर पायेगी। केवल शारीरिक पूर्णता ही पूर्ण पूर्णता नहीं होती है। वरना लोगों को लगता है कि बच्चे पैदा हुए तो वे स्वयं पूर्ण हो गये। अगर जीवन के शारीरिक, मानसिक, आर्थिक, सामाजिक और आध्यात्मिक क्षेत्रों में विकास हुआ तो ही संपूर्ण लक्ष्य प्राप्त होता है।'

यह जवाब जानकर एक नारी को क्या तैयारी करनी चाहिए? जब सरश्री से यह पूछा गया कि 'ऐसी क्या एक बात है, जिस पर आज की हर नारी को विचार करना चाहिए' तब सरश्री ने एक पंक्ति में जवाब दिया, **'आज की नारी आत्मनिर्भर बने।'** यही इस पुस्तक का शीर्षक भी है। आत्मनिर्भर बनने के लिए जो मार्गदर्शन हमें मिला वह इस प्रकार है -

'सच्ची आत्मनिर्भरता की नींव पर ही जीवन का लक्ष्य पाया जा सकता है। बाहरी सफलता पाने से पहले आंतरिक सफलता पाना जरूरी है। जो इंसान आत्मनियंत्रण और आत्म-अनुशासन रखता है, वही सही मायने में आत्मनिर्भर बन सकता है। आत्मनिर्भरता से आत्मसम्मान जगता है, जिसे प्राप्त करके इंसान स्वयं को जानकर आत्म-अभिव्यक्ति करता है।'

'कुछ बातों के लिए हम दूसरों पर निर्भर रहते हैं और कुछ बातों के लिए लोग हम पर निर्भर रहते हैं। यह गलत नहीं है। इसे कहते हैं 'परस्पर निर्भरता।' परस्पर-निर्भरता का आनंद केवल आत्मनिर्भर लोग ही ले सकते हैं। आत्मनिर्भर चरित्र प्राप्त करके हमें अपनी 'नींव नाईन्टी' मजबूत करनी है, 'परनिर्भर' रहकर हमें गुलामी का जीवन नहीं जीना है।'

'स्त्री अपने आपको शरीर समझती है लेकिन हकीकत में स्त्री एक गुण है और पुरुष भी एक गुण है। नारी का गुण जब किसी शरीर में डाला जाता है तब वह शरीर लचीला बनता है और पुरुष का गुण जब किसी शरीर में डाला जाता है तब वह शरीर मजबूत बनता है। पुरुष के द्वारा कुछ ऐसे काम किये जाते हैं, जो स्त्री नहीं कर सकती। इस कमजोरी की वजह से स्त्री में असुरक्षा का डर व सुरक्षा का विचार गहराई तक जा चुका है। स्त्री सोचती है कि 'हम पुरुषों की तरह काम नहीं कर सकतीं इसलिए हमें ऐसे ही काम दिये जायें जो सुविधाजनक हों, कम वजन के हों, जिनमें सुरक्षा व सुविधा का खयाल किया गया हो।' इस वजह से नारी परनिर्भर बनकर रह गयी है।'

'सुरक्षा की भावना आदिवासियों के युग से शुरू हुई। पुरातनकाल का वह बीज आज तक लोगों में काम कर रहा है। वहाँ ताकत ही एक ऐसा पहलू था जिस आधार पर लोग अपना कबीला चलाते थे। जिस कबीले के पास ताकत थी, वह हर चीज इस्तेमाल कर सकता था, फिर वह चाहे स्त्री ही क्यों न हो! स्त्री के शरीर में ताकत न होने की वजह से वह एक वस्तु की तरह इस्तेमाल की गयी। जब भी दो कबीलों में झगड़ा होता था तब जो कबीला जीत जाता था, वह हारे हुए कबीले

की स्त्रियों को ले जाता था और हारा हुआ कबीला कुछ नहीं कर पाता था। इस प्रकार स्त्रियों का दुरूपयोग हुआ और उनकी कमजोरी का भरपूर फायदा उठाया गया।'

'पुरुष, स्त्रियों को अपनी चाहत के अनुसार इस्तेमाल करते रहे, जिस वजह से स्त्रियों में यह बीज बहुत गहराई से गया कि 'हमें सुरक्षा चाहिए क्योंकि कोई भी ताकतवर इंसान हमें उठाकर ले जा सकता है।' उन्होंने अपनी इस कमजोरी को हमेशा महसूस किया। जीवशास्त्रीय परिणाम (बायोलॉजिकल इफेक्ट) की वजह से स्त्री के शरीर और हड्डियों में, पुरुषों की तुलना में कमजोरी पायी जाती है। पुरुषों की शारीरिक ताकत की तुलना में स्त्री कमजोर है वरना वह कमजोर नहीं है। स्त्री को डर इस वजह से रहता है कि यदि ताकत, सुरक्षा और सुविधा नहीं रही तो उसका दुरूपयोग हो सकता है। इस कारण उसे सुरक्षा की जरूरत होती है। यह भावना स्त्री के अंदर बढ़ चुकी है इसलिए वह चाहती है कि जल्द से जल्द उसका अपना घर बस जाय, उसका संसार सुचारू रूप से चले। यदि वे अपने आपको जान जायें कि आज के युग में उसे डरने की आवश्यकता नहीं है तो वे नये निर्णय ले पायेंगी, आत्मनिर्भर बन पायेंगी।'

'आज के युग में नारी बहुत प्रगति कर चुकी है। जीवन का ऐसा कोई क्षेत्र नहीं है, जहाँ नारी ने कदम न रखा हो। आज युग बदल चुका है। नारी ज्ञान प्राप्ति के लिए दुनिया के हर कोने तक जा सकती है। हिमालय हो या इजिप्ट, तिब्बत हो या तेजस्थान। हर जगह पहुँचकर वह अपनी बुद्धि व श्रद्धा का परिचय दे सकती है। पुरानी नारी की लगभग सारी मान्यताएँ और कमजोरियाँ आज निकल चुकी हैं। नारी, पुरुष के साथ कंधे से कंधा मिलाकर ज्ञान गंगा को विश्व में फैलाने का भागीरथ प्रयास कर सकती है। कुछ क्षेत्रों में तो वह पुरुषों से भी आगे है। जब नारी पूर्ण आत्मनिर्भर बन जायेगी तब ऐसा भी हो सकता है कि वह भाई, जो किसी कारण घर से बाहर नहीं निकल सकता, बहन को राखी बाँधे ताकि बहन भाई के लिए असली सुरक्षा (ज्ञान प्राप्ति) पाने में निमित्त बन सके।'

आज कई महिलाएँ ऐसी हैं, जो सामाजिक और आर्थिक रूप से मजबूत हैं मगर फिर भी वे आत्मनिर्भर नहीं हैं और ऐसी भी महिलाएँ हैं जो गरीब हैं लेकिन आत्मनिर्भर हैं। जो स्त्रियाँ आत्मनिर्भर नहीं हैं उनके जीवन में तनाव आता है, उनका मनोबल गिर जाता है और उनकी नव निर्माण करने की क्षमता कम हो जाती है। इसे एक उदाहरण से समझें।

एक छोटी बच्ची थी, जिसका जन्म एक मध्यम परिवार में हुआ था। माता-पिता ने बहुत प्रेम से उसका नाम रखा 'प्रतिभा'। धीरे-धीरे प्रतिभा बड़ी होने लगी अपने नाम की तरह उसकी बौद्धिक क्षमता भी विलक्षण होने लगी। स्कूल में प्रवेश पाकर उसने अपनी प्रतिभा को और भी प्रभावशाली बनाया। स्कूल से कॉलेज तक की शिक्षा में वह हमेशा अव्वल नंबर पाकर सफल होती रही लेकिन लड़कियाँ कितनी भी पढ़ी-लिखी हों माता-पिता को उनकी शादी की चिंता हमेशा होती है। प्रतिभा के साथ भी ठीक वैसा ही हुआ, पढ़ाई पूर्ण होने के पश्चात उसकी शादी हो गयी।

शादी के बाद प्रतिभा ने अपने पति का घर सँभाला। बड़े प्रेम और लगन से उसने नये घर में अपना अस्तित्व बनाया। घर के सभी सदस्यों का खयाल रखना, हर क्षण सेवा में विलीन रहना प्रतिभा का कर्तव्य बन गया। उसका घर-संसार बड़े आनंदित वातावरण में गुजर रहा था। दिन बीतते गये, उसका बच्चा बड़ा हुआ। बच्चे के उज्ज्वल भविष्य हेतु वह अपना कर्तव्य निभा रही थी और पति के व्यवसाय में भी पति का हाथ बँटा रही थी। इस तरह भारतीय नारी का दर्जा पाकर वह इतनी संतुष्ट थी कि उसका अपना अस्तित्व धूमिल हो रहा है, इससे वह अनजान थी और आगे की संभावनाओं से बेखबर थी।

प्रतिभा का बेटा सफलता की एक-एक मंजिल तय करता रहा। पति व्यवसाय में आगे बढ़ते गये। धीरे-धीरे पिता और बेटे का ज्ञान बढ़ता रहा। एक दिन प्रतिभा के बेटे ने माँ से पूछा, 'इंटरनेट क्या होता है?' प्रतिभा जवाब नहीं दे पायी क्योंकि नयी तकनीकों का उसे ज्ञान नहीं था। पिता ने बेटे को सही उत्तर

दिया और कंप्यूटर के बारे में बहुत बातें समझायीं। अब अपने हर सवाल का जवाब बेटा पिता से पूछता रहा। धीरे-धीरे बेटा माँ से दूर होता गया क्योंकि वह समझने लगा कि माँ को सिवाय घर-गृहस्थी के कार्य जानने के अलावा कुछ नहीं आता।

एक दिन बेटे को स्कूल से रिपोर्ट मिला जिसमें उसे माँ-पिताजी के बारे में जानकारी देनी थी। पिताजी के बारे में सब कुछ लिखने के बाद, बेटे को माँ के बारे में लिखना था तो वह सोचने लगा कि 'माँ के बारे में क्या लिखेंगे माँ तो कुछ भी नहीं जानती।' बस उस दिन प्रतिभा को एहसास हुआ कि घर गृहस्थी में वह इतना खो चुकी है कि उसका काम भी उसकी पहचान नहीं दे पा रहा है। जब प्रतिभा ने यह बात समझी तब तक बहुत देर हो चुकी थी।

'कुछ न करने का' गहरा सदमा प्रतिभा को बरदाश्त करना पड़ा। उसकी सोच और गहरी होने लगी कि 'ऐसा क्या हुआ जो उसका अस्तित्व धूमिल हो गया। उसने तो अपना सब कुछ बेटे, पति, घर-संसार पर न्यौछावर कर दिया लेकिन उसे क्या मिला?'

एक लड़की सर्वगुणसंपन्न होते हुए भी आज समाज में दुय्यम स्थान पर क्यों है? क्योंकि प्रतिभा को वह शिक्षा, वह स्थान प्राप्त नहीं हुआ, जिसकी वह अधिकारिणी है। घर-बाहर, हर जगह, हर क्षेत्र में सक्षम होते हुए भी उसका मानसिक, आध्यात्मिक विकास क्यों रुक गया? हालाँकि यह सौ प्रतिशत सही नहीं है। शिक्षा के मामले में स्त्री चाहे कितनी भी प्रगति कर पायी हो परंतु समाज, परिवार की सोच उसके प्रति बहुत ही संकुचित रही है, उसमें बदलाहट आवश्यक है।

यह सही है जिसे हमें मानना होगा कि बचपन से ही समाज और परिवार यही चाहते हैं कि एक लड़की चाहे कितनी भी ऊँचाइयों पर पहुँच जाय, उसका प्रथम कर्तव्य घर-परिवार ही रहे। उसके बाद उसका अपना अलग अस्तित्व हो यानी जन्म से ही उसे त्याग और कर्तव्य की घूँटी पिलायी जाती है। उस पर संस्कार ही

ऐसे डाले जाते हैं कि वह स्वयं भी अपने आप को उसमें ढालकर निश्चिंत होती है।

एक महिला चाहे तो अपना विकास स्वयं ही और कहीं भी कर सकती है। स्त्री आज यह समझ जाय कि यह जरूरी नहीं है कि बाहर जाकर ही विकास साधे। विकास का अर्थ सिर्फ बाहर जाकर अर्थाजन करना या समाज सेवा करना ही नहीं है बल्कि आवश्यकता है अपने भीतर के गुणों को, कला-कौशल्य को जानने की। हर स्त्री में कोई न कोई विशेष गुण होता है। अपने उस गुण को पहचानकर, उसे उजागर करके स्त्री अपने व्यक्तित्व में निखार ला सकती है।

स्त्री आज हर क्षेत्र में आगे है। आज लड़कियों की परवरिश में बदलाव आया है। शिक्षा के हर क्षेत्र में उसका योगदान है तो वह उसे बरकरार रखे। अपनी शिक्षाओं को ग्रहण न लगने दे, वक्त के साथ इसका फायदा उठाये। घर-परिवार की जिम्मेदारी में फँसकर एक ऐसा वक्त आता है कि सभी अपने-अपने कार्य में उलझ जाते हैं और स्त्री अकेली पड़ जाती है तब वह कुंठाग्रस्त हो जाती है। इसका विचार हर स्त्री शुरू से ही करे ताकि उसे ऐसी स्थिति का सामना न करना पड़े। अपना सामाजिक दायरा संकुचित न रखें। हर रिश्ता ज्यादा अंतरंग न बनने दें और न ही रिश्तों के प्रति अति उदासीन रहें। संतुलित रिश्ते जीवन में मधुरता भर सकते हैं।

हर स्त्री थोड़ा सा रुककर अपने लिए सोचे। अपनी सुविधानुसार, रुचिनुसार अपनी राह तय करे। बाहरी सौंदर्य तो ईश्वर की देन है परंतु हम अपने अंदर की सौंदर्यता बना सकते हैं, जिसका प्रभाव वक्त के गुजरने के साथ कायम रहता है। आत्मनिर्भर बनने के लिए, स्वयं का आत्मविकास करने के लिए, अलग-अलग कोर्सेस में भाग लें। महिलाएँ इतनी आत्मनिर्भर बन जायें कि वे अपनी शंका, समस्याओं का समाधान स्वयं प्राप्त कर सकें।

इस पुस्तक द्वारा महिलाएँ जान पायेंगी कि उनके संस्कार और वृत्तियाँ (आदतें) कैसी हैं। अगर वे अच्छी हैं तो उनका ज्यादा से ज्यादा लाभ कैसे लें और अगर कुछ अनचाही वृत्तियाँ हैं तो उनसे छुटकारा पाने के लिए सकारात्मक दृष्टिकोण

रखें। पूरी ईमानदारी के साथ आप स्वयं का आत्मनिरीक्षण करें और अपनी आंतरिक सुंदरता निखारें।

यह पुस्तक उन सभी महिलाओं के लिए है जो जीवन के सभी भागों में समान रूप से उन्नति करना चाहती हैं। इस पुस्तक में जीवन के सभी भागों पर संकेत दिये गये हैं, इन संकेतों को जीवन में उतारकर आप अपने जीवन में सकारात्मक परिवर्तन ला सकती हैं।

इस पुस्तक द्वारा जीवन के महत्त्वपूर्ण भागों पर कुछ विशेष संकेतों द्वारा सभी वर्गों की महिलाओं के लिए प्रशिक्षण देने का प्रयास किया गया है। इस पुस्तक द्वारा आप तक शारीरिक (स्वास्थ्य शक्ति), मानसिक (ज्ञान व शिक्षण), सामाजिक (लोक व्यवहार व प्रेम), भावनात्मक और आध्यात्मिक क्षेत्र से संबंधित महत्त्वपूर्ण संदेश पहुँचाने का प्रयास किया गया है। इस पुस्तक का उद्देश्य यही है कि इसमें दिये गये मार्गदर्शन से हर महिला आत्मनिर्भर बन पाये ताकि वह अपना असली लक्ष्य प्राप्त करके असली आनंद का अनुभव ले पाये।

संपादक
दीपिका

नोट : इस पुस्तक में सरश्री द्वारा लिए गये तीन प्रवचनों का समावेश किया गया है – 'आज की नारी शक्ति और संभावनाएँ', 'चरित्रवान कैसे बनें' तथा 'आध्यात्मिक उन्नति के लिए नारी क्या करे, सवाल-जवाब।' इसके अलावा 'स्वास्थ्य त्रिकोण', 'स्व संवाद का जादू', 'हॅपी थॉट्स योग्य आरोग्य पत्रिका', 'ज्ञान पूर्णिमा पत्रिका' तथा कई लोगों (डॉक्टरों, महिला खोजियों) से लिए गये सर्वेक्षण का लाभ दिया गया है।

पुस्तक का लाभ कैसे लें

१) आत्मनिर्भरता बढ़ाने के लिए खास तौर पर नारी के लिए यह पुस्तक बनायी गयी है। जीवन के सभी भागों पर यह पुस्तक आपको मार्गदर्शन दे सकती है इसलिए न सिर्फ महिलाएँ बल्कि पुरुष भी इस पुस्तक का लाभ ले सकते हैं।

२) यदि आप नकारात्मक पहलूओं ईर्ष्या, जलन, तुलना, जुबान पर अनियंत्रण को दुरुस्त करना चाहते हैं तो खण्ड १ भाग ३, ४, ५ पहले पढ़ें।

३) यदि आप पहले आत्मसम्मान, आत्मविश्वास, आत्मगौरव, धैर्य बढ़ाने पर काम करना चाहते हैं तो खण्ड १ भाग ७, ८, ९, १०, ११ पढ़ें।

४) अगर आप अपने स्वास्थ्य का विकास करना चाहते हैं तो खण्ड ४ और ५ पढ़ें।

५) अगर आप कामकाजी महिला हैं तो खण्ड २, 'कामकाजी नारी' का लाभ पहले ले सकती हैं। कामकाजी महिलाएँ अपने कार्यालयों में भी इस पुस्तक का लाभ सामूहिक रूप से ले सकती हैं। कामकाजी महिलाओं की हर समस्या जैसे- समय व्यवस्थापन, ऑफिस में प्रभावशाली कैसे बनें, घर की देखभाल इत्यादि का हल इस खण्ड में दिया गया है।

६) गृहिणियों के लिए भी इस पुस्तक में एक खास विभाग खण्ड ३ 'नारी पारिवार की शक्ति' उपलब्ध है, जिसका उपयोग गृहिणियाँ ले सकती हैं।

७) इस पुस्तक के शेष भाग, 'सुखी वैवाहिक जीवन का रहस्य' में पति-पत्नी के रिश्ते की समझ दी गयी है। इसे पढ़कर पति-पत्नी के रिश्ते में आने वाली दिक्कतें आसानी से सुलझ जायेंगी। जिन स्त्रियों को अपने जीवनसाथी के साथ अपना रिश्ता सुधारना है वे यह खण्ड जरूर पढ़ें।

८) यह सिर्फ पुस्तक ही नहीं बल्कि एक रेफरन्स गाईड बुक है, जिसका इस्तेमाल हर जगह पर हो सकता है। महिलाएँ जहाँ पर भी काम करती हैं (जैसे रसोईघर, कार्यालय, महिला मंडल इत्यादि) वहाँ पर यह पुस्तक जरूर रखें ताकि किसी भी दिक्कत में सहजता से इस गाईड बुक का इस्तेमाल किया जा सके।

९) अपनी व्यक्तिगत डायरी में इस पुस्तक में से जो बातें आपको महत्त्वपूर्ण लगीं, वे लिखकर रखें और अपने संपूर्ण विकास के लिए इस पुस्तक के आधार पर कार्ययोजना बनायें।

खण्ड

आज की नारी आत्मनिर्भर कैसे बनें

भाग १

स्त्री और पुरुष, शरीर नहीं गुण हैं

ईश्वर की रचना

इंसान के मन में यह गलत धारणा बैठ गयी है कि इस-इस तरह का शरीर हो तो वह स्त्री है और इस-इस तरह का शरीर पुरुष है मगर ऐसा नहीं है। स्त्री, पुरुष का अर्थ क्या है? स्त्री, पुरुष शरीर (मनोशरीर यंत्र) नहीं है।

स्त्री या पुरुष (नर-नारी, आदमी-औरत) गुण है। यह गुण जिस शरीर में डाला जायेगा, वह शरीर वैसा आकार लेगा। उदा. जिस तरह एक बोरे में रेत भरकर, उसे लटकाकर लोग उसका मुक्केबाजी, (बॉक्सिंग) की प्रैक्टिस के लिए इस्तेमाल करते हैं और दूसरे बोरे में

थर्माकॉल के गोल-गोल टुकड़े डाल दिये तो वह मुक्केबाजी के लिए इस्तेमाल नहीं होगा, वह रेत की अपेक्षा हलका होगा। यदि उस बोरे पर बैठ गये तो वह कुर्सी का आकार ले लेगा, लेजी बैग बन जायेगा। जिस तरह एक बोरा मजबूत और भारी होता है और एक हलका होता है मगर दोनों बोरे हैं, उसी तरह स्त्री या पुरुष दोनों एक ही बोरा (शरीर) हैं, फर्क इतना ही है कि दोनों में अलग-अलग चीज डाल दी गयी है। जब किसी में स्त्री का गुण डालते हैं तो वह मुलायम और नाजुक होती है और किसी में पुरुष का गुण डालते हैं तो वह सख्त और मजबूत होता है। दोनों शरीरों में अंदर जो भरा है, उससे वह चीज आकार लेती है।

स्त्री के गुणों में वह ग्रहणशील है, पुरुष के गुणों में वह आक्रमणकारी है, मजबूत है। इसका अर्थ ऐसा भी न समझें कि केवल स्त्री के शरीर में ही ग्रहणशीलता होगी, पुरुष के शरीर में नहीं होगी। दोनों शरीरों में दोनों बातें होती हैं। हर पुरुष, हर स्त्री में दोनों गुण होते हैं मगर जिस शरीर में स्त्री का गुण ज्यादा प्रबल होता है, वह शरीर वैसे आकार लेता है इसलिए स्त्री का आकार अलग दीखेगा। पुरुष के अंदर जो गुण ज्यादा प्रबल है, वह शरीर वैसा आकार लेगा। जो गुण ज्यादा प्रबल होता है, वह गुण हमें दीखता है क्योंकि उसके आकार में वैसी तबदीली आती है मगर हम आकार में उलझ जाते हैं।

स्त्री-पुरुष के गुण अगर सही ढंग से इस्तेमाल किये जायें तो ये वरदान बनकर अभिव्यक्ति की इतनी ऊँचाई तक जा सकते हैं, जिन्हें देखकर हर कोई कहेगा कि ये गुण हमारे अंदर भी बढ़ने चाहिए। स्त्री के अंदर जो गुण हैं, उसे अगर सही ढंग से इस्तेमाल किया जाय तो वे अभिशाप नहीं, वरदान बन सकते हैं। अगर वे गुण अभिशाप न बनें तो स्त्री वह कर सकती है, जो करने के लिए वह प्रकट हुई है। स्त्री एक शक्ति है, जिसमें चार मुख्य गुण हैं (जिन्हें विस्तार से आगे बताया गया है), अगर वे अभिशाप न बने होते तो स्त्री पूरे विश्व को चला सकती थी। स्त्री ने संसार को पैदा किया है, वह जननी बनी, माता बनी, उसके अंदर वे गुण हैं जो पूरे संसार को, पूरे विश्व को चलाने की शक्ति रखते हैं। फिर स्त्री में

कौन सी कमजोरी रह गयी, जिसकी वजह से वह पूरे विश्व को बेहतर ढंग से चला न सकी? इन बातों को भी हमें विस्तार से समझना है। वास्तव में स्त्री का झुकाव हृदय की तरफ ज्यादा होता है और पुरुष का झुकाव बुद्धि में ज्यादा होता है। बुद्धि में रहने वाले लोग राजनीतिज्ञ (पॉलिटिकल माइन्ड के) होते हैं। जब बुद्धि प्रधान हो जाती है, बुद्धि देश को चलाने लग जाती है तब कुर्सी की ताकत मिलने से बुद्धि भ्रष्ट होती जाती है। ऐसी बुद्धि से जो परिणाम आते हैं, वे विश्व के लिए घातक साबित होते हैं।

गुणों व अवगुणों को पहचानें :

हर इंसान के अंदर कुछ गुण होते हैं, साथ ही कुछ अवगुण भी होते हैं। आत्मनिरीक्षण से आप अपने गुणों व अवगुणों को पहचान सकती हैं। जिससे पता चलता है कि आपके अंदर ऐसी कई खूबियाँ व विशेषताएँ हैं, जिनकी बदौलत आप अपने काम को बखूबी अंजाम दे सकती हैं। अपनी उपलब्धियों पर गर्व महसूस करें। अगर आपने अपने कार्यों को खूबसूरती से निभाया है तो उसके लिए अपने आपको शाबाशी देना न भूलें साथ ही अपने दोषों को अनदेखा न करें। उनमें सुधार लाने के लिए तब तक निरंतरता से कार्यरत रहें, जब तक कि वे हमेशा के लिए निकल न जायें।

भाग २

गुणों की शक्ति से आत्मनिर्भर बनें

स्त्रियों के मुख्य गुण

पहला गुण - ग्रहणशीलता

स्त्री का सबसे पहला और प्रधान गुण है ग्रहणशीलता। वह प्राप्त कर सकती है और जो भी राह में आता है, उसे ग्रहण कर सकती है। पुरुष भी ग्रहणशील हो सकते हैं लेकिन उसके लिए प्रयास की आवश्यकता होती है। जिसके लिए पुरुष को प्रयास करना होता है, वह नारी के लिए सरल और स्वाभाविक है। जिस शरीर में ग्रहणशीलता, लचीलापन और नि:स्वार्थ प्रेम से देने की भावना होती है, वह नारी का शरीर है।

लेकिन कई महिलाओं में यह शक्ति अभिशाप भी बन गई है। महिलाएँ असुरक्षा की भावना के कारण गलत लोगों के प्रति ग्रहणशील हो सकती हैं। असुरक्षा की इस भावना के कारण

नारी हमेशा स्थायित्व की तात्कालिक आवश्यकता महसूस करती है और चाहती है कि उसका अपना मकान हो और वह बच्चों के साथ सुरक्षित जीवन जिए। वह तत्काल परिवार में सुरक्षित होने की भावना चाहती है। पृथ्वी पर सभी खाली जगहों पर आज घर बने हैं, उसके पीछे सबसे प्रमुख कारण यही है। असुरक्षा के इस डर के कारण नारी अपने आस-पास के गलत लोगों के प्रति ग्रहणशील हो जाती है।

महिलाएँ अनावश्यक रूप से किसी ऐसे इंसान की ओर आकर्षित हो जाती हैं, जो प्रशंसा के कुछ शब्द बोलकर उन्हें सुरक्षा का झूठा एहसास दिलाता है। इस तरह यह ध्यान रखना महत्त्वपूर्ण है कि ग्रहणशीलता का अद्भुत गुण उसके लिए शाप कैसे बन सकता है। जिस पल वह ग्रहणशील होती है और गलत लोगों या चीजों के साथ ढलती है, वह विनाशकारी परिणामों को आमंत्रित करती है। नारी को ज्यादा तीव्रता से लाभ मिलता है, लेकिन उसे दु:ख भी उतनी ही तीव्रता से होता है, जो इस बात पर निर्भर करता है कि वह ग्रहणशीलता के अपने आंतरिक गुण का कैसा उपयोग करती है। असुरक्षा के इस भाव के कारण नारी सही और गलत के बीच फर्क करने की तार्किकता को खो सकती है। वह यह समझने में असफल रहती है कि वह सही मार्ग पर चल रही है या अपने ही पैर पर कुल्हाड़ी मार रही है। गलत लोगों के प्रति ग्रहणशील होने पर आगे चलकर वह हिंसा और गलत कामों का शिकार हो सकती है।

मीरा से सीखें कि ग्रहणशीलता क्या होती है? सीता की ग्रहणशीलता भी उच्च थी। उनका प्रेम बेशर्त प्रेम था, जहाँ बेशर्त विश्वास था। अग्नि परीक्षा के बावजूद उनका प्रेम और विश्वास नहीं टूटा, उनकी निष्ठा कम नहीं हुई बल्कि अग्नि परीक्षा से प्रेम और विश्वास बढ़ गया।

संत मीराबाई के जीवन की एक घटना बड़ी प्रसिद्ध है। मीरा भगवान कृष्ण की अनन्य भक्त थीं। वे ईश्वर के प्रति अपने प्रेम के लिए विख्यात थीं। उन्होंने अपने आराध्य की खोज में अपना राज्य छोड़ दिया। वे अपने राज्य से बहुत दूर जाकर एक कृष्ण मंदिर में ठहरीं। मंदिर के पुजारी ने उन्हें मंदिर में आने से रोकते हुए कहा, 'नारियों को इस मंदिर में प्रवेश करने की अनुमति नहीं है।' ये शब्द सुनकर मीरा ने पुजारी से कहा, 'क्या भगवान कृष्ण के अतिरिक्त इस मंदिर में कोई दूसरा पुरुष है? क्या तुम स्वयं को पुरुष मानते हो?

कोई भी नारी बने बिना उसके मंदिर में प्रवेश नहीं कर सकता। उसके मंदिर में प्रवेश करने के लिए तुम्हें नारी बनना होगा।'

मीरा जो कहने की कोशिश कर रही थीं, उसे समझने की कोशिश करें। उन्होंने 'नारी' किसे कहा? उन्होंने यहाँ किसी को स्थूल शरीर या आकृति के कारण नारी नहीं कहा। उनका अर्थ तो यह था कि जो भी इंसान प्रकृति के प्रति ग्रहणशील है, वह नारी है। वे यह संकेत करना चाहती थीं कि जो स्वभाव से लचीला और निःस्वार्थ देने की भावना रखता है... सिर्फ वही ईश्वर के पास पहुँच सकता है, ईश्वर के तादात्म्य में रह सकता है।

हर इंसान कभी ग्रहणशील होता है तो कभी नहीं। जब वह ग्रहणशील नहीं होता यानी उस वक्त वह पुरुष है। जब वह ग्रहणशील होता है तब वह स्त्री होता है। ऐसा पुरुषों और महिलाओं के शरीरों के कारण नहीं कहा जा रहा है बल्कि उन गुणों के कारण कहा जा रहा है, जिन्होंने उन्हें आकार दिया है। हर इंसान के अंदर दोनों बातें होती हैं। जब आप श्रवण करते हैं तब स्त्री बनकर करते हैं। जब आप सुन रहे हैं तब आप ग्रहण कर रहे हैं, आपके द्वारा कुछ लिया जा रहा है यानी आप ग्रहणशील होते हैं। जब भी आप सत्य का श्रवण करते हैं तब आप ग्रहणशील होकर, स्त्री बनकर ही करते हैं। जब आप भक्ति कर रहे हैं तब ग्रहणशील होकर, स्त्री बनकर ही भक्ति होती है। जब आप सेवा कर रहे हैं तब पुरुष बन जाते हैं, फिर चाहे वह स्त्री क्यों न हो। जब आप सेवा में हैं तब कोई भी हो, वह पुरुष है। जब श्रवण में हैं तब आप स्त्री हैं यानी आप ग्रहणशील हैं। आपके अंदर ग्रहणशीलता बढ़ रही है। जो मौन में दिया जा रहा है उसे आप ग्रहण कर रहे हैं।

जब मीरा ने उस पुजारी से यह बात कही तब पुजारी के लिए वह बात बहुत बड़ा झटका (सबक) थी। मंदिर में रहकर भी वह पुरुष बनकर बैठा है यानी अब तक वह कृष्ण के प्रति ग्रहणशील नहीं बना है। वह कैसा पुजारी है? यदि मीरा के पास आज के शब्द होते तो वह कहती, 'पूरे ब्रह्माण्ड में एक ही पुरुष है, तुम स्त्री हो कि नहीं यह पक्का करो, पता करो।'

इससे आपको समझना यह है कि कैसे सत्य ग्रहण किया जाय, आपके ग्रहण करने में कितनी खोट है, कितनी रुकावटें आ रही हैं।

दूसरा गुण - निरंतर कार्यक्षमता

स्त्री का दूसरा गुण है निरंतर कार्यक्षमता। विश्व में जो काम हो रहे हैं, जहाँ एक जगह बैठकर काम करना पड़ता है, वहाँ निरंतरता आवश्यक है। ऐसे काम करने में पुरुष जल्दी बोर हो जाता है, वह एक जगह बैठ ही नहीं पाता, इधर से उधर भागता रहता है मगर स्त्री के लिए यह सहज है। एक घर में वह बीस साल, पच्चीस साल, चालीस साल, सालों-साल रह पाती है। किसी काम में स्त्री लग जायेगी तो कितना भी बोरिंग काम हो, वह निरंतरता से कर सकती है। नौ महीने पेट में बच्चे को रखना, कितना बोरिंग काम हो सकता है मगर उसके लिए यह सहज है, पुरुष यह नहीं कर पायेगा।

पूरे विश्व में महिलाओं ने कुछ उच्च पद सँभाले हैं। हर कंपनी में, हर जगह पर वह बेहतरीन और ईमानदारी से कार्य कर रही है। इसका अर्थ ऐसा नहीं कि पुरुष काम नहीं कर रहा है, पुरुष भी कर रहा है मगर उसके काम कुछ अलग तरह के हैं। पुरुष अपने काम में प्रयास से स्वयं को बिठा सकता है। जब उसे लक्ष्य मिलता है, उसकी इच्छा शक्ति बढ़ती है, उसकी संकल्प शक्ति बढ़ती है तो वह कार्य करता है। पुरुष और स्त्री दोनों में एक श्रेष्ठ और एक निम्न है, ऐसा नहीं है। दोनों बराबर हैं, कुछ बातों में पुरुषों के लिए सहजता है और कुछ बातों में स्त्रियों के लिए सहजता है।

इतनी शक्ति होने के बावजूद भी स्त्री आज गुलामी का जीवन जी रही है, जिसे जगाने के लिए ही यह पुस्तक बनी है। इस पुस्तक का उद्देश्य यही है कि हमारी चेतना बढ़े, जागृति बढ़े, मनन हो और आज हम जिन कमजोरियों में उलझ गये हैं, उनसे बाहर आयें। स्त्री किसी भी कार्य को लगातार कर सकती है और हाथ का काम जब तक पूरा न हो जाए, तब तक संकल्पित रह सकती है। लेकिन इस उपलब्धि के साथ उसकी एक कमजोरी भी है - यह है प्रशंसा की आशा। वह चाहती है कि लोग उसके किए कामों की प्रशंसा करें। कोई उसकी थोड़ी भी तारीफ करता है तो वह जल्दी अपना लक्ष्य भूल जाती है। फिर जिसने उसकी प्रशंसा की वह उससे गलत कार्य भी करवाये तो वह करती है। इस कारण लोग उससे ऐसे कार्य करवाते हैं, जिसमें उसकी बुद्धि, उसके हृदय, उसकी कला का इस्तेमाल न होकर उसके शरीर का इस्तेमाल किया जा रहा है। स्त्री जहाँ पर काम

करती है, वहाँ झूठी तारीफ के कारण आस-पास के लोग उससे अपनी मनमानी करवाते रहते हैं।

जिस विज्ञापन में किसी वस्तु (प्रॉडक्ट) के लिए, जो पुरुष इस्तेमाल करता है, वहाँ भी स्त्री को दिखाया जाता है। जिस विज्ञापन में किसी स्त्री की आवश्यकता भी नहीं होती है, वहाँ पर भी स्त्री को दिखाया जाता है। ऐसा इसलिए हुआ क्योंकि उसके इन गुणों को तारीफ मिली, जिसकी गुलाम होने की वजह से वह सोच ही नहीं पाती कि वह क्या कर सकती है और उससे क्या करवाया जा रहा है। फिर जहाँ वह काम करती है, वहाँ लोग झूठी तारीफ करके उसका शोषण करते हैं। सदियों से यह शोषण चलता आया है। सिर्फ सिर पर ताज रखकर स्त्री को मोहताज बना दिया गया, यह प्रायः उसे समझ में नहीं आता।

अपने आपको न जानने की वजह से, अपने आपको शरीर मानने की वजह से और पूर्वजों द्वारा माँ, दादी माँ, नानी माँ इत्यादि से आये हुए गुणों की कमजोरियों के कारण स्त्री अपनी (स्त्री) शक्ति का फायदा नहीं ले पाती, यह उसकी कमजोरी है।

पुराने जमाने में विषकन्यायें बनायी जाती थीं यानी लड़कियों को बचपन से ही थोड़ा-थोड़ा जहर देकर बड़ा किया जाता था। विशेषतः इस कार्य के लिए कि जो उनके दुश्मन होंगे, उनकी मौत का कारण यह लड़की बने। उस लड़की का अपना कोई जीवन नहीं होता था। इस तरह निम्न स्तर पर उसका इस्तेमाल होता था मगर सवाल यह उठता है कि अगर वे ऐसा करती रहीं तो क्यों करती रहीं? ऐसा क्या बंधन था, ऐसी क्या कमजोरी थी जिस वजह से वह खुद नहीं सोच पायी? पॉलिटिकल माइन्ड, कुछ नेताओं द्वारा, राजा-महाराजाओं के समय से यह चलता आया है। पौराणिक काल से लोग ऐसे षड्यंत्र करते रहे हैं कि एक दूसरे को मारने के लिए, एक दूसरे की गद्दी छीनने के लिए, स्त्री की कमजोरी के कारण उसका इस्तेमाल करते रहे हैं। स्त्री अपनी झूठी तारीफ सुनकर गलत और झूठे कार्य में सहयोग देने लगती है। अगर वह थोड़ी भी सजग हो जाय कि इसके पीछे क्या मंशा है, सामने वाला क्या चाहता है तो वह गलत कार्यों में उलझना बंद कर देगी। अपनी बुद्धि खोल पायेगी, अपने हृदय, भाव का सही इस्तेमाल कर पायेगी

और अपने गुणों को सही दिशा दे पायेगी। अगर वह थोड़ा सा मनन करेगी कि यह मेरी कमजोरी है और इस कमजोरी का इलाज होना चाहिए, मुझे सजग होना चाहिए तो प्रेम की वजह से विश्व को तेज प्रेम की दिशा दे पायेगी।

तीसरा गुण - सहनशीलता

स्त्री का तीसरा गुण है सहनशीलता। बच्चे को पैदा करने की अत्यंत प्रसव पीड़ा स्त्री ही सह पाती है क्योंकि उसके अंदर सहनशीलता है। ऐसा इसलिए है क्योंकि उसमें इस पूरी प्रक्रिया को झेलने के लिए पर्याप्त धैर्य और शक्ति होती है। नारी की सहनशीलता कमाल की होती है। लेकिन सहनशीलता की यह क्षमता कई महिलाओं के लिए हानिकारक होती है। इसी गुण के कारण वह पुरुषों के अत्याचार, हिंसा और गलत व्यवहार को चुपचाप झेलती रहती है। जो चीज सहज होती है उसे आप करते रहते हैं। सहनशीलता स्त्री का एक अच्छा गुण था, उसे अगर सही दिशा में लगाया जाता तो विश्व के बड़े से बड़े कार्य हो सकते थे मगर स्त्री की कमजोरी के कारण इस सहनशीलता का लाभ अत्याचारियों को ही मिला। अत्याचार करने वालों ने उसका नाजायज फायदा उठाया। बाल विवाह पद्धति में छोटी उम्र की लड़की पर जिम्मेदारियाँ दे दी जाती थीं। दहेज की प्रथा और सती प्रथा जो सदियों से चलती आ रही थी, स्त्री के सहनशीलता के कारण ही उसे बढ़ावा मिला। स्त्रियों की अग्नि परीक्षा ली जाती थी। उनके लिए सती प्रथा भी बनी, जिसमें पति की मृत्यु के बाद स्त्री को भी आग में जलना ही पड़ता था वरना उन्हें जबरदस्ती ढकेल दिया जाता था। ये सब तरह के अत्याचार वे सहनशीलता के कारण ही सहती रहीं।

स्त्री के लिए सहनशीलता का गुण अभिशाप बनने के पीछे कारण था ईर्ष्या। स्त्री में से यदि यह अवगुण निकाल दिया जाय तो बहुत बड़ा चमत्कार हो सकता है। स्त्री चाहे तो घर को स्वर्ग बना सकती है या घर को नरक भी बना सकती है। जहाँ पर समझ (अण्डरस्टैण्डिंग) है, वहाँ घर स्वर्ग होता है, वहाँ इन सब गुणों का पूर्ण लाभ मिलता है। जहाँ समझ नहीं है, जहाँ दुर्गुण ज्यादा हैं, वहाँ नरक तैयार होता है। जो स्त्री घर को स्वर्ग बना सकती है, वह विश्व को भी स्वर्ग बना सकती है। अगर सभी अवगुणों को वह दूर

कर सके तो दूसरों के लिए प्रेरणा बन सकती है। विश्व के बड़े-बड़े कार्यों (प्रोजेक्ट) में देखेंगे तो प्रेरणा बनने वाले शरीरों में कई जगहों पर स्त्री का ही शरीर रहा है। ताजमहल के लिए जैसे एक स्त्री (मुमताज) ही प्रेरणा बनी। हर कामयाबी के पीछे किसी शक्ति का हाथ होता है। पुरुष का हो या स्त्री का हो मगर अधिकतर घटनाओं में स्त्री ही देखी गयी है इसलिए ऐसी कहावतें भी बनीं कि हर कामयाब पुरुष के पीछे स्त्री का हाथ होता है।

स्त्री बहुत बड़ा काम कर सकती है, विश्व को चलाने में काम आ सकती है, प्रेरणा बन सकती है क्योंकि उसके गुण हृदय से संबंधित हैं। हृदय किसी को दु:खी नहीं करना चाहता। हृदय अत्याचार नहीं करना चाहता। मदर मेरी के अंदर जो गुण थे, उससे जीज़स का जन्म हुआ। मीरा के गुणों द्वारा तेज प्रेम की अभिव्यक्ति हुई। जनाबाई, सहजोबाई, दयाबाई इत्यादि संतों के द्वारा अलग-अलग अभिव्यक्तियाँ हुईं। राधा, सीता, गोपियाँ, शबरी, कुंती ऐसे अनेक नाम हैं, जिससे पता चलता है कि स्त्रियों ने विश्व को बहुत कुछ दिया है। कुछ जगहों पर ऐसी भी स्त्रियाँ हैं, जिनके नाम प्रसिद्ध भी नहीं हुए हैं, वे अंधेरे में ही रहीं क्योंकि उनमें जो गुण थे - चुपचाप रहना, सहते रहना इसलिए वे गुमनाम ही रहीं।

स्त्री की बुद्धि का, उसकी कला का, उसके हृदय का, उसकी चेतना का पूर्ण इस्तेमाल नहीं हो रहा है। स्त्री को छोटी-छोटी बातों से थोड़ा ऊपर उठना होगा। नेलपॉलिश, गहनों में अटकने के बजाय, उससे बचना होगा तो फिर बहुत बड़ी क्रांति हो सकती है। अगर वह यह करेगी तो ही सत्य की प्राप्ति होगी वरना सत्यवान की मौत निश्चित है। सावित्री, यमराज से नहीं लड़ पायेगी।

सावित्री, अहिल्या, शबरी जैसी स्त्रियों के अलग-अलग उदाहरण से समझें कि उनके अंदर के गुणों (प्रेम, निरंतर कार्यक्षमता, सहनशीलता) को हम आज भी याद करते हैं। पैसा पुरुषों द्वारा कमाया जाता है और खर्च स्त्रियों द्वारा किया जाता है। अत: पैसे का सही इस्तेमाल हो, मनी पॉवर का इस्तेमाल सत्य के लिए हो। यदि महिला सजग हो जाय तो बुद्धि में रहने वाले राजनैतिक नेताओं को नीचे उतरना ही पड़ेगा। महिलाएँ अपनी कमजोरी दूर कर दें तो अपने अच्छे गुणों के बल पर विश्व का बड़े से बड़ा काम

भी सहजता और अच्छे ढंग से कर सकती हैं। पाश्चात्य देशों की नकल करके वे अपनी सौम्यता नष्ट न करें।

अच्छे विश्व का निर्माण करने के लिए महिला जागृति परम आवश्यक है। यह जागृति पुरुषों द्वारा हुए अत्याचार से बदला लेने के लिए न होकर, विश्व क्रांति के लिए हो, प्रेम और सहनशीलता का पाठ पढ़ाने के लिए हो, विश्व शांति के लिए हो।

चौथा गुण - लज्जा

जिन गुणों की आप प्रशंसा करेंगे वे बढ़ेंगे। नारी अपने कौन से गुणों को बढ़ाये जिससे समाज अच्छे ढंग से चल सके? अगर वह निर्लज्ज बनकर जीयेगी तो उसका समाज में क्या होगा? अगर वह पुरुषों की तरह व्यवहार करेगी तो समाज में क्या होगा? जिन्होंने भी समाज के नियम बनाये उन्होंने कुछ सोच-समझकर बनाये। इंसान एक सामाजिक प्राणी है। समाज में सब चीजें सही ढंग से सुंदरता से चलें और हर एक को अपना हक मिले, सिर्फ ताकत की वजह से कोई दूसरों का हक न ले इसलिए समाज में कुछ कार्यप्रणाली बनायी गयी। उस कार्यप्रणाली में पुरुषों के खाते में भी कुछ बातें आयीं। पुरुषों को इस तरह व्यवहार करना है और उस व्यवहार की प्रशंसा की गयी ताकि उस व्यवहार से समाज के कार्य बिना रुकावट के चलते रहें। स्त्री के लिए भी कुछ बातें निर्धारित की गयीं। यदि वह अपने अमुक गुणों को सँभालती है तो समाज के कार्य सुंदरता से होंगे। अगर वह निर्लज्ज हो जाती तो पुरुषों के कार्यों में विघ्न होता। अतः स्त्रियों की लज्जा को उनका गहना कहा गया ताकि वे इन बातों का खयाल रखें।

आज के समाज में पुरुषों की बराबरी करने के लिए महिलाएँ शालीनता की सूक्ष्म रेखाएँ लाँघ जाती हैं। यह सब समानता के नाम पर किया जाता है। वे यह बात समझती ही नहीं हैं कि इस दौड़ में सबसे ज्यादा नुकसान महिलाओं को ही होता है। विवाहेतर संबंधों का आँकड़ा बढ़ गया है। इसके साथ ही महिलाओं के साथ होनेवाले अपराधों की संख्या भी बढ़ गई है। पाश्चात्य संस्कृति का अंधानुकरण महिलाओं के शोषण का एक प्रमुख कारण है। इसलिए यह बहुत महत्त्वपूर्ण है कि महिलाएँ अपने शालीन और सम्मानजनक व्यवहार को कायम रखें ताकि पूरा विश्व नारी का सम्मान करता रहे।

हर इंसान को अपनी मर्यादा पता होनी चाहिए। अगर वह इस सीमा से बाहर जायेगा तो अपने नुकसान के साथ-साथ अन्य लोगों का तथा घर व समाज में जो कार्यप्रणाली चल रही है उसका भी नुकसान करेगा। कुछ दूरदर्शी लोगों ने इन सब बातों को सुचारू रूप से चलाने के लिए कुछ नियम और कहावतें बनायीं ताकि उन्हें याद रखकर लोग अपनी मर्यादा और अपनी सीमा में रहें।

जब सभी लोग अपनी सीमा में रहेंगे तभी एक दूसरे के साथ मिल-जुलकर कार्य कर पायेंगे। अगर ये नियम नहीं बनाये गये होते तो आज समाज और विश्व की कैसी अवस्था होती? लोग अपना असली लक्ष्य भूलकर पूर्णतः माया में उलझ गये होते। आज इन नियमों के बनाने के बाद भी देखा जा रहा है कि लोग माया में उलझ गये होते। आज इन नियमों के बनाने के बाद भी देखा जा रहा है कि लोग माया में उलझकर अपना मूल लक्ष्य भूल गये हैं। अगर नारी में लज्जा रूपी गहना भी नहीं होता तो आज समाज की कैसी अवस्था होती! अतः हर एक इंसान अपनी शक्ति को जाने और उस शक्ति का गलत उपयोग न हो, उसके लिए मर्यादा भी रखी जाय ताकि सुंदरता से अभिव्यक्ति हो पाये।

सौंदर्य, लज्जा, विनय, क्षमा, संतोष, विनम्रता, करुणा, मधुर वाणी, त्याग, आदि नारी के आभूषण हैं। इतिहास गवाह है, नारी के अनेक रूपों को इतिहास सराहता है और हर युग में इसे आदर दिया गया।

इन गुणों के अतिरिक्त स्त्रियों में अन्य गुण भी होने चाहिए, जिससे वे अपने आपको संपूर्ण व स्वाभिमानी महसूस कर पायें। नारी के संपूर्ण विकास के लिए आगे कुछ महत्त्वपूर्ण गुणों के बारे में बताया गया है, जिसे आत्मसात करके अपना संपूर्ण विकास करें।

भाग ३

आत्मनिर्भर बनने में बाधा

स्त्री का पहला अवगुण - ईर्ष्या

महिला हो या पुरुष, ईर्ष्या दोनों में होती है मगर महिलाएँ अपने स्वभाव की वजह से इन दुर्गुणों को ज्यादा अभिव्यक्त करती हैं। इसलिए महिलाओं के स्वभाव में ईर्ष्या व जलन जैसे अवगुण हमेशा देखे गये हैं। इसके पीछे कारण चाहे कोई भी हो, बचपन से एक ही घर की दो बहनों में ईर्ष्या की वजह से तू-तू, मैं-मैं होती है। यही आदत बड़े होने के बावजूद भी अलग-अलग जगहों पर दिखायी देती है। घर में बहनें हों तो कपड़ों की वजह से, आपस में तुलना होती है कि 'मेरी बहन को ज्यादा मिला और मुझे कम।' हम

उम्र ननंद-भाभी में, जेठानियों-देवरानियों में, कभी-कभार सास बहुओं में ईर्ष्या दिखायी देती है।

आपस में स्त्रियाँ ईर्ष्या के कारण एक-दूसरे की दुश्मन बन जाती हैं। अब तक हम सुनते आये हैं कि पुरुषों ने ही स्त्रियों पर अत्याचार किये हैं मगर पुरुष भी अत्याचार स्त्री के कारण ही कर पाया है। स्त्री ही स्त्री की सबसे बड़ी दुश्मन है। जब तक स्त्री राजी नहीं होती तब तक कैसे कोई सती प्रथा चला सकता था? कैसे कोई जिंदा स्त्री को जला सकता था? इन प्रथाओं के लिए काफी हद तक स्त्रियाँ ही जिम्मेदार हैं – एक जो जल रही है और दूसरी जो उसके लिए निमित्त बन रही है। ईर्ष्या, द्वेष, घृणा, तुलना की वजह से ही स्त्री यह सोचती है कि 'इसे यह मिला मुझे नहीं मिला, उसके पास दो साड़ियाँ हैं, मेरे पास एक है, उसके पास इतने गहने हैं, मेरे पास नहीं।' ससुर यदि मर गया तो बहू सास को तकलीफ देने के लिए पहले से ही तैयार है। यदि बेटा मर गया तो सास बहू को जिंदा जलाने से नहीं चूकती।

कई बार महिलाओं को लगता है कि किसी और को ध्यान मिल रहा है इसलिए उनकी तरफ ध्यान नहीं दिया जा रहा है। इस तरह अज्ञान में केवल ध्यान पाने की चाहत में महिलाएँ ईर्ष्या में फँस जाती हैं। उनमें अज्ञान होता है कि 'मैं काली हूँ, मोटी हूँ, नाटी हूँ या मुझ में यह अवगुण है।' इन बातों की वजह से उन्हें विश्वास नहीं होता कि उन्हें जो चाहिए, वह उन्हें मिल सकता है।

घर में काम करने वाली औरतों में तनाव पैदा होने का मुख्य कारण होता है 'ईर्ष्या'। कई बार औरतों को लगता है कि 'उसने गहने लिए हैं इसलिए मुझे भी चाहिए।' उन्हें लगता है कि पड़ोसी के घर में जो इम्पोर्टेड वस्तुएँ आयी हैं, वे हमारे घर में कब आयेंगी? पड़ोसी ने कौन से रंग के कपड़े लिए हैं, कौन सा वाहन लिया है, उसके घर में कौन से मेहमान आते हैं? इस तरह की कई सारी बातों पर ईर्ष्या होने की वजह से औरतें घर में तनाव पैदा करती हैं।

इस बात पर सर्वेक्षण किया गया कि लोगों को अपने पड़ोसी की कौन सी बातों में ज्यादा रुचि होती है। सर्वेक्षण करने के बाद कुछ ऊपर दी गयी ऐसी बातें

सामने आयीं, जिनकी वजह से ईर्ष्या, तुलना की जाती है और उस तुलना की वजह से तनाव आता है।

केवल लक्ष्य और ज्ञान न होने की वजह से महिलाएँ नकारात्मक भावनाओं का सहारा लेती हैं। जैसे एक घर में एक महिला को साड़ी मिलती है और दूसरी को नहीं मिलती तो तुरंत उसके अंदर विचार आता है, 'उसे साड़ी मिली और मुझे क्यों नहीं मिली?' इस तरह नकारात्मक भावनाओं का सहारा लेने की वजह से महिलाएँ आत्मनिर्भर नहीं हैं। महिलाओं को लगता है कि अगर उन्हें कोई चीज पानी है तो उसके लिए उन्हें नाटक करना पड़ेगा, दुःखी रहना पड़ेगा तभी उन्हें वे जो चाहती हैं, वह मिल सकता है। जैसे कैकयी को लगता था कि उसका बेटा राजा बने इसलिए उसे ही कुछ करना पड़ेगा। कैकयी को मंथरा ने भड़काया और उसके मन में वही बात चली कि उसके बेटे को राज्य मिलने के लिए किसी से वह राज्य छीनना होगा वरना बेटे को राज्य नहीं मिलेगा। इस तरह असुरक्षा के डर की वजह से और अपने कमजोर शरीर को देखकर कई बार महिलाएँ इस तरह बरताव करती हैं।

गुण बढ़ायें, ईर्ष्या मुक्त हो जायें :

आपका शरीर कैसा भी हो मगर आपको अपने अंदर गुण जागृत करने हैं, जिससे आप बड़ा कार्य कर पायेंगी। महिलाएँ हमेशा यह सोचें कि 'स्त्री शरीर नहीं बल्कि गुण है' तो वे आत्मनिर्भर बनने की यात्रा पर आगे बढ़ सकती हैं। स्त्री यदि सोचे कि 'मैं गुण हूँ, न कि शरीर। लोग जब मुझे देखें तो मेरी सूरत पर न जाते हुए मेरे गुणों की तरफ ध्यान दें। मेरे गुण इतने बढ़ें कि लोग मुझे शरीर से परे ही देखें' तब उसमें से जलन, ईर्ष्या और तुलना की भावनाएँ खतम हो जायेंगी।

जीवन में महिलाओं को यह ज्ञान मिलना आवश्यक है कि 'मुझे जो चाहिए वह मुझे मिल सकता है। वह पाने के लिए मुझे नकारात्मक भावनाओं का सहारा लेने की आवश्यकता नहीं है। सिर्फ यह मेरा लक्ष्य नहीं है इसलिए वह चीज मेरे पास नहीं है। संकल्प शक्ति के आधार पर मैं विश्व की कोई भी वस्तु हासिल कर सकती हूँ। वस्तु या ध्यान पाने के लिए जलन की जरूरत नहीं है।'

जब आपको १००% पक्का विश्वास होगा कि जो सामने वाले के पास है, वह आपको भी मिल सकता है तब आप सामने वाले से कभी ईर्ष्या नहीं करेंगी। आपको लगता है, 'अगर मैंने वह चीज पाने का निर्णय लिया और वैसा संकल्प किया तो मुझे भी वह चीज मिल सकती है, उसमें कोई बड़ी बात नहीं है' तब आप आत्मनिर्भर हैं। पृथ्वी पर हर इंसान के पास इतनी कल्पना और संकल्प शक्ति है कि अगर उसने संकल्प किया तो देर-सबेर उसके पास वे सभी चीजें आ सकती हैं, जो दूसरों के पास हैं। जो लोग अज्ञान में होते हैं, जिन्हें यह लगता है कि दूसरों के पास जो चीजें हैं, वह बिना छीने उन्हें नहीं मिल सकतीं, उन लोगों में ईर्ष्या होती है।

मदर टेरेसा जैसी प्रसिद्ध महिलाओं के बारे में जानेंगे तो पता चलेगा कि वे सभी देखने में सुंदर और लंबी महिलाएँ नहीं थीं मगर उन्होंने अपने अंदर के गुण जगाये और वे जीवन में सफल कहलायीं। जीवन में जब गुण बढ़ जाते हैं तब लोग चेहरे से परे हो जाते हैं। उसके बाद सिर्फ गुण ही मुख्य होते हैं, शरीर नहीं। जो लोग अपने गुण बढ़ाते हैं, उन्हें ईर्ष्या की आवश्यकता नहीं होती। वे लोग अपने जीवन में यह जान जाते हैं कि सफल, संतुष्ट और आनंदित जीवन जीने के लिए किसी से भी जलन, तुलना या द्वेष करने की आवश्यकता ही नहीं है।

हर महिला अपनी आदतें पहचाने और खुद से पूछे, 'मुझे इस तरह की ईर्ष्या से आज तक क्या मिला है?' जब आपको महसूस होगा कि ईर्ष्या या तुलना करने से आज तक आपको कुछ भी नहीं मिला है तब आप इस आदत को छोड़ने के लिए तैयार होंगे। उसके बाद आप दूसरों की वस्तुओं की तरफ ऐसे देखेंगे जैसे अंधे देखते हैं और दूसरों की दौलत देखकर अपनी शांति नहीं खोयेंगे। आपको वस्तुओं को सही ढंग से देखने का और दूसरों को सही ढंग से सुनने का प्रशिक्षण लेना चाहिए। अगर महिलाओं को यह समझ मिल जाय कि गुणों का इस्तेमाल वे आत्मनिर्भर बनने के लिए कर सकती हैं तो वे बहुत आसानी से सभी अवगुणों से बाहर आ सकती हैं।

भाग ४

आत्मनिर्भर बनें, सोचकर बोलें

स्त्री का दूसरा अवगुण-बोलकर सोचने की आदत

एक इंसान सोचकर बोलता है और एक इंसान बोलकर सोचता है। इन दोनों में फर्क समझें। बोलकर सोचने वाली महिला को अगर सोचना है कि उसे कौन से काम करने हैं तो वह मन में नहीं सोचेगी बल्कि वह जोर से बोलकर सोचेगी। वह कहेगी, 'कपड़े इस्त्री करने हैं, बच्चों को स्कूल भेजना है, अब तक खाना नहीं बना है, ये सभी काम कब पूरे होंगे? यह सब कब तक चलता रहेगा?' यह बोल-बोलकर दरअसल वह हल सोच रही होती है। स्त्री जब बोलना शुरू कर देती है तो बोलते-बोलते वह सोचने का काम करती

रहती है। बोलते-बोलते उसे अपनी समस्या का समाधान मिलता है। यदि उसे कहा जाय कि खुद सोचो, अपने अंदर ही सोचो तो वह नहीं सोच पाती, उसे बोलने के लिए कोई न कोई चाहिए, जिसे बोल-बोलकर उसे समाधान मिलता है। सोचकर बोलने वाला इंसान यह मन में सोचेगा मगर घर में काम करने वाली औरतें जोर से बोलती रहती हैं। उनके आस-पास जो लोग ये बातें सुनते हैं, उन्हें इन बातों की वजह से तनाव महसूस होता है। उन्हें लगता है कि घर में बहुत तनाव की परिस्थिति है मगर उस औरत के लिए वह बहुत सहज बात होती है। बाकी लोगों को तनाव आया तो भी वह महिला बोलती ही जाती है, 'यह वस्तु यहाँ पर क्यों रखी है? आपको समझता नहीं है कि यह यहाँ नहीं रखनी है। पर्दे मैले हो गये हैं, यहाँ धूल है, यहाँ वह है, वहाँ यह है...' वह बोलती जाती है क्योंकि वह बोलकर सोचने वाले लोगों में से एक है।

ऐसा कहा जाता है कि जब दो महिलाएँ आपस में मिलती हैं तो वे कभी चुप नहीं बैठ पाती हैं। महिलाओं की इस आदत की वजह से वे काफी बदनाम भी हुई हैं। जहाँ दो स्त्रियाँ मिलीं चाहे उनकी आपस में जान पहचान हो या न हो, उनका बोलना शुरू हो जाता है। यह आदत उनमें सबसे बड़ा दोष माना जाता है क्योंकि इस आदत की वजह से वे कभी-कभार ऐसी बातें भी दूसरों के सामने बोल देती हैं, जो नहीं बोलनी चाहिए थी। ऐसी बातें आगे चलकर बड़ी तकलीफ का कारण भी बनती हैं। वह कोई भी बात अपने तक सीमित नहीं रख पाती और उस बेचैनी में वह किसी की भी पोल किसी और के सामने खोल देती है।

महिलाओं की इसी आदत की वजह से पुरुष उनसे कई बातें छिपाते हैं। पुरुषों को यह डर होता है कि जिन बातों का जिक्र सभी जगहों पर आवश्यक नहीं है, उन बातों को महिलाएँ हर जगह बताते फिरती हैं इसलिए स्त्रियों के बारे में यह कहावत प्रसिद्ध है कि 'स्त्री अपने पेट में कोई भी बात नहीं रख पाती।' वस्तुतः वह नौ महीने तक बच्चे को अपने गर्भ में रख पाती है मगर कोई रहस्य अपने साथ नहीं रख पाती। ऐसा इसलिए है क्योंकि बच्चे को पेट में रखने के लिए महिलाओं

के पास और कोई पर्याय नहीं होता इसलिए वे बच्चे को नौ महीनों तक पेट में रख पाती हैं। सहनशीलता उनके शरीर का गुण होता है। उस गुण की वजह से वे बच्चे को नौ महीनों तक पेट में रख पाती हैं मगर पेट में बच्चा रख पाना और किसी बात को अपने तक ही सीमित रखना, ये दो अलग बातें हैं।

स्त्री बोलकर सोचना चाहती है इसलिए वह हर वक्त कुछ न कुछ बोलती रहती है। कई बार ध्यान पाने के लिए भी लोग बातें करते हैं। उन्हें लगता है कि 'वे कुछ नया और अलग बतायेंगे तो लोग उन्हें सुनेंगे। जब तक उनके पास बताने के लिए कुछ नहीं है तब तक उनकी तरफ कोई ध्यान नहीं देगा।' इस सोच की वजह से कई बार महिलाएँ कुछ न कुछ बोलती रहती हैं। महिलाएँ बोलकर कुछ समस्याओं का समाधान चाहती हैं। कुछ लोग सोचकर अपनी समस्याओं का समाधान पाते हैं मगर महिलाओं को लगता है कि वे बोलकर उनकी समस्याओं का समाधान पायें। महिलाएँ ज्यादा बोलना इसलिए भी पसंद करती हैं क्योंकि उनके अंदर जो बातें हैं, वे तुरंत बताना चाहती हैं।

इसका अर्थ यह न समझें कि महिलाएँ सभी बातें बताना चाहती हैं। वे कई बातें नहीं बता पातीं। इसकी वजह से यह कहावत भी बनी कि 'स्त्री को समझना मुश्किल होता है।' वाकई में महिलाएँ क्या चाहती हैं, यह पता लगाना कई बार मुश्किल होता है। कुछ बातें महिलाएँ अपने पास ही रखती हैं। इस तरह महिलाओं से संबंधित दोनों तरह की कहावतें बनी हैं।

कोई भी खबर सुनने के बाद कई बार महिलाओं को लगता है कि वह खबर किसी को बतायी जाय। महिलाएँ कोई भी खबर बताने से पहले यह नहीं सोचतीं कि उन्हें उस खबर के बारे में मनन करना चाहिए। उस खबर का सामने वाले इंसान पर क्या असर होगा, उसके बारे में उसे सोचना चाहिए। उस खबर का महत्त्व क्या है, उसकी वजह से शांति फैलेगी या अशांति? ये बातें बिना सोचे ही महिलाएँ कई सारी खबरें फैलाती हैं। उनके स्वभाव अनुसार वे बोलकर सोचना चाहती हैं, बोलते-बोलते समस्या का समाधान ढूँढ़ना चाहती हैं। कई बार उन्हें

बोलने से समाधान मिलता है, जिससे उनकी बोलकर सोचने की आदत बढ़ती जाती है। लोग आसान तरीका पसंद करते हैं कि अकेले बैठकर सोचने के बजाय बोलकर समस्या का समाधान पाना चाहते हैं लेकिन यदि महिलाएँ निर्णय लें तो उनके पेट में भी बातें टिक सकती हैं।

महिलाओं की अति बोलने की आदत के कारण उनमें दूसरों की बुराई करना, पीठ पीछे किसी की चुगली करना, झूठ बोलना, छल-कपट करना, किसी बात को घुमा-फिराकर बोलना, व्यर्थ की बातों में अपना और दूसरों का समय गँवाना, जैसी अनवांछित आदतें घर कर जाती हैं, जिसके बारे में उन्हें खुद भी पता नहीं होता है। किसी जगह पर कोई चीज नहीं बतायी जाती क्योंकि जो लोग सामने सुन रहे होते हैं, हो सकता है, वे उसका गलत फायदा लें। इस आदत के कारण उसे किसी का गुलाम बनकर जीवन जीना पड़ता है।

यदि इस पर कोई सोचे कि बोलकर सोचना यह स्त्री का अवगुण है तो उसके नुकसान से बचने के लिए उन्हें कुछ ऐसी खोज करनी होगी या कोई ऐसा टेप-रिकार्डर बनाना होगा, जो उनके लिए सुनने वाले इंसान का काम करे। जिसके साथ बात करके वह अपने निर्णय पर आ पाये। यह हो सकता है, नये समय के साथ नयी टेक्नॉलॉजी आ सकती है। यह अवगुण दूर किया जा सकता है। ऐसे कंप्यूटर्स बनाये जा सकते हैं, जो उसे इस अवगुण से बचायें ताकि लोग स्त्री का गलत फायदा न उठा पायें। ये सब बातें उनके लिए अभिशाप बन गयी हैं, जिस पर उन्हें प्रशिक्षण लेने की जरूरत है।

कुछ स्त्रियों का शारीरिक बनावट व रंग-रूप सीधा-सादा होता है। ये स्त्रियाँ दिखने में तो साधारण सी होती हैं परंतु उनके बात करने का अंदाज बहुत खूबसूरत होता है, जिसकी वजह से उनका साधारण व्यक्तित्व भी कई लोगों में उठकर अलग दिखायी देता है। वहीं पर कुछ महिलाएँ अच्छे कपड़े पहनकर व अपने चेहरे पर मेकअप करके अपने व्यक्तित्व को निखार तो लेती हैं परंतु उनके बातचीत करने का गलत तरीका, उनके व्यक्तित्व का नकारात्मक पहलू बन जाता है।

आइये जानें कि ऐसी कौन सी बातें हैं, जिनकी वजह से महिलाओं की छवि खराब हो जाती है :

१) क्या आप बिना सोच-विचार के कुछ भी बोल देती हैं?

२) क्या आप सिर्फ अपनी ही बात कहती हैं, दूसरों की नहीं सुनतीं?

३) क्या आप झूठी बातें, गप-शप व काल्पनिक बातें सभी को सुनाती रहती हैं?

४) क्या आप अपने मुँह से अपनी ही तारीफ करती हैं?

५) क्या आप बात करते समय हाथ और पैर झटककर बात करती हैं?

६) क्या आप अपनी ही बात को उचित व उत्तम बताती हैं?

७) क्या आप बात करते समय जोर से चिल्लाती हैं या जोरदार ठहाके लगाती हैं?

८) क्या आप दूसरों की बात खतम होने से पहले ही अपनी बात शुरू कर देती हैं?

९) क्या आप बड़े-बूढ़ों के नाम के साथ आदरणीय या सम्मानसूचक शब्दों का प्रयोग नहीं करती हैं?

१०) क्या आप यहाँ-वहाँ खड़े होकर उल्टी-सीधी बातें करती रहती हैं?

११) क्या आप ताना मारकर बात करती हैं?

१२) क्या आप असभ्यता से बात करने में अपनी शान समझती हैं?

१३) क्या आप बात करते समय कहती हैं, 'अरे, मेरे पास समय नहीं है, मैं जा रही हूँ', ऐसा कहने के बाद भी बातें करती रहती हैं?

इन सभी सवालों के जवाब अपने लिए जरूर जाँचें। कुछ स्त्रियाँ मेकअप, हेयर स्टाइल और फैशनेबल ड्रेस के बल पर अपने आपको सबसे विशेष मानती हैं लेकिन बातों-बातों में अनचाहे शब्दों का इस्तेमाल करके, आँख को बार-बार दबाकर और चेहरे पर अलग प्रकार के भावों को लाकर लोगों पर अपना अच्छा

प्रभाव नहीं छोड़ पातीं। उपरोक्त बतायी गयीं सभी बातों के लिए मुख्य रूप से जिम्मेदार है, स्त्रियों की बोलकर सोचने की आदत।

खूबसूरत चेहरा और मधुर आवाज कुदरत की देन है लेकिन यदि आप सब्र से काम लें तो साधारण आवाज और बातचीत के तरीके को भी सुधारा जा सकता है। स्त्रियाँ बन-सँवरकर जहाँ अपनी सुंदरता में चार चाँद लगा सकती हैं, वहीं अपने बोलने के तौर तरीकों को भी असरदार बना सकती हैं। हर इंसान की आवाज में जादू आ सकता है, जरूरत है तो केवल अपने शब्दों को सही ढंग से प्रस्तुत करने की। बातचीत करते वक्त आपके होठों की मधुर मुस्कान दूसरों के दिल में आसानी से जगह बना लेती है।

कुछ स्त्रियाँ अपने साज-शृंगार में इतनी मदहोश होती हैं कि वे खुद के सामने दूसरों को कुछ नहीं समझतीं लेकिन उनकी कुछ हरकतों से जैसे बार-बार सिर खुजलाना, ताली मारते हुए बात करना, अनुचित शब्दों का प्रयोग करना इत्यादि दूसरों की नजर में उन्हें मजाक का केंद्र बना सकता है।

आंतरिक सुंदरता के लिए भाषा की उपयोगिता का भी बड़ा महत्त्व है क्योंकि कई महिलाओं में यह देखा गया है कि वे खूबसूरत और ग्लैमरस दिखने की चाहत में, ब्यूटी पार्लर जाकर अपने बाहरी रूप को तो बदल लेती हैं पर जब वे बड़ी-बड़ी सोसायटी और पार्टियों में जाती हैं तब वहाँ वे अच्छी खासी हिंदी भाषा को छोड़कर टूटी-फूटी अंग्रेजी का प्रयोग करके दूसरों को प्रभावित करने की नाकाम कोशिश करती हैं। वे यह भूल जाती हैं कि जितने अच्छे ढंग से हम हिंदी में बात करके दूसरों को प्रभावित कर सकते हैं, टूटी-फूटी अंग्रेजी बोलकर उतना प्रभावित नहीं कर सकते।

आंतरिक सुंदरता में अपने चेहरे की मुस्कान पर भी विशेष ध्यान देना चाहिए। जब भी किसी से मिलें तो हँसकर, मुस्कुराकर मिलें क्योंकि आपके होठों की मुस्कुराहट दूसरों का दिल जीत सकती है। आपने चाहे कितने भी मँहगे कपड़े व गहने क्यों न पहने हों मगर चेहरे पर हँसी जैसा गहना और कोई नहीं है। हलकी

सी मुस्कान और अपने अंदर के विचारों को स्वाभाविक रूप से पेश करें, जिससे सामने वाले को पता चले कि आप उन्हें पसंद करती हैं।

जब भी बोलें, मीठा बोलें, नम्रता से बोलें ताकि सुनने वालों के कानों को अच्छा लगे। तीखा या कर्कश आवाज कानों को चुभता है। कुछ लोगों की ताली मारकर या गाली देकर बातें करने की आदत होती है। अगर आप में यह आदत है तो इसे बदलने की जरूरत है क्योंकि सुनने वाला भले ही तत्काल आप को न टोके पर यह व्यवहार दूसरों पर अच्छा प्रभाव नहीं छोड़ता।

खाना खाते वक्त या चाय पीते वक्त आवाज करना आपके व्यक्तित्व को खराब कर सकता है। मुँह बंद करके बिना आवाज के खाना-पीना सलीके में शुमार लाता है। खाने के दौरान बार-बार बोलना दूसरों को प्रभावित करने की बजाय गलत प्रभाव ही छोड़ता है और एहसास कराता है कि आपमें शिष्टाचार नहीं हैं। अच्छे ढंग से पहने गये कपड़े और आपका सद्व्यवहार आपके व्यक्तित्व में चार चाँद लगाता है।

दिन रात काम करना बहुत आसान है पर थोड़ा झुककर माफी माँगना, बहुत कठिन है। आपकी जुबान को सॉरी कहने से रोकने वाली सबसे बड़ी दिक्कत है- आपका अहम, जिसे आप पाले रहते हैं इसलिए आपको यह ध्यान रखना है कि आप इतनी साहसी बनें कि अपनी गलती स्वीकार करें। आपको इतना स्मार्ट बनना है कि अपने द्वारा की गयी गलतियों से आप लाभ उठा सकें। आपको अंदर से इतना मजबूत होना चाहिए कि उस गलती को न केवल सुधार सकें बल्कि उसे दोबारा न दोहराने का निश्चय करें।

अपने लिए यह नियम बनायें कि दूसरों की तारीफ करते वक्त जोर से करें और अगर किसी की निंदा कर रहे हैं तो धीरे से करें। इससे भी बेहतर यह है कि हर सुबह खुद से वादा करें कि आप किसी की आलोचना नहीं करेंगी। आपको हमेशा आत्मनिरीक्षण करना है कि कहीं दूसरों की आलोचना करके आप कड़ी मेहनत करने से भाग तो नहीं रही हैं? कहीं आप आगे बढ़ने की कोशिश न करते

हुए दूसरों को पीछे तो नहीं खींच रही हैं? कहीं आप अपने से आगे के स्तर के लोगों को खींचकर अपने स्तर पर लाने की कोशिश तो नहीं कर रही हैं। नीचे गिरना आपको असफल नहीं बनाता बल्कि नीचे ही पड़े रहना असफल बनाता है।

यदि इनमें से कोई बात आपकी आदतों में शामिल है तो शीघ्र ही अपने व्यक्तित्व की नकारात्मक बातों में सुधार लायें और बातचीत के अनोखे अंदाज से सबका मन मोह लें। अच्छे व्यक्तित्व के लिए सबसे ज्यादा महत्त्वपूर्ण है जब भी आप बोलें, सत्य ही बोलें, जिससे आपके अंदर आत्मविश्वास जगेगा। जो आपके व्यक्तित्व में निखार लायेगा और आपको आत्मनिर्भर बनायेगा।

भाग ५

सारे अवगुणों को प्रकाश में लायें

स्त्री के अन्य १३ अवगुण

स्त्री में अनगिनत गुण देखे जाते हैं। बाहरी सौंदर्य के साथ-साथ स्त्री अंदर से पूर्णतः सुंदर है। किंतु मानवी होने के साथ उसमें कुछ दोष भी दिखायी देते हैं। थोड़ी सी सजगता से, थोड़ी सी लगन से इन दोषों से न सिर्फ छुटकारा पाया जा सकता है बल्कि उसका लाभ भी लिया जा सकता है। नारी अपने दुर्गुणों को सफलता की सीढ़ी भी बना सकती है, जिसके लिए उसे पहले अपने दुर्गुणों को प्रकाश में लाना होगा।

१) तारीफ की गुलाम :

अपनी तारीफ सुनना हर इंसान को बहुत पसंद है मगर तारीफ न मिलने की वजह से दुःखी रहना और अपनी संभावनाओं के द्वार बंद कर देना मूर्खता है।

पुरुषों की तुलना में अधिकतर स्त्रियाँ हर किसी से तारीफ की उम्मीद रखती हैं। विशेषतः यह आदत उन महिलाओं में ज्यादा होती है जो गृहिणियों की भूमिका निभाती हैं। उन्हें कई बार ऐसा लगता है कि उनकी कोई सराहना करे, उन्हें कोई ध्यान दे। यदि ऐसा नहीं हुआ तो वे दुःखी हो जाती हैं।

ध्यान पाने की चाहत में वह धीरे-धीरे दूसरों की रजामंदी पर ही निर्णय लेना चाहती है। उदा. अगर वह अपने लिए कोई कपड़े, गहने इत्यादि खरीदकर लाती है तो वह सभी से रजामंदी चाहकर ध्यान पाना चाहती है। नयी साड़ी, नये गहने पहनकर अपनी सहेलियों व बाकी रिश्तेदारों से तारीफ की उम्मीद करती है। ध्यान व आकर्षण पाने की इस चाहत में कई महिलाएँ अपना नुकसान कर बैठती हैं क्योंकि महिलाओं को थोड़ा सा ध्यान देने के बदले में कुछ लोग, महिलाओं को अपनी चिकनी-चुपड़ी बातों से बहला-फुसलाकर अपना उल्लू सीधा करते हैं।

२) शिकायती स्वभाव :

शिकवा व शिकायतें करने की यह आदत भी कई महिलाओं में ज्यादा देखी गयी है । पति के घर आते ही, ससुराल वालों की शिकायतों का पिटारा खोलने की वजह से पति अपनी पत्नी से दूर भागते हैं। कुछ महिलाओं में शिकायत करने की इतनी आदत पड़ जाती है कि बिना शिकायत किये वे रह नहीं पातीं और दूसरों में अवगुण देखना शुरू कर देती हैं। धीरे-धीरे, शिकायत करना उनके लिए मनोरंजन का एक साधन बन जाता है। वे यह भूल जाती हैं कि शिकायत करने के पीछे मकसद समस्या का हल ढूँढ़ना था, न कि शिकायतों को बढ़ावा देकर मनोरंजन व वार्तालाप का विषय बनाना।

३) शंकालू स्वभाव :

अकसर यह देखा गया है कि स्त्रियों का स्वभाव शंकालू होता है, इसके पीछे प्रमुख कारण है महिलाओं में असुरक्षा का डर। इंसान अपने आपको जितना ज्यादा असुरक्षित महसूस करता है, उतनी ज्यादा शंकाएँ पालता है। अगर आप निश्चिंत और आत्मनिर्भर हैं तो आपको कम शक आयेगा क्योंकि आपको पता होगा कि आप हर अच्छी-बुरी घटना में खुद को सँभाल सकते हैं। अगर किसी घटना में गड़बड़ हुई या सामने वाले ने कपट किया तो उसकी वजह से आपकी चेतना का स्तर कम नहीं होगा। आप खुद को सँभाल पायेंगे और आपके पास अलग-अलग मार्ग हैं, जिनके द्वारा आप खुद को जीवित रख सकते हैं और खुश रह सकते हैं।

महिलाओं में असुरक्षा की भावना ज्यादा होने की वजह से उनके अंदर शंकाएँ ज्यादा होती हैं। उन्हें लगता है, 'मेरे साथ कुछ भी हो सकता है। अगर मुझे घर से निकाल दिया तो? क्या मुझे मेरे मायके में वापस लिया जायेगा? अगर वापस नहीं लिया जायेगा तो मेरा क्या होगा?' ऐसे डर की वजह से महिलाएँ ज्यादातर शक करती रहती हैं। कोई शंका आने पर महिलाएँ उसे तुरंत दूर करना चाहती हैं। कई बार शंकाएँ दूर करने के चक्कर में उनकी समस्याएँ और बढ़ जाती हैं।

महिलाओं के शंकालू स्वभाव का कारण उनकी असुरक्षा की भावना है। संसार में उनके आस-पास होने वाली घटनाएँ और खबरें भी उनमें असुरक्षा की भावना बढ़ाती हैं। वे जानती हैं कि वे खुद बहुत असुरक्षित महसूस करती हैं और दूसरी महिलाएँ भी बहुत असुरक्षित महसूस करती हैं। बाकी महिलाएँ सुरक्षा पाने के लिए किस हद तक जा सकती हैं, इस बात का अंदाजा महिलाओं को होता है। इन बातों की वजह से वे और ज्यादा शंकालू होती जाती हैं। किसी भी घटना में कुछ गलत तो नहीं हो रहा होगा, ऐसी शंका उन्हें हमेशा सताती रहती है।

४) लोभ :

अकसर महिलाओं में लोभ-लालच यह दोष भी पाया जाता है, फिर चाहे वह बचत की आदत हो या ज्यादा खाने की आदत हो। चीजों को जमा करना अच्छी आदत मानी जाती है परंतु गलत चीजों को जरूरत से ज्यादा जमा करना समस्या का कारण बनती है। उदाहरण- बहुत सारे कपड़े होने पर भी लोभवश हर त्योहार व समारोह के लिए बिना वजह खरीददारी करना व बेवजह कपड़े, जूते, चप्पलों इत्यादि का अंबार लगाना महिलाओं की आदत में शामिल होता है।

महिलाओं की इसी आदत की वजह से वे अकसर जरूरत से ज्यादा खाना बनाती हैं। भूख न होने पर भी वे बचा हुआ खाना खा लेती हैं ताकि खाना फेंकना न पड़े। बेवजह खाने की बचत व लोभ के कारण किसी जरूरतमंद को खाना देने की बजाय वह खुद खा लेती हैं और अपने पेट को कूड़ादान बना देती हैं। बचा हुआ रात का बासी भोजन, रखी हुई चाय वे अपने पेट में डालती हैं और वजन बढ़ाती रहती हैं।

५) एक दूसरे को नीचा दिखाना :

इकट्ठे रहने वाले परिवारों में अधिकतर तुलना की वजह से घर की महिलाएँ एक दूसरों को कमतरता का एहसास दिलाती हैं। कुछ महिलाओं की यह आदत (वृत्ति) बन जाती है। जिस कारण घर का माहौल महाभारत के कुरूक्षेत्र की तरह हो जाता है। ऐसे परिवार में जहाँ हर इंसान एक-दूसरे का रिश्तेदार होते हुए भी सदा लड़ाई-झगड़े चलते रहते हैं।

६) दूसरों की निंदा, चुगलखोरी करना :

जो महिलाएँ अधिकतर घर पर होती हैं, गृहिणियाँ होती हैं, उनका सुबह व शाम का समय घर के कामकाजों में ही जाता है। दोपहर का समय वे या तो सोने में बिताती हैं या फिर टी.वी. देखने में। कुछ महिलाएँ अपना खाली समय व्यर्थ की बातें करने और दूसरों से गपशप लड़ाने में गँवा देती हैं। उन्हें गपशप के लिए जब कोई और विषय नहीं मिलता तब वे दूसरों की निंदा करने में समय व्यतीत करती हैं।

स्त्री का यह अवगुण है कि 'उसके पेट में कोई बात नहीं पचती (रुकती) है।' अगर वह कुछ सुनती है तो तुरंत यहाँ-वहाँ बता देती है।

७) खुद निर्णय न ले पाना :

महिलाओं में निर्णय लेने की क्षमता कम पायी गयी है, जिसकी वजह से वे पति व घर के सदस्यों पर निर्भर रहने लगती हैं। कई घरों में, खासकर मध्यम वर्गीय परिवारों में, लड़कियाँ व घर की महिलाओं में खुद से निर्णय न ले पाने की कमजोरी देखी जाती है। ऐसे में महिलाएँ हमेशा दूसरों के बनाये हुए उसूलों पर चलती हैं। यही कारण है जिसकी वजह से आज नारी पीछे रह गयी है। वह अपने लिए स्वयं निर्णय नहीं ले पाती। बचपन से ही एक लड़की की पढ़ाई का निर्णय उसके माँ-बाप लेते हैं। ऐसे में अगर लड़की अपनी पढ़ाई जारी रखना चाहती हो तो वह घर वालों के दबाव में आकर अपनी बात घरवालों के सामने नहीं रख पाती या कभी विरोध नहीं कर पाती।

पति अच्छे स्वभाव का हो या बुरे, एक पत्नी के लिए बच्चे का निर्णय पहले से ही घर के बुजुर्गों ने ले लिया होता है। घर से जुड़े हुए छोटे-छोटे निर्णय जैसे 'आज कौन सी सब्जी बनाऊँ, बाहर जाते हुए कौन से कपड़े पहनूँ' इत्यादि के लिए भी उसे दूसरों की तरफ देखना पड़ता है क्योंकि आज तक उसने कभी अपने लिए सोचा ही नहीं, वह सदा दूसरों का अनुकरण ही करती आयी है।

८) अंधविश्वास :

पुराने जमाने की प्रथाओं के चलते, आज भी कई महिलाओं में अंधविश्वास व सामान्य ज्ञान की कमी देखी गयी है। इसकी वजह से महिलाएँ दूसरों की कही सुनी बातों पर बहुत जल्दी यकीन करती हैं। यही कारण है कि वे ढोंगी बाबाओं के चुंगल में फँस जाती हैं, तंत्र-मंत्र, झाड़-फूँक, ताबीज, प्रसाद, चमत्कार, इन बातों से वे जल्दी ही प्रभावित हो जाती हैं। इसी बात के चलते ही कई बार महिलाएँ ढोंगियों की शिकार हो जाती हैं। उदा. यदि कोई महिला संतान के लिए इच्छुक है तो वह किसी डॉक्टर के पास जाने के बजाय ढोंगी के पास पहुँच जाती है।

९) सामान्य ज्ञान की कमी :

सामान्य ज्ञान की कमी के कारण स्त्री अपने आस-पास हो रही रोजमर्रा की गतिविधियों को अनदेखा कर बैठती है। उदा. सब्जी वाले, ठेले वाले से खरीददारी करते समय ५० पैसे बचाने के लिए वह जी तोड़ कोशिश करती है मगर ब्यूटी पार्लर में थोड़े से बदलाव के लिए वह हजारों रुपये खुशी-खुशी लुटा देती है। घर की नौकरानी से मात्र दस रुपयों के लिए लड़ती-झगड़ती है पर बाजार में पसंद आने पर सस्ती साड़ी भी महँगे दामों में ले आती है।

१०) भावनात्मक छल कपट (इमोशनल ब्लैकमेल) :

कुछ महिलाएँ अपनी बात मनवाने में अकसर साम, दाम, दंड, भेद की नीति का इस्तेमाल करती हैं। इतिहास साक्षी है ऐसी घटनाओं का जहाँ पर राज घरानों की महिलाओं ने इस तरह की निति अपनाकर शाही तख्त पलट दिये थे।

हिंदु धर्म की धार्मिक पुस्तक रामायण का उदाहरण सभी जानते हैं कि रामचँद्रजी के बनवास का कारण उनकी माँ कैकेयी थी । आज भी यह सदियों पुरानी चाल कायम है। जहाँ पतियों को सीधी स्पष्ट बात समझ में नहीं आती है, वही बात एक पत्नी घुमा-फिराकर, छिपाकर, कोमल भावनाओं का जाल बिछाकर मनवा सकती है। भले ही देश की राजनीति एक महिला को न समझ में आये परंतु घर में वह ऐसे दाव-पेंच लड़ाती है कि कोई भी दाँतों तले अंगुलियाँ दबा ले । इसलिए शायद यह कहा गया है कि 'एक नारी के मन में क्या है, यह आज तक कोई नहीं जान पाया है।'

११) घृणा :

घृणा एक ऐसा दुर्गुण है, जो किसी भी इंसान का मन मैला कर सकता है। मन के मैल से विकार उत्पन्न होते हैं। विकारों का सीधा प्रभाव हमारे शरीर पर पड़ता है। नतीजा यह होता है कि हम तरह-तरह के रोगों और समस्याओं से घिर जाते हैं। ये रोग स्वास्थ्य को चौपट कर देते हैं। घृणा फूट को जन्म देती है। इससे अशांति आती है। अशांति में व्यक्ति चिंतित हो जाता है । चिंता का सीधा प्रभाव शरीर पर पड़ता है । इस प्रकार घृणा से हम अपनी दुर्गति को स्वयं आमंत्रित करते हैं।

घृणा को प्रेम से जीतें । जो इंसान प्रेम का अभ्यास कर लेता है, उसके मन में घृणा का भाव नहीं रहता इसलिए कभी कड़वा न बोलें। निंदा करने से बचें। यदि कोई हमारी निंदा करे तो उसे अपने विकास का रास्ता बनायें। दूसरों द्वारा की हुई निंदा हमें अपने अवगुणों का दर्शन करवाती है। निंदा के प्रतिकार से बचें क्योंकि किसी भी चीज का प्रतिकार आपके अंदर नकारात्मक भावना जगाता है।

१२) चिंता :

अकसर देखा गया है कि स्त्री किसी भी बात की अधिक चिंता करती है। स्त्रियाँ, पुरुषों की तुलना में ज्यादा चिंता करती हैं। अगर बेटा रात को देरी से आता है तो क्या पिता को भी उतनी ही चिंता होती है, जितनी माँ को होती है या सिर्फ माँ को होती है? स्त्री की चिंता और पुरुष की चिंता के बीच के फर्क को समझें।

स्त्री और पुरुष, दोनों का अभिव्यक्ति का तरीका अलग-अलग है। पुरुष भी चिंता करता है और स्त्री भी करती है मगर स्त्री की अभिव्यक्ति ज्यादा दिखायी देती है और पुरुष की कम दिखायी देती है।

स्त्रियों की चिंता करने का दूसरा कारण है 'जानकारी की कमी'। जिस चीज की जानकारी कम होती है उस चीज का डर ज्यादा होता है। पुरुष स्त्रियों की तुलना में ज्यादा बाहर निकलते हैं इसलिए उन्हें ज्यादा जानकारी रहती है। उन्हें चिंता कम होती है, डर कम होता है क्योंकि उन्हें पता है कि जो भी होगा उसे सँभाला जा सकता है। स्त्री की जानकारी कम होने की वजह से उसे चिंता ज्यादा होती है कि पता नहीं क्या हुआ होगा। पुरुष बाहर निकलते हैं इसलिए वे जानते हैं कि अब रास्तों की मरम्मत हो चुकी है तो उन्हें चिंता कम होती है। पत्नी का कोई रिश्तेदार उस रास्ते से आने वाला हो तो पति कहेगा, 'चिंता की बात नहीं है क्योंकि अब रास्ते अच्छे बन चुके हैं।' जिसे पता नहीं है, जिसके पास कम जानकारी है उसे चिंता होगी। स्त्री के पास जानकारी कम होने की वजह से वह ज्यादातर चिंतित रहती है।

स्त्री की एक बात यह भी है कि वह ज्यादा प्रकट करती है, बोलकर ज्यादा बताती है, वह जो सोचना चाहती है वह बोलकर दिखाती है। पुरुष भी चिंता करता है मगर वह अंदर ही सोचता है। वह पहले पक्का करेगा कि वाकई कोई खतरा है, अगर है तो ही मैं कुछ बोलूँ। स्त्री इस बात की चिंता नहीं करती कि मैं पहले पक्का करूँ बाद में बोलूँ, वह पहले बोल देती है, बोलकर वह अपना तनाव कम कर देती है। बोलने से उसका तनाव कम होता है इसलिए उसे उस वक्त वही एक तरीका सूझता है।

१३) तनाव :

घर में काम करने वाली महिलाओं को अकसर छोटी-छोटी बातों से भी तनाव आता है। जैसे टेलिफोन बिल भरने की आखिरी तारीख आ चुकी है, घर में गैस खतम हो चुकी है, बच्चों के स्कूल की फीस भरनी है, लॉन्ड्री से कपड़े इस्त्री करके लाने हैं इत्यादि।

कई महिलाओं को सुबह के काम का तनाव हर दिन आता है। जैसे बच्चों को समय पर उठाकर तैयार करके स्कूल भेजना, पति के लिए नाश्ता बनाना, टिफिन भरना, दूध या अखबार लाना, सास-ससुर के लिए समय पर चाय बनाना इत्यादि।

कुछ महिलाओं को पड़ोसन की वजह से तनाव आता है। जैसे आप पड़ोसन के घर शक्कर माँगने के लिए जायें और वह आपको शक्कर न दे तो आप पूरा दिन तनाव में काटती हैं। आप सोचती हैं, 'जब खुद के पास शक्कर खतम हो जाती है तो मुझसे आधा-आधा कटोरा शक्कर लेकर जाती है और मैं माँगने गयी तो मुझे नहीं दी।' अब वह स्त्री यह सोच सोचकर तनाव ले रही है। हालाँकि इस घटना के बाद उसे अपने आपसे पूछना चाहिए कि 'शक्कर नहीं मिली तो उसके लिए मुझे कितनी देर तनाव में रहना चाहिए?' सवाल पूछने पर जवाब आयेगा कि 'इतनी-इतनी देर (१५ मिनट) तो मुझे तनाव में होना ही चाहिए।' ठीक है उतना समय आप तनाव में रहें, उससे ज्यादा नहीं । जब आप यह प्रयोग करने लगेंगी

तब आपको आश्चर्य होगा और तनाव में रहने के लिए १५ मिनट भी ज्यादा लगेंगे।

आप बाहर बाजार में जाती हैं तो बहुत भाव-तोल करती हैं, भाव-तोल करते समय कितना दिमाग लगाती हैं, अलग-अलग युक्ति (आयडियाज) इस्तेमाल करती हैं मगर अपने साथ भी भाव-तोल करना सीखेंगी तो आप तनाव के समय को और भी कम कर देंगी। जब आप यह होश में करेंगी तब देखेंगी कि आपका दुःख और तनाव में जाना कम हो जायेगा क्योंकि वह आपको मूर्खता लगेगी कि इस छोटी सी बात के लिए मैं इतना समय क्यों दूँ।

इन सभी नकारात्मक भावनाओं से बाहर आने के लिए महिलाओं को आत्मनिर्भर होने की तैयारी करनी होगी। महिलाओं में कई बार आत्मविकास न करने की प्रवृत्ति होती है। उन्हें लगता है, 'मुझे इसकी आवश्यकता नहीं है। मेरे बच्चे पढ़ाई करते रहें, मुझे उनके साथ पढ़ाई करने की आवश्यकता नहीं है।' हकीकत में इसके उल्टा होना चाहिए। बच्चे पढ़ाई कर रहे हैं, यह उनकी माँ के लिए बहुत बड़ा मौका बन सकता है। उस समय में माँ अध्ययन करके आत्मनिर्भर बन सकती है। आगे के अध्याय इसी ज्ञान को प्रकट करने के लिए लिखे गये हैं।

भाग ६

आत्मनिर्भर बनने के लिए नींव नाइन्टी मजबूत करें
अपने जीवन के बिल्डर बनें

लोग पुस्तकों की तरह होते हैं, जिनका केवल १०% या उससे भी कम हिस्सा लोगों को दिखायी देता है। जिस तरह पुस्तक का ९०% हिस्सा उसमें लिखी हुई बातें होती हैं, उसी तरह लोगों के व्यक्तित्व का ९०% या उससे ज्यादा हिस्सा उनके अंदर होता है। जब आप कोई पुस्तक देखते हैं तो उसके अंदर क्या लिखा हुआ है, यह आपको दिखायी नहीं देता। आपको केवल पुस्तक का मुखपृष्ठ (कवर) दिखायी देता है। जिस तरह आप आगे-पीछे का कवर देखते हैं और उससे

पुस्तक के बारे में अनुमान लगाते हैं, उसी तरह जब लोग आपके सामने आते हैं या आप लोगों के सामने जाते हैं तब आपको १०% ही देखा जाता है और इसी वजह से लोग १०%, बाहरी बातों (टॉप टेन) पर ही ज्यादा काम करते हैं।

लोगों के व्यक्तित्व का ९०% हिस्सा कभी सामने नहीं आता और लोग उस हिस्से पर काम भी नहीं करते। लोग हमेशा सामने वाले को जो बातें दिखायी देती हैं, उन पर ही काम करते हैं। ऐसी बातों को 'टॉप टेन' कहा गया है। हालाँकि जीवन से संबंधित धारणाएँ और जीवन के सिद्धांत 'नींव ९०' (चरित्र) का हिस्सा हैं। कुछ लोगों के जीवन को देखकर ही आपको पता चलेगा कि उनके जीवन में नींव ९० मजबूत थी इसलिए वे सफल बन पायें। मदर टेरेसा, शबरी, गांधीजी, जैसे लोगों का जीवन दर्शाता है कि उनके टॉप टेन यानी बाहरी शरीर की देखरेख उतनी मजबूत नहीं थी, जितनी उनकी नींव ९० यानी आंतरिक चरित्र पक्का था। शबरी के जीवन में ऐसा मौका आया कि राम ने उसके जूठे बेर भी खाये। शबरी की नींव ९० पक्की थी इसलिए ऐसा हुआ।

इसी से आपको समझ में आयेगा कि जीवन में आत्मनिर्भर बनने के लिए और सत्य प्राप्ति के लिए हर इंसान की नींव ९० मजबूत होना बहुत आवश्यक है। अपने व्यक्तित्व का केवल टॉप १० ही श्रृंगार करके प्रसिद्ध करने की कोशिश नहीं करनी है। कई बार कुछ लोग ऐसी हरकतें करते हैं और प्रसिद्ध हो जाते हैं। ऐसे लोगों की वजह से सभी को लगता है कि टॉप १० को ठीक करना प्रसिद्धि पाने का एक आसान तरीका है। ऐसा करने से लोगों को लगता है कि वे प्रसिद्ध हो जायेंगे मगर हकीकत में वैसा नहीं होता। कुछ लोग बम फेंककर भी पूरे विश्व में प्रसिद्ध होते हैं मगर ऐसे गलत तरीकों से मिली हुई प्रसिद्धि का कोई फायदा नहीं। विश्व में कुछ लोग ऐसे भी हैं, जिनका व्यक्तित्व बहुत प्रभावशाली रहा है। उनसे मिलने वाले लोग भी उनके टॉप १० की बहुत तारीफ करते हैं। ऐसे लोगों से मिलकर लोग प्रभावित होते हैं मगर कई बार उनकी नींव ९० मजबूत नहीं होती।

इन उदाहरणों से समझें कि नींव नाइन्टी का कितना महत्त्व है। मन में यह भ्रम न रखें कि जीवन में टॉप १० (बाहरी देखरेख) ही सब कुछ है। अगर हमारा चरित्र गलत होगा तो हमारा टॉप १० या बाहरी बरताव कितना भी अच्छा हुआ तो उसका कोई फायदा नहीं। ऐसा न समझें कि नींव ९० न होने के बावजूद भी केवल टॉप टेन से हमारा जीवन आसान हो जायेगा और हमारी नींव पक्की नहीं हुई तो चलेगा। ऐसी सोच लोगों का केवल भ्रम होता है। आत्मनिर्भरता और सफल जीवन के लिए हमारी नींव ९० पक्की होनी बहुत आवश्यक है। टॉप १० पर काम करते हुए साफ-सुथरा रहना अच्छी बात है, स्वास्थ्य का खयाल रखना अच्छी बात है मगर कोई ब्युटीपार्लर में जाकर सिर्फ टॉप १० पर ही काम करता रहे तो उससे सब कुछ हो जायेगा, इस भ्रम में न रहें।

नींव ९० मजबूत करने के लिए यहाँ पर कुछ महत्त्वपूर्ण कदम दिये गये हैं।

१) विश्वास के योग्य बनें :

जब हम बच्चे थे, हमें ज्ञान और समझ नहीं थी तब हमसे कुछ गलतियाँ हुईं मगर बड़े होकर हर इंसान को जिम्मेदारी लेनी चाहिए कि 'मुझे लोग विश्वास के योग्य समझें।' हर इंसान खुद से सवाल पूछे कि 'मैं ऐसा क्या करूँ, जिससे लोग मुझे विश्वास योग्य समझें? मैं लोगों को जो वादे करता हूँ, क्या वे वादे मैं पूरा करता हूँ? अगर मैंने किसी को कहा कि मैं तुम्हें फोन करूँगा तो क्या मैं उसे फोन करता हूँ?' इन सारे सवालों के जवाब खुद को ईमानदारी से देना बहुत आवश्यक है। लोग बातचीत के दौरान बढ़ा-चढ़ाकर बातें कहते रहते हैं, अपनी उम्र छिपाते रहते हैं। जीवन में सुबह से लेकर रात तक बहुत सारे कपट करते हैं। ऐसी बातों से साफ जाहिर होता है कि ऐसे लोग जीवन में नींव नाईन्टी पर काम नहीं करते। कई बार लोगों को यह पता होता है कि आपने काम नहीं किया मगर चूँकि आपको ऐसा लगता है कि सामने वाले को कुछ पता नहीं है और आप आसानी से झूठ बोलते रहते हैं। लोग केवल कामों का श्रेय लेने के लिए घुमा-फिराकर बातें करते हैं। ऐसा करके आप अपनी नींव नाईन्टी कमजोर कर रहे

हैं इसलिए नींव नाईन्टी मजबूत करने के लिए सबसे पहले स्वयं को लोगों के विश्वास के योग्य बनायें और जो आप दूसरों से कहते हैं, वही करना सीखें।

आज तक जीवन में हमें किसी ने बताया नहीं कि किस तरह नींव ९० पर काम करना है इसलिए हमें लगता है कि नींव ९० मजबूत नहीं हुई तो भी कोई बात नहीं, इतना झूठ बोलना चलता है। हम मान लेते हैं कि थोड़ा झूठ बोलने से या थोड़ा कपट करने से कोई फर्क नहीं पड़ता। ऐसा करने से किसी का कोई नुकसान नहीं होगा, ऐसा हमें लगता है मगर हकीकत में कपट और झूठ का सहारा लेकर हम अपनी ही गलत वृत्तियों को बढ़ावा देते हैं।

२) चरित्र निर्माण करें, बिल्डर बनें :

नौजवानों को चरित्र रूपी दौलत रास्तों पर फेंकते हुए देखा जाता है क्योंकि उन्हें किसी ने बताया नहीं कि 'चरित्र दौलत है।' जब आपको पता नहीं होता कि आपके हाथ में हीरे हैं तब आप उन्हें पत्थर समझकर रास्ते पर फेंक देते हैं। उन्हीं हीरों से आप रास्ते से जा रहे कुत्ते या सूअर को भी मारते हैं क्योंकि आपको हीरों की पहचान नहीं होती। आज के नौजवानों को हर स्कूल में, हर कॉलेज में यह बातें बतायी जायें कि नींव नाईन्टी मजबूत करें क्योंकि हर विद्यार्थी जीवन में सफलता चाहता है। बिना नींव ९० मजबूत किये आज का विद्यार्थी बड़ा हो रहा है। इस तरह बड़े होने के बाद लोग कहते हैं, 'काश मुझे किसी ने सही समय पर ये बातें बतायी होतीं कि नींव ९० और टॉप १० क्या है तो मैंने इन बातों पर जरूर काम किया होता।'

नींव ९० पर काम करने के लिए सबसे आवश्यक गुण है निरंतरता। नींव ९० ऐसे ही नहीं बनती। इंसान की दीर्घकालीन आदतें और दीर्घकालीन सोच से ही नींव ९० मजबूत होती है। जब सही सोच और अच्छी आदतें लंबे समय तक जारी रखी जाती हैं तब उनसे चरित्र बनता है। मकान (चरित्र) ऐसे ही नहीं बनता, उसके लिए बिल्डर काम करते हैं। आपको भी चरित्र निर्माण करने के लिए अपने जीवन का बिल्डर बनना है। अपने चरित्र का बिल्डर, आर्किटेक्ट बनने के लिए

खुद से पूछें, 'मुझे कौन सी अच्छी आदतें लंबे समय तक और किसी भी बिना उम्मीद के अपनानी चाहिए?' आज आपने झूठ बोलना बंद कर दिया या कम कर दिया तो इस वक्त कोई फायदा आपको दिखायी नहीं देगा मगर लंबे समय के बाद लोग आपको विश्वास योग्य समझने लग जायेंगे। इस तरह अपने आपमें अच्छी आदतें विकसित करें।

३) टॉप १० में न अटकें :

कुछ विद्यार्थी परीक्षा में सही स्पेलिंग मालूम नहीं होती इसलिए खराब लिखावट (हैन्डराईटिंग) में लिखते हैं। उनका इरादा होता है कि वह स्पेलिंग ऐसी भी लगे और वैसी भी लगे। ऐसा तब होता है जब आप कुछ छिपाना चाहते हैं, तब आपकी लिखावट खराब हो जाती है। अगर आपकी नींव ९० कच्ची होगी तो लोग आपकी पुस्तक पढ़ना नहीं चाहेंगे क्योंकि आप क्या कहना चाहते हैं, यह उन्हें समझ में नहीं आयेगा। उन्हें लगेगा कि इस इंसान रूपी पुस्तक में ऐसे भी लिखा है और वैसे भी लिखा है, घुमा-फिराकर भी लिखा है और बढ़ा-चढ़ाकर भी लिखा है। ये सभी बातें पढ़कर उनका सकारात्मक परिणाम कुछ नहीं होगा, ऐसा लोग मानेंगे। इस तरह नींव ९० मजबूत न होने से आपके जीवन के सभी स्तरों पर असर होगा इसलिए टॉप १० में कभी न अटकें, अपना चरित्र मजबूत बनायें।

४) सुविधा में न अटकें :

नींव ९० कमजोर होने का एक कारण यह भी होता है कि लोग सुविधा चाहते हैं, सुविधाओं में ही अटके हुए हैं। लोग जीवन में सफलता पाने के लिए शॉर्टकट रास्ता चाहते हैं। जिन्हें शॉर्टकट चाहिए वे अपनी नींव मजबूत नहीं करना चाहेंगे। उन्हें लगता है कि हम जल्द से जल्द पैसा कमायें। ऐसे लोगों की वृत्ति फिसलू होती है और उनके लिए धोखा-धड़ी करना सहज होता है क्योंकि धोखा देकर उन्हें सुविधा मिलती है। इन लक्षणों से बचें और सुविधा की चाहत न रखते हुए दीर्घकालीन योजना बनायें, जो आपको स्थायी सफलता तक लेकर जायेगी।

५) आत्मनिरीक्षण करें :

आपके व्यक्तित्व का टॉप १० शुरुआत में मदद करता है मगर बाद में ९०% नींव ही काम में आती है इसलिए हर इंसान को ये बातें पता चलनी आवश्यक हैं। नींव ९० मजबूत करने के लिए स्वयं का आत्मनिरीक्षण करें। उदा. एक इंसान के सामने पैसे पड़े होते हैं और वह इंसान चोरी नहीं करता मगर उसके अंदर ऐसे विचार होंगे कि 'मुझे कोई देख रहा है या नहीं देख रहा' तो वे विचार ही आपको बतायेंगे कि उसकी नींव मजबूत हो रही है या कमजोर हो रही है। एक अमीर इंसान के सामने पैसे पड़े हैं और वह पैसे नहीं लेता तो कोई बड़ी बात नहीं है। उसने कहा, 'देखो मैं कितना ईमानदार हूँ, मैं पैसे नहीं लेता हूँ। मेरे सामने पैसे पड़े हैं फिर भी मैंने नहीं लिए।' यह अच्छी बात है मगर बड़ी बात नहीं है। वहीं एक गरीब इंसान के सामने पैसे पड़े हैं, उसे उन पैसों की जरूरत है और कोई देख भी नहीं रहा है, फिर भी वह पैसे नहीं लेता है तो इसका अर्थ उसकी नींव ९० मजबूत है।

६) दूसरों के चरित्र दोष में मदद न करें :

जो चरित्र बनाना चाहते हैं, जिन्हें अपना चरित्र सँभालना है, नींव ९० मजबूत करनी है, उन्हें दूसरों के चरित्र दोष में मदद नहीं करनी चाहिए। ज्यादातर कॉलेज में बड़ी तादाद में यह होता है कि एक इंसान अपनी मनमानी, मनोरंजन करना चाहता है और मित्र से कहता है, 'मेरे घर में मत बताना।' कुछ लोग उसे मदद करते रहते हैं। मित्र उस इंसान के घर जाकर झूठ बोलते हैं कि 'आपका बेटा यहाँ गया है' या 'आपकी बेटी वहाँ गयी है।' बाद में यह देखा जाता है कि जो लोग ऐसे लोगों को मदद कर रहे थे, उनका चरित्र भी खराब हो गया। वे भी कुछ समय के बाद गलत बातों में उलझ गये। नींव ९० मजबूत करते वक्त यह गलती कभी न करें। कभी किसी इंसान के चरित्र दोष में उसका साथ न दें।

७) अपने आपको प्रशिक्षण दें :

नींव ९० मजबूत करने का और एक आवश्यक कदम है, स्व-प्रशिक्षण। चरित्र बनाने के लिए अपने आपको प्रशिक्षण दें। अपने कान और आँखों को प्रशिक्षित करें कि कौन सी बातें सुननी हैं और कौन सी पुस्तकें पढ़नी हैं। जो पुस्तकें हमारी नींव को हिलाती हैं, ऐसी पुस्तकों में न उलझें। जो कार्यक्रम हमारी नींव हिलाते हैं, ऐसी बातें टी.वी. या कंप्यूटर पर नहीं देखनी हैं। इन बातों पर निरंतरता से दीर्घकालीन समय तक काम किया तो आपकी नींव ९० मजबूत होगी और आपका चरित्र मजबूत और निर्मल बनेगा।

आने वाली पीढ़ी को वे ही लोग मार्गदर्शन (गाइड) करें, जिनका चरित्र मजबूत है क्योंकि वे ही सही दिशा दे पायेंगे वरना जिनकी नींव खुद कमजोर है, उन्हें खयाल भी नहीं आता कि 'मुझे औरों को ऐसी बातें बतानी चाहिए' क्योंकि वे खुद हिले हुए हैं। उन्हें इन बातों का महत्त्व पता ही नहीं है तो भावी पीढ़ी को कैसे मार्गदर्शन दें? आपको यह जिम्मेदारी लेनी है क्योंकि आप देख सकते हैं कि चारों तरफ यंग जनरेशन घूम रही है। जब कोई उन्हें ये बातें बतायेगा या ऐसी पुस्तकें पढ़ने के लिए देगा तभी वे इन बातों पर अमल कर पायेंगे। जब वे सुनेंगे और पढ़ेंगे कि 'अपनी नींव ९० मजबूत करो' तो वे आपको बहुत धन्यवाद देंगे। सभी को सही समय पर सही मार्गदर्शन मिलना आवश्यक है।

८) दमदार लक्ष्य बनायें :

अगर आपके जीवन का एक दमदार लक्ष्य होगा तो आपकी नींव ९० मजबूत होगी। जो लोग जीवन में सफल हुए उनके पास एक दमदार लक्ष्य था इसलिए वे नींव ९० को मजबूत रख पाये। अगर आपके पास लक्ष्य नहीं है तो आप अपनी नींव ९० मजबूत नहीं रख पायेंगे इसलिए जल्द से जल्द जीवन का बहुत जोरदार लक्ष्य बनायें, उस लक्ष्य के आधार पर निरंतरता से काम करें और अपने अंदर अच्छी आदतें विकसित करें।

आपकी नींव ९० मजबूत हो गयी तो बाकी १०% खुद-ब-खुद आकर्षित करने लग जायेगा। आज आप गांधीजी को किस तरह से देखते हैं, यह सोचें। आज गांधीजी को उस तरह से नहीं देखा जाता क्योंकि वे शरीर से परे चले गये। जब लोग मदर टेरेसा को देखते हैं या उनका नाम सुनते हैं तो उनके शरीर पर नहीं रुकते। ऐसे लोगों के अंदर कौन सी बातें थीं, उनके अंदर कौन से गुण थे और विश्व के लिए उन्होंने कौन से कार्य किये, ये बातें उनके चेहरे से ज्यादा मायने रखती हैं। उसी तरह आप सुदामा या शबरी को देखेंगे तो चेहरे पर नहीं जायेंगे बल्कि उनके गुणों के बारे में सोचेंगे और गुण ही देखेंगे।

अब तक जो बातें आपने समझीं उसके आधार पर हर नौजवान अपने आपसे पूछे कि 'मेरी नींव नाइन्टी कैसी है, कितनी कमजोर है, किस कारण है?' यदि आपका टॉप टेन मजबूत है और नींव ९० कमजोर है तो यह खतरनाक तालमेल है। आज तक कई लोग गलत काम, आतंकवाद, सुविधा में, शॉर्ट कट में, धोखाधड़ी में फँस चुके हैं। आपको रास्ते पर अपने चरित्र की दौलत नहीं लुटानी है तथा जो लोग लुटा रहे हैं उन्हें आपको मार्गदर्शन देना है।

यदि आपका टॉप टेन मजबूत नहीं है पर नींव नाइन्टी मजबूत है तो आपको डरने की कोई आवश्यकता नहीं, बहुत जल्द ही लोग आपके परे देखने लगेंगे, आपके चेहरे में नहीं अटकेंगे। मदर टेरेसा, महात्मा गांधी के उदाहरण से आपने समझा कि आज लोग उन्हें कैसे याद करते हैं। हम भी अपने आप से पूछें हमारा व्यक्तित्व क्या हो और नींव नाइन्टी कैसी हो। आप अपनी नींव ९० मजबूत करना चाहते हैं, चरित्रवान बनना चाहते हैं तो चरित्रवान महात्माओं की आत्मकथायें (ऑटोबायोग्राफीज्) पढ़ना शुरू कर दें, जिससे आपको प्रेरणा मिलेगी।

आपको शराब, नशा, व्यसन इनमें न उलझते हुए अपने सिद्धांत बनाने हैं, जीवन का लक्ष्य दमदार बनाना है, अपनी वासना का रूपांतरण करना है तब ही आप नींव ९० और चरित्र को मजबूत रख पायेंगे।

भाग ७

आत्मसम्मान कैसे प्राप्त करें

१७ मददगार कदम

आज आत्मनिर्भरता व आत्म-सम्माान की कमी ९०% लोगों में पायी जाती है, चाहे वे महिलाएँ हों या पुरुष। इसका मुख्य कारण है कि जिन लोगों में आत्मसम्मान कम होता है, ऐसे लोगों के माता-पिता उनकी सही ढंग से परवरिश करना नहीं जानते थे।

बच्चों को माता-पिता से हमेशा निस्वार्थ प्रेम मिलना चाहिए मगर कई बार उन्हें वह नहीं मिलता। कई बच्चों को बार-बार कहा जाता है, 'तुम दूसरों से कम हो।' माता-पिता के प्रशिक्षित न होने की

वजह से बच्चों को कम प्यार और सम्मान मिलता है। ये बातें लड़कियों के साथ ज्यादा होती हैं क्योंकि कई समाजों में लड़की होना बुरा माना जाता है। किसी घर में जब लड़का पैदा होता है तब लोग ज्यादा खुशियाँ मनाते हैं और लड़कियों की तरफ कम ध्यान दिया जाता है।

पहले से ही लड़कों की परवरिश के लिए माता-पिता को जितनी बातें करनी चाहिए, उतनी बातें वे नहीं करते। लड़कियों के लिए तो उससे भी कम बातें की जाती हैं। इस तरह की परवरिश और बरताव की वजह से लड़कियों में बड़े होने के बाद हीन भावना पैदा होती है, उनका आत्मविश्वास कम होता है। ऐसे वातावरण में लड़कियों में आत्मसम्मान नहीं होता, जिस कारण वे आत्मनिर्भर नहीं बन पातीं। लड़कियों में यह अज्ञान होता है कि 'हम खुद को प्रेम नहीं दे सकते क्योंकि हम कम हैं।'

समाज में बहुत कम मात्रा में माता-पिता पढ़े-लिखे होते हैं और बहुत कम माता-पिता को पता होता है कि बच्चों को प्रेम न मिलने की वजह से बड़े होने के बाद उनके साथ क्या होता है। जिन बच्चों को गलतियाँ करने का मौका नहीं दिया जाता, वे बच्चे बड़े होने के बाद भी हीन भावना के साथ जीते हैं। जिस लड़की को बचपन से यह आदत डाली जाती है कि उसे हर काम पूछकर ही करना है, वह बड़ी होने के बाद भी खुद के निर्णय नहीं ले सकती। वह स्त्री हर काम करने से पहले किसी से पूछकर ही करती है। ऐसे बच्चों को जब मनोवैज्ञानिक के पास ले जाना पड़ता है तब उनके माता-पिता पछताते हैं कि अगर उन्होंने बच्चों को बचपन में ही सही ढंग से निर्णय लेने की कला सिखायी होती तो आज उनके बच्चे आत्मनिर्भर होते। जब इस तरह की बीमारियाँ हद से ज्यादा बढ़ जाती हैं तब माता-पिता को पछतावा होता है, 'काश! हमने बच्चों को समय पर प्रेम और निर्णय लेने का मौका दिया होता तो आज हमारे बच्चे समाज में डर-डरकर नहीं जीते, हमारे बच्चे इस तरह बीमार नहीं होते।'

बचपन से ही हर लड़की की यह चाहत होती है कि उसे कोई प्रोत्साहन दे,

वह जो करना चाहती है, उसके लिए उसे सहमति मिले किंतु ऐसा नहीं होता है। समाज ने कुछ बातें महिलाओं के लिए निर्धारित की हैं, जो महिलाओं द्वारा भी स्वीकृत की गयी हैं।

उदाहरण 'एक स्त्री का सम्मान तब है जब वह विवाहिता है, स्त्री अगर माँ है तो ही वह पूर्ण है, अन्यथा नहीं' मगर आत्मसम्मान पाने के लिए यह केवल एक मान्यता है। इस तरह की कई मान्यताओं से बाहर आने के लिए हर स्त्री को जागृत होने की आवश्यकता है। उसे अपने गुणों व अवगुणों को पहचानने और मन में ऐसी मान्यताओं से बाहर आने के लिए आत्मनिरीक्षण की आवश्यकता है।

हर स्त्री को यह लगता है कि उसे अपने सम्मान के लिए दूसरों का सहारा लेना पड़ता है यानी उसे कोई दूसरा आकर बताये कि 'वह सुंदर है, सबको उसकी आवश्यकता है, जो कार्य वह कर रही है वह कार्य कोई और उचित तरीके से नहीं कर सकता...' इत्यादि। शुरू से ही स्त्री प्रशंसा की गुलाम रही है। तारीफ पाने के लिए दूसरों पर निर्भर रहने की यह आदत उसके आत्मसम्मान में कमी लाती है। उसे इस बात का ज्ञान नहीं होता है जिसकी वजह से अपने आपको महत्त्व देने की बजाय, वह घर वालों से ध्यान पाने की कोशिश करती रहती है और दूसरों से आदर पाने की अपेक्षा रखती है। उसे जब ध्यान नहीं मिलता तब वह खुद को हीन समझने की गलती कर बैठती है।

आत्मसम्मान पाने का उचित मार्ग है कि हर लड़की, हर महिला जल्द से जल्द आत्मनिर्भर हो जाय। वह अपनी सोच में बदलाव लाये और कुछ ऐसे कदम उठाये जो उसके लिए मददगार साबित हों। जैसे :

१) नया दृष्टिकोण अपनाएँ :

हर महिला अपना दृष्टिकोण इस तरह बदले जिससे उसके अंदर एक नयी सोच विकसित हो। नयी चुनौतियों को स्वीकार करने की क्षमता बढ़ाने के लिए सफलता पर अपना लक्ष्य केंद्रित करे। किसी भी तरह की छोटी या बड़ी सफलता मिलने पर हर इंसान अपना खोया हुआ सम्मान वापस प्राप्त कर सकता है।

२) चरित्र को मजबूत बनायें :

इस बात को हमेशा गाँठ बाँध लें कि चाहे वह घर हो या आपका दफ्तर आप अपनी व दूसरों की नजरों में अपना सम्मान नहीं खोयेंगी। आप अपने चरित्र पर अटल रहें। कभी भी किसी कारणवश घर में या दफ्तर में अपना इस्तेमाल न होने दें। 'नहीं' कहना सीखें। आइने के सामने खड़े होकर 'नहीं' कहने का अभ्यास करें। विस्तार से समझने के लिए पढ़ें *'नींव नाइन्टी', भाग ६, पृष्ठ संख्या ५२।'*

३) खुद के निर्णय खुद लें :

कभी भी भीड़ का अनुकरण न करें। सुनें सबकी मगर करें वही, जो आप अपने लिए सही समझती हैं। सोच समझकर अपने निर्णय लें। शुरुआत में शायद वे निर्णय गलत सिद्ध हों पर अपनी गलतियों से घबराकर, निर्णय न लेने की गलती न करें। दूसरों के अनुभवों से सीखें, उनसे प्रेरणा लें। यह प्रेरणा आपमें नये निर्णय लेने का विश्वास पैदा करेगी।

४) किसी एक काम में महारत हासिल करें :

गृहिणी होने के नाते आपको कई जिम्मेदारियाँ एक साथ उठानी पड़ती हैं मगर इस बात का ध्यान रखें कि आप कम से कम किसी एक कार्य में महारत हासिल करें। छोटे-मोटे कार्य करने में भले ही आप सक्षम हों परंतु किसी एक कार्य में प्रवीणता हासिल करें, जिससे आपकी एक अलग पहचान बनेगी।

५) खुद-खुशी (आत्म आनंद) की आदत अपनायें :

घर में, परिवार में आप हर एक को खुश रखने की कोशिश करती हैं मगर अब अपने आपको खुश रखना सीखें। यह एक अच्छी आदत है क्योंकि अपने आपको खुश रखकर ही आप दूसरों को खुशी दे सकती हैं।

६) अपनी आराम सीमा से बाहर निकलें :

अपने सीमित दायरे से बाहर निकलें, लोगों से मिलें-जुलें। नयी सहेलियाँ (संघ) बनायें। अगर वे आपकी तकलीफों, समस्याओं को सुनना चाहते हैं तो

आप उन्हें जरूर बतायें मगर उनसे केवल मार्गदर्शन लें। सफल लोगों (ग्रुप) के साथ उठें-बैठें। सफल लोगों के साथ रहते हुए आपकी सोच भी वैसे ही विकसित होने लगेगी।

७) अपनी सोच बदलें :

जीवन में आयी कुछ तकलीफें या दुर्घटनाओं के कारण कई बार आप विश्वास खो बैठती हैं। परिवार में हुई मृत्यु, तलाक, व्यापार में हुआ आर्थिक नुकसान, मान-हानि, असफलता... इत्यादि हमारे विश्वास को, हमारे मान-सम्मान को ठेस पहुँचाती है। परिणामस्वरूप इन बातों का असर बड़ा ही गंभीर होता है। कभी यह असर थोड़े समय के लिए रहता है तो कभी बहुत लंबे समय तक बना रहता है। अतः अपने मन से नकारात्मक विचार हमेशा के लिए निकाल दें। पहले यह थोड़ा कठिन लगेगा पर प्रयास करते रहें तो यह होने लग जायेगा। सकारात्मक सोच अपनायें तथा अपने आपको आत्मसुझाव देकर आत्मविश्वास बढ़ायें। विस्तार से समझने के लिए पढ़ें *'आत्मविश्वास की दवा लें', भाग ११, पृष्ठ संख्या ८१।*

८) स्वयं पर आत्मनियंत्रण रखें :

अनुशासन प्रिय बनें। अपने जीवन में अनुशासन को महत्त्व दें। जो कार्य आप कर रही हैं या करने जा रही हैं, उसकी पूरी जानकारी प्राप्त कर लें एवं उसके लिए आवश्यक प्रशिक्षण जरूर लें।

संयुक्त परिवारों में अकसर किसी और के द्वारा दर्शाये गये दुर्व्यवहार में महिलाएँ फँस जाती हैं। किसी के बहकावे में आकर वे अपना आत्मनियंत्रण खो बैठती हैं। वे कोई बात छिपा नहीं पातीं और अपनी हर एक बात का जिक्र हर इंसान के सामने करती हैं, जिसका बाहर के लोग गलत फायदा उठाते हैं। किसी बाहर वाले की बातों में आकर अपने जीवन के खुशियों की आहूति न दें। ससुराल तथा अन्य रिश्तेदारों की बातों को जरूर सुनें, उनकी बातों पर हामी जरूर भरें परंतु सकारात्मक दृष्टिकोण रखें और चुप रहें, उनकी किसी भी नकारात्मक बात को बढ़ावा न दें।

भड़काने वाले लोगों से बचकर रहें। किसी की बातों में आने से पहले यह सोच लें कि आप जो करने जा रही हैं, उसका सही या गलत परिणाम आपको ही भुगतना होगा इसलिए आधी-अधूरी सुनी गयी बातों से किसी भी परिणाम पर न पहुँचें। हर बात का निर्णय पूर्ण जानकारी प्राप्त करने के बाद ही लें व स्वनिर्णय को ही महत्त्व दें।

९) हर परिस्थिति का सामना करना सीखें :

कहा जाता है कि 'जहाँ दो बर्तन होते हैं, वहाँ आवाज तो होती ही है' इसलिए परिवार में छोटे-मोटे झगड़ों का होना स्वाभाविक है। अगर आपकी वजह से घर वालों के बीच कोई गलतफहमी हुई हो तो घबराएँ नहीं और न ही इस परिस्थिति से भागें। राज खुलने पर बातें बनाने की कोशिश न करें और न ही परिस्थिति सुलझने के बाद मुँह फुलायें। भविष्य में केवल इस बात पर ध्यान दें कि जो विशेषताएँ आपके अंदर मौजूद हैं, उन विशेषताओं के द्वारा सभी का दिल कैसे जीतें।

१०) अविश्वास की स्थिति से बचें, विश्वसनीय बनें :

बातों को बढ़ा-चढ़ाकर बताना महिलाओं की आदत होती है। ऐसे में इस बात का खयाल रखें कि बेवजह झूठ बोलने की वृत्ति आपके अंदर न बनने पाये। स्वयं की पोल खुलने पर अपने दोषों को दूसरों पर आरोपित करने व बात-बात पर झूठ बोलने की आदत की वजह से आप अपनों का विश्वास खोने लगती हैं। इस तरह की आदत से आप जल्द से जल्द छुटकारा पायें। एक बार आपका झूठ साबित होने पर हर सदस्य के लिए आप पर विश्वास करना बेहद मुश्किल होगा और हर एक की नजरों में आपके प्रति अविश्वास झलकेगा।

११) बातचीत के दौरान सजग रहें :

अपनी सही पहचान बनाये रखें। किसी पुरुष से बातें करते वक्त उन्हें भरपूर नजरों से देखने व बहुत अधिक साहसी (बोल्ड) बनने की कोशिश न करें। बाहर के लोगों से, खासकर पुरुषों से बात करते वक्त एक अंतर रखते हुए, नम्र व्यवहार करें और मंद स्वर का उपयोग करें।

१२) दूसरों का भेद जानने की कोशिश न करें :

मौका मिलते ही दूसरों के भूत व भविष्य के बारे में कुरेद-कुरेदकर हर बात जानने की कोशिश से स्वयं को दूर रखें। धीरे-धीरे संबंधित क्षेत्रों के माहौल को आप स्वयं ही जान जायेंगी। किसी सदस्य द्वारा बतायी गयी बातों को अपने तक ही सीमित रखें। बातों को इधर-उधर कर सदस्यों के बीच गलतफहमी और विवाद को बढ़ावा न दें।

किसी की कही बात या व्यवहार यदि आपको सम्मानजनक नहीं लगती तो बजाय विरोध के उनसे मिलकर पूर्णता करें।

१३) टेढ़ी चाल से बचें :

आज-कल महिलाओं का ज्यादातर समय टी.वी. के धारावाहिक देखने में व्यतीत हो जाता है। टेलिविजन के धारावाहिक की अभिनेत्रियों का अनुसरण न करें, उनकी तरह शतरंज की चालें न चलें।

सभी सदस्यों से समझ भरा व्यवहार करें क्योंकि फूट डालने और राजनीति करने का परिणाम कुछ समय के लिए आपको रानी बना देता है परंतु जब आपका राज पर्दा फाश होता है तब आपको एक धूर्त व कपटी स्त्री का खिताब मिलता है।

१४) तुलना न करें :

हर घर की परिस्थितियाँ व वातावरण दूसरे घर से भिन्न होते हैं इसलिए अपने घर के नियम-कायदे, रीति-रिवाज, खूबियों-खामियों की तुलना अपने क्षेत्र से जुड़े लोगों से न करें। ये सब बातें १-२ घंटे की मुलाकात में नजर नहीं आ सकतीं। अतः आधी-अधूरी तस्वीर के आधार पर की गयी तुलना से सिवाय तनाव और परेशानी के और कुछ हासिल नहीं होता।

१५) हर पल मायके को याद न करें :

हर पल मायके जाने की रट, मायके वालों की झूठी-सच्ची तारीफें करना किसी भी महिला को शोभा नहीं देता इसलिए अपनी नकली शान को बढ़ावा देने के लिए 'मैं, माँ, मायका' जैसे शब्दों का इस्तेमाल गलत ढंग से न करें। इसका

अर्थ मायके को पूरी तरह भूल जाने की सलाह नहीं दी जा रही है परंतु समयानुसार व स्थान अनुसार अपने दिल और जुबान पर काबू रखें।

१६) समझकर बोलें :

अपनी भाषा व शब्दों के प्रति हर पल, हर क्षण सजग रहें। विशेष रूप से ससुराल के हर वातावरण को ध्यान में रखकर ही व्यवहार करें। यदि माहौल बहुत खुला है तो सँभल जायें, सोच-समझकर बोलें क्योंकि घर के हर सदस्य का स्वभाव अलग होता है। हर सदस्य के उम्र, मूड और परिस्थिति के मुताबिक ही बातचीत करें। बड़ी उम्र के सदस्यों से उनके स्वभावानुसार मजाक करें। सबकी सुनें व कम बोलें, आवाज धीमी व मीठी रखें।

१७) कठिन परिस्थितियों का सामना करना सीखें :

जो जीवन में आने वाली कठिनाइयों में धैर्य रख पाता है, मुश्किलों से हार नहीं मानता, वही जीवन में आगे बढ़ पाता है, जीत पाता है।

ऐसा देखा गया है कि जब भी कोई कठिनाई जीवन में आती है तब ज्यादातर स्त्रियाँ उन कठिनाइयों के सामने घुटने टेक देती हैं। वे उस कठिनाई से मुकाबला करने में खुद को असमर्थ पाती हैं क्योंकि कठिनाइयों से जूझने के लिए उन्होंने स्वयं को कभी तैयार ही नहीं किया। वे परिस्थितियों में आने वाले परिवर्तन को स्वीकार नहीं कर पातीं, जिसकी वजह से वे दुःख और डर से घिर जाती हैं। अगर आप परिस्थितियों को स्वीकार करने की मनःस्थिति बना लें और खुले मन से उसका स्वागत करें तो निश्चित ही कठिनाई आपको कठिनाई नहीं लगेगी।

यदि आप अकसर निराश और दुःखी रहती हैं तो यह आपकी एक बुरी आदत है, जो अब वृत्ति बन चुकी है। इस आदत से तुरंत पीछा छुड़ायें और सकारात्मक दृष्टिकोण अपनायें। यह एक नयी और अच्छी आदत अपने आपमें डालें।

सर्व प्रथम इस बात का ध्यान रखें कि अपने आस-पास के लोगों के साथ

मिल-जुलकर रहें। मानसिक तौर पर लोगों से जुड़े रहें। अपना सामाजिक दायरा बढ़ायें। यह निश्चित करें कि आप दूसरों के साथ मधुर संबंध बनाये रखना चाहते हैं। प्रयोगों द्वारा यह सिद्ध हुआ है कि एकाकीपन, अलग-थलग रहना हमारे स्वास्थ्य के लिए उच्च रक्तचाप व धूम्रपान से भी ज्यादा हानिकारक है इसलिए किसी अच्छे विशेषज्ञ या सलाहकार से परामर्श लें, जिससे आपको अकेलेपन को दूर करने में मदद मिल सकती है। अकेलेपन का लाभ लेने के लिए 'मौन ध्यान' सीखें।

हमेशा प्रेरक कहानियाँ पढ़कर अपने आपको धैर्य का तोहफा दें। आपके आस-पास की घटनाओं का असर अपने अंदर की शांति पर न पड़ने दें। अपने आप पर नियंत्रण रखें व भावनाओं के स्वामी बनें। सदा सकारात्मक विचार रखें। अति संवेदनशील न बनें बल्कि दूसरों के लिए प्रेरणा स्रोत बनें। प्रण करें कि 'चाहे कुछ भी हो जाय मैं अपने अंदर चिंता, दुःख और निराशा के विचारों को नहीं आने दूँगी।'

कभी हताश न हों। स्वयं से पूछें कि आप दूसरों से क्या पाने की इच्छा रखते हैं? ऐसे समय यदि वे आपकी इच्छा पूर्ति के भागीदार बनते हैं तो उनका आभार अवश्य प्रकट करें। आभार व्यक्त करने का तरीका बड़ा ही विनम्र होना चाहिए।

अकेले और मायूस रहने की बजाय दूसरों में दिलचस्पी लें, उनके हमदर्द बनें, यह जानें कि लोगों को आपके संपर्क में रहना कैसा लगता है।

कठिन परिस्थितियों में यह वाक्य दोहरायें - **'जो घटना मुझे मार ही नहीं डालती वह मुझे और भी मजबूत बनाती है।'**

यह बात हमेशा याद रखें कि बुरी घटनाओं के लाभ बड़े ही मीठे होते हैं मगर उसके लिए सब्र से काम लेना महत्त्वपूर्ण है। ऐसी घटनाएँ आपके अंदर मनन करने का मौका होती हैं इसलिए जरूरी है कि आप उस घटना का सामना करें।

घटनाओं से सीख पायें। खुद पर यकीन रखें और दूसरों के अनुभवों से सबक सीखें।

भाग ८

आत्मगौरव प्राप्त करें

आपकी राय, आपके बारे में

आत्मगौरव का सही अर्थ है, 'दूसरों के प्रति आदर भाव रखें ही, साथ ही साथ खुद का भी सही मायने में आदर करें।' कई बार हम दूसरों का आदर करते हैं मगर स्वयं को आदर देना भूल जाते हैं। स्वयं का आदर करना यानी यह न समझें कि आपको पारितोषिकों, विभिन्न उपाधियों, पदवियों से अलंकृत किया जाय तो ही आप अपने आप को सम्मानित समझें, अन्यथा नहीं। यदि आपकी वैचारिक धारणा ऐसी है तो आप कहीं चूक गये हैं।

आत्मगौरव यानी आपको अपने प्रति सम्मान है, जो कि आपका हक है। अपने आपको जैसे हैं, वैसे स्वीकार करना सीखें। आपका अपने प्रति सकारात्मक दृष्टिकोण होना अति आवश्यक है। आप अपने बारे में जो महसूस करते हैं, उसका आपके जीवन पर बहुत गहरा प्रभाव पड़ता है।

आपके परिवार, रिश्तेदारों, मित्रों, शुभचिंतकों और समाज ने आपको आपके बारे में जो कुछ भी बताया है तथा आपने अपने जीवन के अच्छे-बुरे अनुभवों के आधार पर बिना सोचे, समझे खुद के बारे में जो राय कायम की है, आप उसी का ही मिला-जुला नतीजा हैं। आत्मगौरव इस बात पर निर्भर करता है कि आप अपने आप को किस दृष्टिकोण से देखते हैं, न कि लोग आपको कैसे देखते हैं।

बचपन से ही हम सभी की चाहत रहती है कि हमें कोई प्रोत्साहन दे, हम जो कार्य कर रहे हैं उसके लिए सहमति दर्शाये किंतु ऐसा होता नहीं है। समाज ने कुछ बातें हमारे लिए निर्धारित की हैं। उदाहरण 'अगर आपके पास खुद का व्यवसाय है, बंगला, गाड़ी है तो आप सफल इंसान हैं, अथवा नहीं। पैसा ही सब कुछ है, अगर पैसा नहीं है तो आप कुछ भी नहीं हैं। स्त्री का सम्मान तब है जब वह विवाहिता है, स्त्री अगर माँ है तो ही वह पूर्ण है अन्यथा नहीं इत्यादि।

एक स्त्री के लिए यह सबसे बड़ी अहम बात है कि उसे अपने सम्मान के लिए दूसरों का सहारा लेना पड़ता है। यदि कोई और उसे यह बताये कि 'वह सुंदर है, सबको उसकी आवश्यकता है, जो कार्य वह कर रही है वह कार्य कोई और उचित तरीके से नहीं कर सकता' इत्यादि तो वह अपने आपको महत्त्व देने लगती है वरना वह खुद ही अपने आपको हीन समझने की गलती कर बैठती है।

यदि आप दूसरों से आदर पाने की अपेक्षा रखती हैं तो आपको एक नया दृष्टिकोण अपनाना होगा, एक नयी सोच अपने आपमें विकसित करनी होगी। किसी भी तरह की सफलता मिलने पर इंसान अपना खोया हुआ सम्मान वापस प्राप्त कर सकता है, अर्थात हमेशा सफलता को ध्यान में रखकर अग्रसर रहें।

अपने गुणों-अवगुणों को पहचानें। आपमें कई सारी ऐसी खूबियाँ, विशेषताएँ हैं, जिनकी बदौलत आप अपने कामों में विशिष्टता ला सकती हैं। अपनी उपलब्धियों में गर्व महसूस करें। यदि आपने अपने कार्यों को खूबसूरती से अंजाम दिया है तो उसके लिए खुद को शाबाशी देना न भूलें। अपने दोषों को अनदेखा न करके, उनमें सुधार लाने के लिए निरंतरता से कार्यरत रहें, जब तक कि वे हमेशा के लिए चले न जायें।

भीड़ का अनुकरण न करें। आप अपने लिए जो सही समझती हैं, वह करें तथा सोच समझकर अपने निर्णय लें। किसी से प्रेरणा लें, यह आपमें एक नये जोश का संचार करेगा। प्रेरणा की शक्ति से इंसान ऐसे कामों को अंजाम दे सकता है, जो कभी उसने अपने स्वप्न में भी नहीं सोचे होंगे। अपने मन से नकारात्मक विचार हमेशा के लिए निकाल दें। पहले यह थोड़ा कठिन लगेगा पर प्रयास करते रहेंगे तो यह होने लग जायेगा।

ऐसा कहा जाता है कि कुछ लोग सफल होते हैं क्योंकि वे भाग्यशाली होते हैं मगर ज्यादातर लोग सफल इसलिए होते हैं क्योंकि वे दृढ़निश्चयी होते हैं। फिर भी जब आप जीवन के किसी क्षेत्र में असफल हो जायें तो दिल छोटा न करें। आपकी गलतियाँ आपकी सफलता के लिए सीढ़ी का काम कर सकती हैं। जब कभी आप असफल हो जायें तो पाँच मिनट शांत बैठें व शरीर को शिथिल करें। एक लंबी साँस लेकर धीरे से बोलें, 'मैं ईश्वर की दौलत हूँ, मेरी सफलता निश्चित है, मैं फिर से नयी कोशिश और शुरुआत करूँगी।' आप दिन में ७-८ बार भी इसे कह सकती हैं। यह एक नयी शुरुआत का सबसे आसान और सरल तरीका है।

भाग ९

धैर्य बढ़ाने के लिए ८ सुझाव
धीरज का फल पकने पर मीठा क्यों होता है

आत्मनिर्भरता पाने के लिए धीरज और निरंतरता से कार्य करने की क्षमता बढ़ाना आवश्यक है। यदि आज आप कुछ बातों के लिए दूसरों पर निर्भर हैं तो धीरज के साथ वे गुण अपने अंदर लाना शुरू करें जिनसे आपको दूसरों पर निर्भर रहना न पड़े। उदाहरण : अंग्रेजी, कंप्यूटर्स, वाहन चलाना, अकाऊँटस् न आने की वजह से यदि आपको दूसरों पर निर्भर रखना पड़ता है तो धीरज के साथ, धीरे-धीरे इन बातों को सीख लें। एक समय ऐसा आयेगा जब आपके निरंतर प्रयास फल देंगे और आप आत्मनिर्भर (स्वावलंबी) बन जायेंगे।

सब्र का फल पकने पर मीठा और स्वास्थ्य वर्धक होता है। धैर्य खोकर हम इस फल को नष्ट कर देते हैं। क्या आपने कभी अपना धैर्य खोया है? कभी न कभी तो जरूर खोया होगा। केवल आपने ही नहीं, लगभग हर इंसान ने कभी न कभी अपना धैर्य खोया होता है। जीवन में कुछ लोग और हालात ऐसे होते हैं, जिनसे आपके सब्र का इम्तहान होता है।

नीचे दिये गये सुझाव आपको अपने धैर्य को बनाये रखने में मददगार साबित होंगे।

१. शांति जैसी सहेली कोई नहीं :

याद रहे कि इस दुनिया में शांति जैसी मूल्यवान धरोहर और कोई नहीं है। इतिहास गवाह है कि क्रोध की वजह से महायुद्ध तो हुए ही हैं, इसके अलावा न जाने कितने मासूम लोगों का भी नुकसान हुआ है। जान-माल और मनुष्य जाति का भी विनाश हुआ है इसलिए ईश्वर से तहेदिल से शांति की प्रार्थना करें। प्रार्थना की वजह से आपके अंदर की नकारात्मक शक्ति अपने आप विलीन होने लगती है और सकारात्मक सोच के द्वार खुलने लगते हैं। हर रोज अपनी प्रार्थना को हकीकत का रूप देने के लिए मौन और ध्यान में बैठें। ध्यान की कैसेट चलाकर ध्यान किया जा सकता है। इस तरह अपने हृदय व अपने मन में शांति का एहसास करें। इस कारण आपके आस-पास का माहौल पहले से ज्यादा खुशगवार होगा और आप सदा योग्य निर्णय ले पायेंगे।

२. जुबान पर अनुशासन :

आपकी जुबान एक ऐसी पतवार है, जो आपके शरीर रूपी नाव को चलाती है। जिसने अपनी जुबान पर नियंत्रण रखा, मानो उसने अपने पूरे शरीर को अनुशासित करना सीख लिया। आपकी जुबान का वास्ता सीधे आपके दिल से होता है इसलिए अपनी जुबान पर नियंत्रण करने से आप अपने मन में उठने वाले विचारों पर भी नियंत्रण रख पाते हैं। जीवन में सकारात्मक सोच रखना जितना जरूरी है, उतना ही जरूरी है सकारात्मक शब्दों को अपने मुख से निकालना।

जुबान पर नियंत्रण रखने से हर परिस्थिति में धैर्य रख पाना आसान होता है। जो लोग अपनी जुबान पर अनुशासन नहीं रख पाते उनसे कोई उम्मीद रखना व्यर्थ है क्योंकि वे आये दिन नयी मुसीबतें मोल लेते हैं।

३. हँसना सीखें :

धीरज बढ़ाने का अभ्यास करने के लिए तनाव के विपरीत मुस्कुराने का प्रतिसाद दें यानी विकट परिस्थिति में चेहरे पर तनाव लाने की बजाय हास्य का अभिनय करें। परेशान करने वाली घटनाओं में कोई हास्य से जुड़ी बात ढूँढ़ें। हास्य की वजह से आपके दिल का बोझ कम हो जाता है, घटनाएँ छोटी लगने लगती हैं, इतना ही नहीं हँसने की वजह से आपके तनाव भी कम होने लगते हैं। हास्य सभी को पसंद आता है। अगर आप बहुत तनावपूर्ण स्थितियों को भी हास्य में बदल सकते हैं तो आप सभी के चहेते बन सकते हैं।

४. धन्यवाद दें :

हर घटना आपको कुछ न कुछ नया सबक सिखाती है इसलिए हर घटना के बाद आपने जो भी नयी बातें सीखीं, उनके लिए प्रकृति को धन्यवाद दें। आपको जो भी मिला है उसके लिए धन्यवाद के भाव रखें। अपने स्वभाव में शिकायत से ज्यादा धन्यवाद देने की आदत डालें। हर घटना के बाद उसके सकारात्मक पहलुओं पर बातचीत करें। शिकायत करने से अधैर्य बढ़ता है और धन्यवाद देने से धैर्य बढ़ता है।

५. लोगों से निस्वार्थ प्रेम करें :

जहाँ स्वार्थ इंसान को अधीर बनाता है, वहाँ निस्वार्थ प्रेम इंसान को धीरजवान बनाता है। घर, कार्यालय अथवा स्कूल में आयी तनावपूर्ण स्थिति धीरज का अभ्यास करने के लिए मौका है। हर तनावपूर्ण स्थिति किसी न किसी इंसान की वजह से आती है। अतः लोगों पर गुस्सा और नाराज होना बहुत स्वाभाविक है पर हम यह भूल जाते हैं कि गलती तो हर इंसान से होती है और हर गलती सिखाने व धीरज बढ़ाने का मौका है। आपने शायद दूसरों से भी ज्यादा

गलतियाँ की होंगी, न भी की हों फिर भी अपने से ज्यादा दूसरों से प्रेम करें। हमेशा नम्रता से बात करने की आदत डालें क्योंकि नेकी से ही बदी को निकाला जा सकता है।

६. सही संकेत पकड़ें :

धीरज रखने से हम ग्रहणशील बनते हैं। प्रकृति हमें अपना कुल-मूल उद्देश्य प्राप्त करने के लिए संकेत देती है। ग्रहणशील लोग ही वे संकेत पकड़ पाते हैं। सूक्ष्म से सूक्ष्म संकेत पकड़ने और हर घटना से सीखने के लिए धीरज की आवश्यकता है इसलिए हर अनचाही घटना में हमेशा सीखने का ही दृष्टिकोण रखें। जीवन में कितनी भी दुःखदायी घटनाएँ क्यों न हों, उस घटना में सकारात्मक क्या सीखने के लिए मिला, यह देखें। जीवन में आने वाली समस्याओं को चुनौती के रूप में लें। समस्याओं के गर्भ से ही नव निर्माण का जन्म होता है।

७. जल्दबाजी के कोयले फेंकें, धीरज का हीरा पायें :

लोग अधैर्य की वजह से जल्दबाजी में किसी घटना को देखकर अनुमान लगाते हैं और गलत निर्णय ले लेते हैं। यह गलती कई बार उन्हें जीवनभर पछताने के लिए मजबूर करती है। किसी भी घटना में बिना अनुमान लगाये धीरज से परिस्थिति को समझें फिर ही निर्णय लें। परिस्थिति को समझने का समय कभी बेकार नहीं जाता। जल्दबाजी में बचाया हुआ समय आगे सौ गुना ज्यादा चुकाना पड़ता है इसलिए जल्दबाजी के कोयले फेंकें और धीरज का हीरा प्राप्त करें।

किसी समझदार इंसान ने कहा है कि 'मैं जितनी ज्यादा जल्दबाजी करता हूँ, उतना ही मैं जीवन में पीछे रह जाता हूँ।' आपके अंदर की जल्दबाजी यह दर्शाती है कि आपका खुद पर नियंत्रण नहीं है।

८. गुनगुनायें :

अपने आपको धीरज का पाठ पढ़ाने के लिए अपने कामों के दरमियान गुनगुनायें। कठिन कार्य में भी शिकायत की जगह कोई गीत अथवा भजन गुनगुनाने का अभ्यास करके देखें। याद रहे शिकायतें करने से समस्याएँ हमेशा बढ़ती जाती

हैं, कम नहीं होतीं। खुद को समस्याएँ सुलझाने के लिए प्रशिक्षित करें, न कि समस्याओं को बढ़ावा देने के लिए। अपने आपको धैर्य का तोहफा दें। आपके आस-पास की घटनाओं का असर अपने अंदर की शांति पर न पड़ने दें। गुनगुनाने से आप यह कर सकते हैं। आशावादी गीत गुनगुनाकर अपने आप पर नियंत्रण रखें व अपनी भावनाओं के स्वामी बनें।

भाग १०

आत्मनिरीक्षण की कला सीखें

आत्मविकास रहस्य

ऐसा नहीं है कि स्त्री को आत्मनिरीक्षण अलग ढंग से करना है और पुरुष को अलग ढंग से। दोनों के आत्मनिरीक्षण का तरीका एक ही है। स्त्री बोलकर आत्मनिरीक्षण करना चाहती है, उसे उससे थोड़ा आगे बढ़ना चाहिए। उसे निम्नलिखित रूप से आत्मनिरीक्षण करना चाहिए :

१) आज दिन भर में हमारी कौन सी अवस्था थी। इसे वर्णक्रमानुसार समझें - ए फॉर ऐंगर (A for anger) यानी क्रोध। अब यह

देखें कि 'दिन भर में मुझे कब-कब गुस्सा आया और उस गुस्से से मुझे क्या सबक मिला, क्या मेरे अहंकार को चोट पहुँची, मेरी भावनाओं को चोट पहुँची, सामने वाले के प्रति ईर्ष्या जगी, नफरत जगी, जलन हुई? इसी जगह पर कोई और इंसान होता तो मैंने क्या किया होता? अगली बार यही घटना होगी तो मैं क्या करूँगी?' इस तरह अपने क्रोध पर आत्मनिरीक्षण करें।

२) बी फॉर बोरडम (B for boredam)। बोरडम में यह देखें कि 'मैं कहाँ-कहाँ बोर हुई, उस अवस्था में मैं क्या चाहती थी, पहले से ही मैंने होमवर्क किया होता तो उस समय का उपयोग कैसे हुआ होता?' यह लिखित में जब आप आत्मनिरीक्षण करेंगी तो बहुत जल्द बोरडम से बाहर आ पायेंगी।

३) सी यानी कॉंट्रास्ट माईन्ड (तुलना) : तुलना करते वक्त यह देखें कि 'मुझे कहाँ तुलना करनी पड़ी? क्या पड़ोसी के साथ करनी पड़ी, उसके पास कौन से कपड़े नये आये, उसके घर कौन से नये मेहमान आये।' यह देखने पर आपको पता चलेगा कि आपका मन कितनी तुलना करता है और आप उसे कहाँ कम कर सकते हैं।

४) डी फॉर डिप्रेशन, निराशा। यह देखें कि 'मैं किस-किस बात से निराश हो जाती हूँ, मैं कौन सी बात पर जल्दी निराश हो जाती हूँ, अगली बार वह घटना आयेगी तो मैं क्या करूँगी.... इत्यादि।'

इस तरह यदि आप अल्फाबेटिकली (वर्णक्रमानुसार) आत्मनिरीक्षण करना निर्धारित करेंगी तो रोज आप अपने एक अवगुण पर काम कर पायेंगी। रोज यह ए, बी, सी, डी दोहराएँ और उसके साथ ईमानदारी से आत्मनिरीक्षण करें कि 'आज मैंने मन के कौन से खेल देखे और मैं कौन सी बातों में अटकी। आज कौन सी इमोशनल ब्लैकमेलिंग की गयी, कौन से काम कल पर टाले गये।' इस तरह हर दिन स्वयं का निरीक्षण करें। स्त्री चाहेगी कि कोई सुनने वाला हो, जिसे मैं यह

बताऊँ मगर यह हर बार संभव नहीं होगा इसलिए वह लिखित में आत्मनिरीक्षण करे और यदि डर हो कि कोई पढ़ लेगा तो उस कागज को बाद में फाड़ दे। सभी बातें लिखित में आने की वजह से जो भी डर आपके अंदर होंगे, वे बाहर आयेंगे और दूसरे दिन आप ज्यादा सजग होंगी।

स्त्री वाकई अपना विकास करना चाहती है तो उसे स्वयं का आत्मनिरीक्षण करना ही पड़ेगा। यदि वह समय नियोजन की कला सीख जायेगी तो जरूर कुछ समय बचा पायेगी। जो महिलाएँ समय नियोजन नहीं जानतीं, उनके पास हमेशा यह बहाना रहता है कि 'घर के इतने सारे कार्य सँभालने हैं... बच्चों को देखना है... खाना बनाना है... कपड़े धोने हैं... इन सबको सँभालते हुए समय नहीं मिलता' मगर यदि वह समय सारणी (अजेंडा) बनाये और निश्चित कर ले कि उसे स्वयं का आत्मविकास करना ही है तो वह अपने गुण बढ़ा पायेगी, जिससे समाज में वह यह सिद्ध कर पायेगी कि 'नारी होना वरदान है, अभिशाप नहीं।'

भाग ११

आत्मविश्वास की दवा लें

हीन भावना से मुक्ति प्राप्त करने के ७ कदम

आत्मनिर्भरता बिना आत्मविश्वास प्राप्त नहीं हो सकता। आत्मनिर्भर नारी स्वयं में विश्वास रखती है, हीन भावना की बीमारी से दूर रहती है। आत्मविश्वास न केवल हमें आत्मनिर्भर बना सकता है बल्कि स्वास्थ्य भी प्रदान कर सकता है। जानकारों का मानना है कि मानसिक तनाव से बचने की कारगर दवा आत्मविश्वास है। हताश होना स्वास्थ्य में लगी हुई दीमक की तरह है। जहाँ आत्मविश्वास है, वहाँ स्वास्थ्य है तथा जहाँ चिंता एवं भय है, वहाँ रोग और कष्ट है।

सदा उदास रहने का स्वभाव मनुष्य को मानसिक और शारीरिक स्तर पर कमजोर बना देता है। ऐसे में शरीर का स्वस्थ रह पाना मुमकिन नहीं लगता है। रोग लगने पर रोग की चिंता करने से रोग और बढ़ जाता है इसलिए रोग होने पर उसे दूर करने का उपाय सोचने की बजाय, जब आप निरोगी हैं तभी उस पर सोचना चाहिए। रोग हो जाने के बाद उस पर चिंता करना व्यर्थ है।

सर्वप्रथम अपने आप में आत्मविश्वास बढ़ायें, अपने गुणों पर, कला पर विश्वास करें ताकि आप जो भी करना चाहें, उसे सही ढंग से पूर्ण कर पायें। अपनी कला का उपयोग अपनी खुशी के लिए भी करें। दोपहर का समय खाली मिले तो कोई क्लास लें ताकि कला के उपयोग के साथ अर्थाजन (कमाई) भी हो और परिचय भी बढ़े। विविध लोगों के साथ परिचय से आपके ज्ञान में वृद्धि हो सकती है। इससे आपको खुशी और विश्वास मिलेगा।

आप अपना रोज का कार्य समयानुसार करें ताकि अपने लिए वक्त निकाल पायें। सुबह अपने लिए कम से कम आधा घंटा निकालें, टहलें, व्यायाम करें, जिससे आपका पूरा दिन ताज़गीभरा रहे। अगर बागवानी का शौक हो तो अवश्य करें। जगह चाहे छोटी हो या बड़ी अपनी सुविधानुसार बागवानी अवश्य करें, इससे दिमाग स्वस्थ और क्रियाशील हो सकता है। पेड़-पौधे जीवन को आशावादी बनाते हैं, जिससे जीवन को देखने का दृष्टिकोण बदलता है।

अपने पसंद के कुछ ही टी.वी. कार्यक्रम देखें। न्यूज चैनल आपको आज की दुनिया की बातों से अवगत कराते हैं। विज्ञापनों द्वारा आप दुनिया में होने वाली नयी तकनीकों के बारे में जानकारी पा सकते हैं, जिससे आपकी जानकारी ताजा, अप-टू-डेट रहती है। जिसका उपयोग आपको बाहरी जगत में, बच्चों की पढ़ाई में भी हो सकता है।

सदियों से यह देखा गया है कि महिलाएँ अपने आपको शारीरिक तौर पर तो अबला समझती ही हैं, मानसिक स्तर पर भी अपने आपको निम्न समझती हैं। अपनी इसी नाजुकमिजाजी के कारण कई महिलाएँ आगे चलकर अपने अंदर हीन

भावना का रोग पालती हैं। वे इस काल्पनिक रोग की वजह से अपना आरोग्य खो बैठती हैं।

१. हीन भावना से छुटकारा पायें, आत्मविश्वास बढ़ायें :

हीन भावना की समस्या कोई ऐसी समस्या नहीं है, जिसका उपचार संभव न हो। अगर हम कुछ बातों को ध्यान में रखेंगे तो इस समस्या से छुटकारा प्राप्त कर सकेंगे। प्राय: लोग दूसरों की प्रशंसा सुनते ही स्वयं को कमतर और नाचीज आदि अनेक नामों से प्रस्तुत करते हैं। आगे चलकर उनकी यही आदत उन्हें हीन भावना से ग्रस्त होने पर मजबूर कर देती है।

वैसे हीन भावना में सहायक व्यक्ति के व्यक्तिगत कारण और परिस्थितियाँ हो सकती हैं। जैसे कि कोई शारीरिक दोष होना, मानसिक रूप से दुर्बल होना, लंबे समय से रोगग्रस्त होना या आर्थिक रूप से कमजोर होना।

एक साधारण शकल-सूरत की महिला किसी खूबसूरत महिला को देखकर हीन भावना से ग्रस्त हो जाती है। कई माता-पिता दूसरों के बच्चों को आगे बढ़ता देखकर अपने बच्चों के प्रति हीन दृष्टिकोण अपना लेते हैं। एक निर्धन आदमी धनवान को देखकर हीन भावना का शिकार हो जाता है। 'हम बड़ा कार्य नहीं कर सकते', इस तरह का स्वयं पर आत्मविश्वास न होना, हीन भावना का कारण बन जाता है। मन में डर की भावना होने से हीन भावना पनपने लगती है।

बड़े होने के बाद और सही ज्ञान मिलने से हर लड़की हीन भावना से बाहर आ सकती है। हर लड़की स्वयं से कह सकती है, *'मैं जैसी भी हूँ, वैसे ही अपने आपको स्वीकार करती हूँ। स्वीकार सुख है, अस्वीकार दुःख है। स्त्री का शरीर मिलना वरदान है। मैं वरदान को वरदान ही समझूँगी।'* अगर आप अपने शरीर को योग्य तरीके से इस्तेमाल करेंगे तो यह वरदान संतुष्टि और आनंद का कारण बनेगा। बचपन में यदि हमें प्रेम नहीं मिला तो बड़े होकर हम स्वयं को स्वीकार करके हीन भावना और अपराधबोध से बाहर निकलकर, आत्मनिर्भर होने की शुरुआत कर सकते हैं। आप बार-बार स्वयं को याद दिला सकते हैं कि 'अब

मुझे आत्मनिर्भर होना है।' यह गलत धारणा है कि 'लोग आपको ध्यान देंगे तो ही आप आगे बढ़ पायेंगे।' इस गलत धारणा से बाहर निकलकर स्वयं को खुलकर स्वीकार करते हुए जब आप अपना काम करना शुरू करेंगे तब आपके अंदर आत्मसम्मान जागृत होगा।

सर्व प्रथम स्वयं को कमतर समझने की भावना का त्याग करें। स्वयं में आत्मविश्वास की भावना जागृत करें। कभी अपने क्षेत्र से अलग दूसरे क्षेत्रों के लोगों से प्रतिस्पर्धा न करें। अपनी कार्यक्षमता और गुणों का विकास करने पर ध्यान दें। अपनी वास्तविक प्रतिभा को पहचानें, अपने गुणों को जानें और उन्हें पूर्ण संभावना से विकसित करें। अपने कार्य के प्रति पूर्ण निष्ठावान और परिश्रमी बनें। अपने कार्य को ईमानदारी व पूरे विश्वास के साथ सफलता पूर्वक करें और दूसरों के प्रशंसा योग्य बनें।

कभी भी यह भावना मन में न लायें कि 'हम में अनेक कमियाँ हैं।' यदि आपके पास निश्चय और लगन है तो आप हर असंभव कार्य भी संभव बना सकते हैं।

अपने भाग्य को कभी न कोसें व परिस्थितियों या किस्मत को कभी दोष न दें। शारीरिक दोष के कारण मन में हीन भावना पालने के बजाय, उसी शारीरिक दोष को अपनी विशेषता बनाने का प्रयत्न करें।

स्वयं को सदैव साहसी, महत्त्वाकांक्षी और आशावादी व्यक्तित्त्व का स्वामी समझें। अपने लक्ष्य की दिशा निर्धारित करें। अपने विचार, वाणी और क्रिया को उसी दिशा में लगायें।

२. कल्पनाविलास बंद करें :

जादुई कल्पना करने का अर्थ है, 'बिना कोशिश किये यह अपेक्षा करना कि कुछ चमत्कार होगा और हमारा काम पूर्ण होगा।' इस तरह की मनोवृत्ति ज्यादातर ऐसी महिलाओं व पुरुषों में होती है, जो बहुत आसानी से जादुई परिकल्पना में उलझ जाते हैं। अपनी कल्पना को जमीन देना सीखें। अपनी इच्छाओं को पूरा करने के लिए श्रम से दूर न भागें। कार्य को अंजाम देने से

आत्मविश्वास में बढ़ोतरी होती है इसलिए कार्य निर्धारित करके उसे समय पर समाप्त करने की आदत डालें।

३. **अपना क्रोध स्वीकार करें, उसे सही ढंग से प्रस्तुत करें :**

जो लोग अपना क्रोध व्यक्त नहीं कर पाते, वे इस विचार से डरते हैं कि 'अगर मेरा क्रोध प्रकट हुआ तो पता नहीं क्या परिणाम होगा?' ऐसे में बेशक अपना क्रोध प्रकट करना सीखें मगर सही शब्दों में और सही ढंग से। यदि आप शंकित हों कि यह कैसे करें तो जरूर किसी आत्मविश्वास बढ़ाने वाले प्रशिक्षण संस्था की सहायता लें, क्रोध मुक्ति के उपायों की पुस्तकें पढ़ें, आत्मविकास से जुड़ी पुस्तकों का लाभ लें।

४. **दुःख, वेदना, नुकसान, बीमारी का सामना करना सीखें :**

जीवन का अर्थ ही है, 'हर पल, हर क्षण, बदलाव।' ऐसे हर पल बदलते जीवन में कभी लाभ तो कभी हानि भी होगी। हानि की वजह से दुःख व निराशा स्वाभाविक है, यह कुदरती परिणाम है। इसके लिए आपके जरूरत से ज्यादा भावुक होने से आपका दुःख बढ़ेगा इसलिए भविष्य में ऐसी घटनाओं के प्रति ज्यादा सावधानी के साथ, सकारात्मक दृष्टिकोण भी रखें ताकि यही बातें हमें बड़े संकटों का सामना करने के लिए शक्ति दें।

अस्वस्थता, चिंता, उत्कंठा जैसी चीजों को दबाकर रखने से स्त्रियों में मानसिक बीमारियों का जन्म होता है। यदि आप मानसिक दौर्बल्य और कमजोरी को दूर भगाना चाहती हैं तो पहले अपनी योग्यता व संभावनाएँ परखें और उसी पर प्रयोग करके उससे फायदा लें।

५. **अपने अपराधबोध का सामना करें :**

कहते हैं, 'गलतियाँ इंसान से ही होती हैं और उन गलतियों को सुधारकर ही इंसान जीवन में आगे बढ़ पाता है।' हर इंसान से गलतियाँ होती हैं, कभी स्वार्थी बनने की वजह से या फिर कभी अपनी मनोवृत्ति की वजह से। गलतियों का परिणाम मिलने के बाद उस इंसान में अपराधबोध की भावना जागती है, उसे

पश्चाताप होता है। ऐसे में हर इंसान में यह समझ होनी चाहिए कि अपनी गलतियों का स्पष्टीकरण देने के बजाय वह अपनी आदत, सोच और कार्य के तरीके में सुधार लाये। अपनी गलतियों का सामना वह पूरे साहस से साथ करे।

आप अपनी गलती की जिम्मेदारी स्वीकार करके, संबंधित लोगों के सामने उचित शब्दों में अपना खेद प्रकट करें और फिर दोबारा वह गलती न दोहराने का निश्चय करें। इस तरह पूर्णता करके आप अपराधबोध की भावना से मुक्ति पाकर अपना आत्मविश्वास पुनः प्राप्त कर सकते हैं।

६. क्षमा करना सीखें :

यह बात सच है कि कोई भी इंसान पूर्णतः निपुण नहीं होता इसलिए यह जरूरी है कि आप अपने आपको तो माफ करें ही, साथ में दूसरों को भी क्षमा करने की क्षमता रखें। कई बार इंसान को खुद की भूल स्वीकार करने में कोई दिक्कत नहीं होती मगर वह दूसरों को जल्दी माफ नहीं कर पाता। जब कि दूसरों को माफ करके यह एहसान वह उन पर नहीं बल्कि खुद पर कर रहा है, यह उसे पता नहीं है। दूसरों के प्रति हमेशा सकारात्मक व्यवहार करें और दूसरों को माफ करके उनका विश्वास बढ़ायें। जिस चीज के लिए आप निमित्त बनते हैं वह चीज आपको मिलती है। जब आप दूसरों का विश्वास बढ़ायेंगी तो आपका विश्वास अपने आप बढ़ने लगेगा।

७. भावनात्मक प्रबल बनें :

समाज में कई बार यह अनुभव किया जाता है कि स्त्रियों का स्वभाव चंचल होता है और वे जल्दी भावनाओं में बह जाती हैं। इस बात का जीवशास्त्रीय और मानसिक कारण है। जब आप डॉक्टर से बात करेंगे तब वे आपको बतायेंगे कि शारीरिक तौर पर स्त्रियों को जल्दी आँसू आते हैं क्योंकि उनका शरीर हृदय प्रधान होता है।

महिलाएँ हमेशा अपनी बात अभिव्यक्त करके, प्रकट करके प्रस्तुत करती हैं। आँसू बहने की वजह से तनाव भी निकल जाता है। यह भी देखा गया है कि

पुरुषों की तुलना में स्त्रियाँ कम मात्रा में शरीरहत्या (आत्महत्या) करती हैं। अगर किसी जगह पर ज्यादा मात्रा में शरीरहत्या होती है तो वहाँ स्त्रियों पर बहुत बड़े अत्याचार हो रहे हैं। पढ़े-लिखे समाज में देखा जाता है कि महिलाएँ आँसू बहाकर अपना दुःख कम कर पाती हैं। निसर्ग द्वारा उन्हें यह तरीका दिया गया है।

महिलाओं को बचपन से जो मान्यताएँ दी जाती हैं, उनकी वजह से भी कई बार वे भावनाओं में जल्दी बह जाती हैं। बचपन से हर बच्चा सुनता है कि लड़के कभी नहीं रोते। जब क्लास में कोई लड़का रोता है तो लड़के को चुप कराने के लिए शिक्षक कहते हैं, 'लड़के होकर रोते हो!' अगर लड़की रो रही है तो उसे बहुत सीधे शब्दों में समझाया जाता है। लड़की के लिए यह माना जाता है कि वह रो सकती है। इस तरह बचपन से ही लड़की रो सकती है मगर लड़के नहीं रो सकते, यह धारणा पक्की होती जाती है। इस धारणा की वजह से लड़कियाँ अपने अंदर भावनात्मक कमजोरी का निर्माण करती हैं।

जिस बात को जहाँ से बाहर आने का मौका मिलता है, वह वहाँ से बाहर आती है। आपके अंदर जो शक्ति है, उसे बाहर आने के लिए जो माध्यम मिलेगा, उस माध्यम से वह बाहर आयेगी। अगर आपने क्रोध का माध्यम चुना तो आपके अंदर की शक्ति क्रोध द्वारा बाहर आयेगी। इस तरह अपने लिए माध्यम चुनें कि आप अपनी शक्ति के लिए कौन सा माध्यम इस्तेमाल करना चाहती हैं। अगर आपने अपनी शक्ति को कार्य का माध्यम दिया तो आप हर बार रचनात्मक कार्य ही करेंगी।

महिलाओं के लिए उनकी भावना शक्ति बाहर आने का माध्यम आँसू होते हैं। महिलाओं को रोने का माध्यम बहुत आसानी से मिला है इसलिए वे निश्चिंत होकर रोती हैं। अगर किसी ने उन्हें बुरा कहा तो वे रो सकती हैं। अगर नयी मान्यता बनायी जाय कि 'लड़कियाँ कभी नहीं रोतीं' तो लड़कियों के लिए माध्यम बदल सकता है। लड़कियों की भावनाएँ बाहर आने के लिए आँसुओं के अलावा अलग माध्यम भी बन सकता है।

लड़कियों के लिए आँसू वरदान भी बन सकते हैं या अभिशाप भी बन सकते हैं। आँसुओं द्वारा उनके अंदर दबी हुई भावनाएँ बाहर आती हैं और उन्हें हल्का महसूस होता है वरना कई बार दबे हुए आँसू किसी इंसान के लिए बीमारियों का कारण भी बन सकते हैं। ऐसी अवस्था में बीमारी ही भावनाओं के बाहर निकलने का माध्यम बन जाती है। इसके अलावा और माध्यमों का इस्तेमाल भी किया जा सकता है। हमारे अंदर की शक्ति को बाहर लाने के लिए रचनात्मक तरीकों का इस्तेमाल किया जा सकता है। रचनात्मक तरीका इस्तेमाल करने के लिए मनन करना बहुत आवश्यक है। मनन करके अपने लिए दमदार लक्ष्य बनायें, रचनात्मक कलाओं का अभ्यास करें और भावनात्मक कमजोरी दूर करें।

आत्मनिर्भर बनने के लिए अपनी संपत्ति (गुणों) का संवर्धन करें और अपनी कमजोरियों को मात करें। अपनी कमजोरी अपने अवगुण तभी निकाले जा सकते हैं, जब वे हमें पता हों। अपने अवगुणों को प्रकाश में लाने के लिए आगे दिये गये तीन भागों को ध्यान से पढ़ें।

नोट : आत्मविश्वास बढ़ाने के लिए पढ़ें तेजज्ञान फाउण्डेशन द्वारा प्रकाशित पुस्तक 'आत्मविश्वास सफलता का द्वार'।

खण्ड

कामकाजी नारी

भाग १

कामकाजी महिलाएँ और गृहिणियाँ

दोनों की समस्याएँ और उनका समाधान

क्या कामकाजी महिलाएँ अपने घर को ठीक से चला पाती हैं? क्या गृहिणियाँ अपनी पहचान से संतुष्ट हैं?

लंबे समय से यह विषय समाज में विवाद का विषय रहा है। बहुत कम स्त्रियाँ अपनी आर्थिक आत्मनिर्भरता के बारे में सोच पाती हैं। जब भी यह सवाल आता है कि क्या नौकरी के साथ-साथ अपने घर को ठीक से चलाया जा सकता है? तब कुछ सक्षम महिलाओं की तरफ से उत्तर मिलते हैं, 'हाँ, क्यों नहीं?' मगर कुछ महिलाएँ कहती हैं, 'यह बहुत मुश्किल कार्य है मगर करना पड़ता है।'

इस बारे में अलग-अलग महिलाओं के अलग-अलग विचार और अनुभव हैं।

- कुछ महिलाओं के लिए नौकरी करना केवल धन कमाने का मार्ग है।
- कुछ महिलाओं के लिए नौकरी उनके अपने खर्चों और रहन-सहन के स्तर में बढ़ोतरी का साधन मात्र है।
- बड़े पद के लोगों की पत्नियों का मानना है कि आज-कल लग्जरी का जमाना है इसलिए पति की तनख्वाह तो केवल घर के खर्चों में ही खतम हो जाती है, बाकी सारे भौतिक साधन और बच्चों की उच्च शिक्षा का खर्च उठाने के लिए उनका घर से बाहर जाना आज के समय की माँग है।
- कुछ महिलाओं के लिए यह केवल कैरियर का सवाल है।
- कुछ महिलाओं के लिए आत्मसंतुष्टि या अपने ज्ञान के उपयोग का माध्यम है।
- कुछ ऐसी भी महिलाएँ हैं, जो अपनी संतुष्टि व समाज सेवा के लिए महिला उद्योग व खैराती दवाखाने इत्यादि चलाती हैं।

महिला चाहे कामकाजी हो या गृहिणी, दोनों में से कोई भी कमतर या बेहतर नहीं है। दोनों ही एक हद तक संतुष्ट और असंतुष्ट हैं। दोनों तरह की महिलाओं को कहीं न कहीं कुछ खोने का भाव सताता है। दोनों को अपने क्षेत्र की उपलब्धियाँ मिलती हैं, दोनों की अपनी पहचान होती है।

कामकाजी महिलाओं को आर्थिक स्वतंत्रता की संतुष्टि है तो गृहिणियों को घर का व्यवस्थापन (मैनेजमेन्ट) संभालने की संतुष्टि है। गृहिणियों को इस बात की असंतुष्टि है कि उन्हें बात-बात पर पति से पैसे माँगने पड़ते हैं। कामकाजी महिलाओं को घर उपेक्षित करने की असंतुष्टि है। यहाँ इस बात की सच्चाई नजर आती है कि कुछ पाने पर कुछ खोना भी पड़ता है। सही अस्तित्व की पहचान के बाद एक गृहिणी भी सामाजिक कार्यों में हिस्सा लेकर, समाज में अपनी पहचान बना सकती है। कामकाजी महिला भी अपनी व्यस्तता के बावजूद स्वयं को एक

सफल गृहिणी कहलवा सकती है। गृहिणी घर पर रहकर भी आर्थिक रूप से आत्मनिर्भर हो सकती है केवल उसे अपनी प्रतिभा को पहचानना है। घर में रहकर कई महिलाएँ बुटिक, इंटीरियर डेकोरेशन, ब्यूटीशियन, कुकरी इत्यादि क्लासेस सँभालती हैं। इससे उनकी आर्थिक समस्या भी दूर हो जाती है और वे अपने घर को भी सँभाल पाती हैं।

हर इंसान की अपनी परिस्थितियाँ और अपनी प्राथमिकताएँ होती हैं। भारत में पुरुष कितना भी समझदार और सहायक क्यों न हो, घर सँभालने की मुख्य जिम्मेदारी स्त्री की है। कामकाजी महिला हो या गृहिणी, सामाजिक कर्तव्य भी ज्यादातर स्त्री के हिस्से में ही आते हैं। जहाँ पुरुष बाहर के मोर्चों को सँभालता है, वहीं स्त्री को गृहस्थी के कई मोर्चे एक साथ सँभालती है।

भाग २

कार्ययोजना बनायें

उन्नति का रास्ता

कामकाजी महिलाओं को अकसर काम के दुगने-तिगुने बोझ के तनाव से गुजरना पड़ता है। ज्यादातर महिलाएँ इस भ्रम में रहती हैं कि वे एक साथ कई काम कर सकती हैं। जो औरतें एक साथ ज्यादा काम करती हैं, वे अकसर कार्य योजना नहीं बनातीं। आपका दिन कैसे बीतना चाहिए? यह आपको तय करना आना चाहिए। अपने रोज के कार्यों में कुछ अलग कामों को भी शामिल करें।

अगर आप लीडर बनना चाहती हैं तो आपको सबसे अलग बनना होगा।

अगर आप समय का सही इस्तेमाल करेंगी तो बाकी की सारी चीजें अपने आप सही होंगी इसलिए आप गंभीरता से अपना आत्मनिरीक्षण करें और सीखें कि समय का सही उपयोग कैसे किया जाय? अगर आप संतुष्ट हैं कि आप समय का सही ढंग से इस्तेमाल कर रही हैं तो आप शारीरिक, मानसिक ताकतों और अन्य सौगातों का सही ढंग से इस्तेमाल करें। इस तरह की उपयोगी बातें लीडरशिप की असली कुंजी हैं।

अब इस विषय की गहराई को सब्र और दृढ़ता से समझें। लीडर बनने के लिए अपने साधनों का समझदारी से इस्तेमाल करें। आप अगर कोई व्यवसाय कर रही हैं तो साधनों में पैसा, आमदनी और सामान आता है। इन सब साधनों का सही उपयोग करने के लिए समय और ताकत का नियोजन बहुत ही महत्त्वपूर्ण है।

योजना बनाना और उसका अनुसरण करना कठिन नहीं है, उल्टा आप उसका आनंद लेते हैं और आपको अपने नये पहलू भी पता चलते हैं। आपको यह जानकर आश्चर्य होगा कि आपको २४ घंटों में से केवल १२ घंटे या उससे भी कम समय काम करना पड़ता है और बाकी का समय आप निश्चिंत होकर आराम कर सकती हैं, बिना चिंता के नींद ले सकती हैं। ऐसा करने से आप फिर से पूरा दिन काम करने के लिए तैयार होती हैं। इसके लिए जरूरी है कि आप पहले से ही अपने काम की योजना बना लें। कार्य-योजना बनाने के बाद आपको अपने कार्यक्रम के बारे में सख्त रहना होगा।

यह कहना उचित नहीं कि 'मैं सब जानती हूँ, मैं समय का सही उपयोग करती हूँ, मुझे चिंता करने की जरूरत नहीं है।' अगर वाकई ऐसा है तो आप अपने कार्यों को दोबारा देख लें और जाँचें कि क्या आपकी योजना में इन बातों के लिए समय रखा गया है :

१) अच्छी नींद लेना

२) तैयार होना

३) स्नान करना

४) भोजन करना

५) यात्रा का समय (यदि आपका ऑफिस दूर है)

६) प्रार्थना और ध्यान करना

७) अच्छी पुस्तकें पढ़ना या टी.वी पर अच्छे कार्यक्रम देखना

८) माता-पिता और घर के अन्य सदस्यों की मदद करना

९) पौधों को पानी देना

१०) रेडियो सुनना, पत्र लिखना, अखबार पढ़ना, डायरी लिखना इत्यादि।

यदि आपने कार्य-योजना सूची बनायी है तो आप उपरोक्त सभी बातों के लिए समय निकाल सकती हैं। बिना योजना बनाये उन्नति करना कठिन है। समय-नियोजन न करने से आपके काम समय पर नहीं होते और कई कामों में गड़बड़ भी होती है। आप ज्यादा महत्त्वपूर्ण कामों को कम समय और कम महत्त्वपूर्ण कामों को ज्यादा समय देते हैं। इस तरह से आपका तनाव बढ़ता है और आपसे गलतियाँ होती हैं। हमारे निजी कामों पर भी इसका असर होता है।

कार्य- योजना बनाने के फायदे :

१. आप अपने लक्ष्य के विपरीत कार्य को कार्य-योजना में से निकाल सकती हैं। आपको हमेशा लक्ष्य याद रहता है, आप लक्षार्थी बनती हैं।

२. आप एक ही समय पर एक से ज्यादा काम कर सकती हैं और समय की बचत कर सकती हैं।कार्य-योजना में आप ऑफिस से लौटते वक्त अपने घर का भी काम भी करते हुए आ सकती हैं। जैसे सब्जियाँ लेना, सामान लेना, राशन लेना इत्यादि। शाम के समय दूसरों के साथ या परिवार के सदस्यों के साथ टहलते वक्त आप पारिवारिक समस्याओं के मुद्दों पर बातचीत भी कर सकती हैं।

उपयोगी टिप्स :

- काम को बेहतर ढंग से करने के लिए जरूरी है कि उसे एकाग्रचित होकर किया जाय। एक समय में एक ही काम करें और उसे बेहतर ढंग से करें।
- आप ऑफिस के बाद, सुबह या शाम के समय किये जाने वाले कार्यों का समय निर्धारित कर लें। सुबह के समय आप नयी ऊर्जा और नये जोश से भरे होते हैं। उस दौरान आप उत्पादक कार्यों में स्वयं को व्यस्त रखें।
- हलके-फुलके कार्यों को शाम के समय ऑफिस से आने के बाद आराम से किया जा सकता है।
- जब दुकानों पर ज्यादा भीड़ न हो उस समय आप आराम से खरीददारी करें।
- अपने कार्यों को बेहतर तरीके से अंजाम देने के लिए, कार्य-योजना को निर्धारित करने के बाद दोबारा इस बात की जाँच जरूर कर लें कि आप पर ज्यादा काम का बोझ न रहे। इस तरह आप अपने रोज के काम निर्धारित कर सकती हैं। जो काम ज्यादा महत्त्वपूर्ण हों उन्हें पहले रखें। इस तरह आप सुस्ती से बच जायेंगी वरना आप आसान काम को पहले करती हैं और कठिन काम को टालती रहती हैं।

इस तरह आप अपना काम सही ढंग से और सही समय पर पूरा कर सकती हैं और उसमें सफलता भी प्राप्त कर सकती हैं। कुछ महिलाएँ यह सोचती हैं कि कार्य-योजना बनाने में समय क्यों गँवायें, यह एक गलत मान्यता है। अगर आप योजना के हिसाब से काम करेंगी तो आपको पता चलेगा कि कार्य-योजना बनाना उत्तम निर्णय है। उल्टा आप इसके फायदों का अनुभव करके और भी प्रेरित होकर काम कर पायेंगी।

भाग ३

ऑफिस में काम और व्यायाम प्राप्त करें

रहें हरदम चुस्त और फुर्त

आज की काम-काजी महिलाओं का जीवन बहुत तेज रफ्तार का हो चुका है। ऐसे में अगर दफ्तर दूर हो तो घर से घंटे-दो घंटे पहले निकलना पड़ता है। लोकल ट्रेन या बस में सफर करने के बाद, दफ्तर में पहुँचते ही काम को खतम करने का चक्र शुरू हो जाता है। ऐसे में कई बार जल्दबाजी और हड़बड़ी की वजह से तनाव बढ़ने लगता है। अगर शुरुआत ही गलत हो जाय तो यह मान्यता मन में घर कर जाती है कि 'आज का दिन बड़ा भारी है, कुछ भी काम ठीक से नहीं हो पा रहा है।' फिर मन में विचारों का और

शरीर पर पीड़ाओं का सिलसिला शुरू होता है। इस व्यस्त कार्यक्रम में स्त्रियों को व्यायाम करने का समय ही नहीं मिल पाता। जब कि बीमारियों से बचने और स्वस्थ रहने के लिए हर विशेषज्ञ की यही सलाह होती है कि व्यायाम करना अनिवार्य है। अपने दफ्तर में काम की सही शुरुआत करने के लिए नीचे दी गयी बातों पर ध्यान दें और अपने दफ्तर में बैठे हुए ही कुछ कसरतें करती रहें।

- जल्दबाजी में अपने दफ्तर पहुँचने के बाद अकसर महिलाएँ अपनी कुर्सी पर आड़ी-तिरछी मुद्राओं में लंबे समय तक बैठती हैं, जिसकी वजह से उन्हें जरूरत से ज्यादा थकावट महसूस होती है।

- कुर्सी पर बैठते ही सबसे पहले पाँच से दस की गिनती तक लंबी साँस भरें ताकि किसी कारणवश आप अगर दफ्तर में देरी से पहुँची हैं और तनाव महसूस हो रहा है तो लंबी साँस लेकर अपने आपको शिथिल किया जा सकता है।

- आज कल कंप्यूटर का जमाना है, ज्यादातर दफ्तरों में कंप्यूटर पर काम करते हुए समय निकल जाता है, जिसकी वजह से आँखों पर तनाव आना स्वाभाविक है। ऐसी स्थिति में अपनी आँखों को ऊपर-नीचे करें, पलकें झपकायें और उन्हें बंद करें। थोड़े-थोड़े अंतराल से इसे कई बार करें। इससे तनाव दूर होता है।

- अपनी आँखों की मांसपेशियों को मजबूत करने के लिए दूर की चीज को देखकर फिर किसी पास की चीज को देखें। थोड़ी-थोड़ी देर ऐसा लगातार करती रहें।

- दफ्तर में काम करते-करते कलाइयों और हाथों पर असर पड़ता है। इससे बचने के लिए कलाइयों को कुछ मिनट तक गोल-गोल घुमायें।

- गर्दन की थकावट से बचने के लिए अपने कंधों को पहले पीछे की तरफ और फिर आगे की तरफ घुमायें। इसके बाद अपने सिर को कभी एक तरफ तो कभी दूसरी तरफ मोड़ें।

- ज्यादा समय तक एक ही मुद्रा में बैठने से शरीर में अकड़न होने की शंका होती है, जिसके लिए डेढ़ घंटे के अंतराल में आप खड़े हो जायें और अपने पीछे की मांसपेशियों को दबायें या सिकोड़ें। उन्हें पकड़ें और फिर शिथिल कर दें।
- कमर की तनावग्रस्त मांसपेशियों की जकड़न दूर करने के लिए खड़े हो जायें और अपनी हथेलियों को आहिस्ता से आसमान की ओर उठायें। कुछ देर इसी अवस्था में रहें और फिर विश्राम करें।

भाग ४

ऑफिस में प्रभावशाली कैसे बनें
जिम्मेदारी को बोझ नहीं, मौका समझें

क्या आप भी उन महिलाओं में से एक हैं जो ऑफिस में अपनी पहचान को लेकर चिंतित रहती हैं? क्या आप चाहती हैं कि ऑफिस में किसी महत्त्वपूर्ण काम, परामर्श या निर्णय के लिए आपको याद किया जाय? क्या आप चाहती हैं कि छोटे पद पर कार्यरत होने के बावजूद आपका ऑफिस में ऐसा प्रभाव हो जो आपको एक के बाद एक ऊँचे मुकाम पर पहुँचाने में मदद करे?

अगर इन सभी प्रश्नों के लिए आपका उत्तर 'हाँ' में है तो यहाँ आपके लिए कुछ सुझाव पेश किये जा रहे हैं।

अधिकतर लोग यह समझते हैं कि सिर्फ ऊँचे पद पर होने से ही अधिकार और शक्तियाँ हासिल होती हैं और इन अधिकारों की वजह से ही हमारा प्रभाव बढ़ता है लेकिन यह बात पूरी तरह सही नहीं है।

अगर आप किसी ऑफिस में नौकरी कर रही हैं, फिर चाहे आप छोटे पद पर ही क्यों न हों, आपके पास कुछ शक्तियाँ व अधिकार जरूर होंगे। केवल जरूरत है अपने उन अधिकारों को पहचानने की, उनका अच्छे ढंग से इस्तेमाल करने की। यह आप तभी कर सकती हैं जब आपको अपनी जिम्मेदारियों पर विश्वास हो। अपनी जिम्मेदारियों से आगे बढ़कर भी काम करने की आप में इच्छा हो और ऑफिस की परिस्थितियों, प्राथमिकताओं व कार्य करने की प्रणाली से आप भली-भाँति परिचित हों।

अपने अधिकारों को बढ़ाना शायद आपके लिए मुमकिन न हो लेकिन इससे पहले कि आपको कोई काम सौंपा जाय, खुद बढ़कर अपनी जिम्मेदारियों को निभाना आपको हमेशा एक कदम आगे रहने में सहायता करेगा। अपने द्वारा किये जाने वाले कामों के अलावा अन्य जिम्मेदारियों को भी अपना फर्ज समझकर करें। यह इंतजार करके न बैठें कि जब नये काम सौंपे जायेंगे तब ही करेंगे। याद रखें ऑफिस में उन्हीं लोगों का प्रभाव रहता है, जो अपने कार्य, पद या दूसरों की अपेक्षाओं से एक कदम आगे रहकर काम करते हैं, न कि सौंपे गये काम को एक समझौते की तरह खतम करके, यह सोचकर संतुष्ट हो जाते हैं कि 'मेरी जिम्मेदारी यहीं तक थी।' आपने अपनी जिम्मेदारी पूरी कर दी लेकिन इसका मतलब यह तो नहीं कि अब आप अपने आँख, कान, दिमाग सब बंद कर दें। जो भी काम जिस ढंग से भी आप करती हैं, उसे वैसा करने के साथ-साथ यह सोचने की कोशिश करें कि यह काम और बेहतर ढंग से किस तरह किया जाय कि जिससे कंपनी की कार्यक्षमता को बढ़ाने के लिए कुछ नया और बेहतर कदम शामिल हो सके।

ज्यादा जिम्मेदारियाँ लें :

अतिरिक्त जिम्मेदारियाँ लेने का मतलब यह नहीं कि आपने अपने ऊपर

दूसरों के भी काम ले लिए। जिम्मेदारियाँ लेने का मतलब है कि जो काम आप कर रही हैं या करती हैं, उसी को नये व बेहतर ढंग से जवाबदेह होकर करने के बारे में सोचना। अपने काम की जिम्मेदारी लेने का यह भी अर्थ है कि किसी काम को रुचिकर रूप से करना। यह आपकी जिम्मेदारियों के साथ आपके अधिकारों व कार्य क्षेत्र की सीमाओं को भी बढ़ाने का मौका देता है।

नियुक्त किये गये काम को अच्छी तरह करने से ऑफिस में अच्छे कार्यकर्ता की उपाधि तो आप पा ही सकती हैं लेकिन बॉस व अन्य कर्मचारियों के लिए यह जरूरी है कि आप अपना लक्ष्य बनायें। उदाहरण के तौर पर, आप यह निश्चित कर सकती हैं कि आने वाले ४ महीनों में आपका लक्ष्य होगा कि जो काम आप कर रही हैं, उससे संबंधित संपूर्ण जानकारी प्राप्त करना। इस कार्य को करने के सभी संभव तरीकों की जाँच करना, सर्वोत्तम विधि को प्रयोग में लाना, उससे प्राप्त फायदों की जाँच करना व उच्च अधिकारियों के सामने प्रस्तुत करना। इस तरह के लक्ष्य निर्धारित करने व उन्हें पूरा करने से आप अपनी कार्यकुशलता की डोर को समय-समय पर माप सकती हैं व जाँच सकती हैं कि अब तक आप कितने पानी में हैं।

अपने काम के साथ-साथ कंपनी के अन्य कार्य क्षेत्रों के प्रति भी सचेत रहें। अपने काम के साथ कंपनी की समस्याओं का समाधान करने की भी कोशिश करें। ऑफिस में अपनी प्रतिभा दिखाने व सबको अपने पक्ष में करने के लिए यह सिद्धांत बहुत महत्त्वपूर्ण है। बॉस व अन्य कर्मचारियों के काम करने के कार्यप्रणाली आदि पर भी गौर फरमाएँ व ध्यान रखें कि किस तरह आप उनके कार्य के भार को हलका व आसान बना सकती हैं। सबकी मदद करने पर अधिकतर सहकर्मी आपके हितैषी बन जायेंगे। यदि वे आपके प्रति ईर्ष्या के भाव भी रखते होंगे तो वे यह सोचकर विनम्र हो जायेंगे कि जरूरत पड़ने पर आप उनकी मदद कर सकती हैं।

सबके लिए मददगार बनें:

ऑफिस में सबकी मदद करने से आपकी ऐसी छवि बन जायेगी कि ऑफिस के महत्त्वपूर्ण कामों और समस्याओं में आपको शामिल किया जायेगा और जरूरत पड़ने पर लोग अपनी कुछ जिम्मेदारियाँ और अधिकारों को आपको सौंपना पसंद करेंगे।

इस तरह स्वैच्छिक मदद से आपका प्रभाव ऑफिस में कुछ ऐसा होगा कि आप दूसरों की मदद कर पायें या नहीं लेकिन यह तरीका आपको ऑफिस का एक महत्त्वपूर्ण कर्मचारी बना सकता है। आपकी जिम्मेदारी व कंपनी की कार्यप्रणाली के प्रति सजगता आपको कहाँ पहुँचा सकती है, यह शायद आप भी नहीं जानतीं।

आत्मविश्वास रखें कि आप पर सौंपी गयी कोई भी जिम्मेदारी आप उठा सकती हैं। अपने काम से जुड़े अन्य कामों की तरफ भी सचेत रहें और जितनी जानकारी हो सके इकट्ठी करती रहें। चाहे आप किसी भी पद पर हैं, अगर आप आगे बढ़ना चाहती हैं तो यह कर सकती हैं। अपनी सोच को इस प्रकार बनायें कि 'मैं कुछ भी सीख सकती हूँ, कुछ भी कर सकती हूँ।'

अगर आप अपने अधिकारों को बढ़ाना चाहती हैं तो आपको अपनी कार्यक्षमता व कार्यकुशलता से यह दिखाना जरूरी है कि आप नयी जिम्मेदारियाँ लेना चाहती हैं व उन्हें लेने के लिए पूरी तरह सक्षम व तैयार हैं। आपको यह प्रमाणित करने की जरूरत है कि आप उस नये काम की सूक्ष्मताओं को समझती हैं व उस काम को कर सकती हैं।

जो सही है वही करें। आपका यह विश्वास कि 'आप इस नयी चुनौती का सामना कर सकती हैं', यह देखकर दूसरे आपके इस विश्वास से अवश्य प्रभावित होंगे। इससे आप भविष्य में अन्य उपलब्धियों की हकदार बन सकती हैं।

सफलता की सीढ़ी पर चढ़ने के लिए यह जरूरी है कि आप दूसरों के द्वारा पसंद न किये जाने की आशंका को दिल से निकाल दें और इस बात पर ध्यान दें कि आप किस तरह काम में ज्यादा निपुण हो सकती हैं। आपकी कार्यक्षमता में

बढ़ोतरी या ऑफिस में प्रसिद्धि से कुछ लोगों में आपके प्रति द्वेष पैदा हो सकता है। आपको इन सहकर्मियों से हताश होने की बजाय उनके प्रति भी विनम्र व्यवहार रखकर अपने कार्य पर ध्यान लगाने की जरूरत है।

ज्यादातर महिलाओं को यह चिंता होती है कि 'दूसरे उनके बारे में क्या सोचते हैं?' यह नज़रिया उन्हें आगे बढ़ने से रोकता है। ऊँचाई की सीढ़ियाँ चढ़ते हुए नयी जिम्मेदारियों को सँभालने से आपके संबंध सभी से अच्छे हो जायेंगे यदि फिर भी किसी को इस पर खुशी न हो तो वे आपके सच्चे दोस्त नही हैं, यह समझें।

नकारात्मक सोच, हीन भावना और बेसब्री आपको पीछे कर देती है और आपकी जगह किसी और को दे दी जाती है इसलिए ऑफिस में अपने पूरे आत्मविश्वास के साथ अपनी भावनाओं को काबू में रखते हुए सिर्फ काम पर ध्यान देते हुए बिना किसी की परवाह किये, जो सही है वही करें।

अगर आपको अपने काम के प्रति लगाव है और अगर वाकई में आप आत्मनिर्भर होना चाहती हैं तो फिर आपका चुनाव आपकी व्यक्तिगत जरूरतों को पूरा करने का नहीं होगा बल्कि छोटी बातों की वजह से जो परेशानियाँ आपको उठानी पड़ती हैं, उनसे मुक्ति पाना व स्वतंत्र रहना ही, आपके लिए सबसे बड़ा लक्ष्य होगा।

भाग ५

घर और काम में संतुलन कैसे बनाये रखें
संतुलित जीवन जीयें

आज भौतिकवाद के साथ-साथ भारतीय समाज का ढाँचा भी बदल चुका है। एकांकी परिवारों और नौकरी करने वाली महिलाओं की संख्या में अच्छी-खासी वृद्धि हुई है। महिला की आर्थिक स्वतंत्रता और ध्येयवादी (कैरियर ओरियेन्टेड) प्रवृत्ति को समाज ने भी स्वीकृति दे दी है। समय के साथ समाज बदल रहा है और यही उचित है। आज नौकरीशुदा महिला को हीन दृष्टि से नहीं देखा जाता, न ही उसकी आमदनी को हीन समझा जाता है। आज माता-पिता

लड़कों के साथ-साथ लड़कियों के कैरियर तथा ध्येयवादी होने (कैरियर ओरियेन्टेशन) की शिक्षा दे रहे हैं। लड़कियों को पूरा अवसर दिया जा रहा है, उन्हें कोचिंग तथा व्यवसायिक शिक्षा दिलवाने में कंजूसी नहीं की जा रही है। आज कोई भी कार्यक्षेत्र ऐसा नहीं है जहाँ महिलाओं ने अपनी उपस्थिति दर्ज नहीं करवायी हो, फिर वह सेना का क्षेत्र ही क्यों न हो।

महिला चाहे घरेलू हो या कामकाजी, उसे अपने काम और घर के बीच संतुलन रखना आना चाहिए। हालाँकि ऐसा करना एक पतली रस्सी पर चलने जैसा है परंतु यह अनिवार्य है। इसके लिए आवश्यक है कि कुछ बातों का हमेशा खयाल रखा जाय।

- पूरे परिवार की सहमति से ही नौकरी करने का निर्णय लें। अगर आप शादी से पहले ही काम करती हैं तो शादी करने से पहले अपने ससुराल वालों की सहमति ले लें।
- घर के कामों और कार्यक्षेत्र के कामों के लिए समय का अलग-अलग नियोजन रखें। अगर आपकी आर्थिक स्थिति अनुमति देती हो तो समय बचाने के लिए उपयोगी उपकरण खरीदने से न हिचकिचायें।
- अपनी मान-प्रतिष्ठा के विरुद्ध कोई छोटी-बड़ी नौकरी न करें। अपनी मान मर्यादा बनाये रखें तथा गृहस्थी को उचित रूप से चलाने का आत्मविश्वास रखें।
- घर के कामों को टालने की कोशिश न करें। घर के कामों को भी उतनी ही प्राथमिकता दें, जितनी बाहर के कामों देती हैं।
- अपने दफ्तर में अपनी आर्थिक स्वतंत्रता का अभिमान न करें और न ही अपनी सहूलियत का दिखावा करें।
- ऐसे कार्य न करें जिससे परिवार के सदस्यों व पति के सम्मान को ठेस पहुँचे।

- अपने कार्यक्षेत्र की बातों का असर अपने निजी जीवन पर न होने दें। दफ्तर के किसी भी सहकर्मी की बेवजह अधिक तारीफ न करें। ऑफिस के किसी भी इंसान को अपने घर-परिवार के कामों तथा निर्णयों में दखलबाजी न करने दें।
- अपने सहकर्मियों तथा उच्च अधिकारियों के साथ सही संतुलित तथा मधुर व्यवहार बनाये रखें। बिना माँगे अपनी राय दूसरों पर न थोपें और न ही अपनी सलाह को व्यक्तिगत रंग दें।
- दफ्तर के कार्यक्रमों के साथ-साथ परिवार व रिश्तेदारों के कार्यक्रमों को भी महत्त्व दें। सामाजिक क्रियाकलापों से न भागें।
- कामकाजी महिलाओं के लिए आदर्श स्थिति यही है कि वे अपने दाम्पत्य जीवन, परिवार, रिश्तेदार, समाज, अपने कार्यक्षेत्र और सहयोगियों को समान रूप से संतुलित रखना आसान कार्य नहीं है। इसके लिए पारिवारिक सहयोग बहुत महत्त्व रखता है इसलिए परिवार वालों के प्रति उदारता और सहयोग की भावना अवश्य रखें। जरूरत पड़ने पर आपको अपने परिवार से ही उचित सहयोग मिल सकता है।

अपनी भावनाओं को निर्मल रखें, फिर घर और दफ्तर, दोनों मोर्चों को आप एक साथ सँभालकर दिखायें।

भाग ६

आज की महिला और मनचाही खरीददारी

ध्यान देने योग्य बातें

त्योहार चाहे कोई भी हो महिलाएँ बाजार में हर तरफ दुकानों पर लगे महँगे कपड़े, सजावट की चीजें या फिर लेन-देन के लिए उपहार खरीदते नजर आती हैं। सवाल यह है कि इतनी सारी चीजों का क्या वे एक साथ इस्तेमाल करती हैं? खासतौर पर महिलाएँ जो हमेशा से हर घर का बचत बैंक रही हैं, वे हर मौसम में बाजार में खरीददारी करती नजर आती हैं। इसमें चौंकने वाली या चिंता वाली कोई बात नहीं है क्योंकि महिलाओं में इस आश्चर्यजनक बदलाव का कारण उनकी मनचाही खरीददारी है। वैज्ञानिकों

की बात मानें तो इसके लिए उनके शरीर में बाजार, दुकान और सामान को देखकर होने वाली रासायनिक प्रतिक्रियाएँ भी जिम्मेदार हैं।

वैज्ञानिकों का यह मानना है कि बाजार में महिलाओं और एक हद तक पुरुषों के मस्तिष्क में तेज रासायनिक प्रतिक्रिया होती है, जिससे उनके मन में खरीददारी करने की तरंगें यानी मनचाही खरीददारी की इच्छा उत्पन्न होती है। यह बात अलग है कि महिलाओं को अलग चीजें आकर्षित करती हैं और पुरुषों को अलग।

इतना ही नहीं इस अध्ययन ने हर चीज देख-परख कर किफायत के साथ खरीदने की पारंपरिक मान्यता को भी चुनौती दे दी है। इन वैज्ञानिकों के मुताबिक महिलाएँ किसी भी सामान को खरीदने का फैसला एक भावना में बहकर यानी अर्धचेतन मन से करती हैं। इस अध्ययन के मुताबिक खरीददार को जब बाजार में कोई चीज लुभा लेती है तब वे तमाम सिद्धांत भूलकर उसे खरीद बैठता है। इसे ही मनचाही खरीददारी कहते हैं।

किसी साफ-सुथरे और सजे-धजे शोरूम में जब कोई महिला जाती है तो वहाँ के सेल्समैन व सेल्सगर्ल उसका मुस्कुराकर स्वागत करते हैं, इस तरह की गतिविधियाँ इंसान के मूड को अच्छा बनाती हैं और खरीददारी की ओर आकर्षित करती हैं।

इसी सिद्धांत के कारण आजकल बाजारों, दुकानों और उनके सेल्स स्टाफ का रुख भी लगातार बदल रहा है। वस्तु की गुणवत्ता से अधिक ध्यान दुकानों की सजावट व आकर्षक सेल्सगर्ल और सेल्समैन के मीठे व्यवहार को दिया जाता है। ऐसे में हमेशा यह ध्यान रखें कि भावनाओं में बहने की बजाय, समझदारी व होशियारी से काम लेना आवश्यक है यानी खरीददारी करने से पहले अगर कुछ बातों को ध्यान में रखा जाय तो बेवजह खर्च और पछतावे से बचा जा सकता है।

बाजार से सामान खरीदते वक्त ध्यान देने योग्य बातें :

- सामान की सूची बनाने से पहले हमेशा अपने आपसे पूछें कि जो भी सामान आप लिखने जा रही हैं, वह सामान आपके लिए व घर के लिए जरूरत है या केवल चाहत। जिन चीजों की जरूरत हो उन्हें सूची में डालें। कुछ चीजें जिनकी केवल चाहत है, जरूरत नहीं तो उन्हें न खरीदें।

- सबसे पहले जो सामान खरीदना है, उसके बारे में घर वालों व रसोइये से अच्छी तरह पूछ लें। उसके बाद वह सामान कितना खरीदना है, उसकी सूची बनायें।

- समय की बचत के लिए जब भी बाहर जायें तब अपने साथ सूची ले जाना न भूलें, भले ही आप बाजार किसी और काम से गये हों। उदाहरणतः बच्चों को स्कूल छोड़कर वापस आते वक्त आप कुछ खरीददारी भी कर सकती हैं। इससे आपके दूसरे कामों के साथ-साथ खरीददारी भी हो जायेगी और आपका समय भी बचेगा।

- किराने का सामान अच्छी तरह से जाँचकर ही खरीदें। ऐसी चीजें जो लंबे समय तक खराब नहीं होतीं, वे ज्यादा मात्रा में खरीदें मगर अपने बजट को ध्यान में रखकर।

- सामान खरीदते समय अपने सामने ही चीजों का वजन करवायें, दुकानदार से पहले ही पूछ लें कि यदि कोई चीज अंदर से खराब निकलती है तो आप उसके पैसे वापस देंगे या वस्तु बदल कर देंगे।

- जिस दुकानदार से आप हमेशा सौदा खरीदते हैं, उनसे थोड़ा बहुत मोल-भाव जरूर करें।

- कभी-कभार किसी स्कीम के अंतर्गत किसी वस्तु पर कोई चीज मुफ्त होती है, वह चीज आप दुकानदार से जरूर माँगें। अगर वह टाल-मटोल करे तो भी आप अड़े रहें। यह आप का हक है कि वह चीज आप को मिले।

- सामान खरीदते समय आस-पास की और भी दुकानों से सामग्री की

कीमत के बारे में जान लें। जहाँ किफायत है, वहीं से सौदा कर लिया करें, ऐसा करने से आप का काफी पैसा बच सकता है।

- सामान खरीदते समय खुद भी अपनी तरफ से हिसाब कर लें। दुकानदार से भी गलती हो सकती है, अतः उसी वक्त उसे बता दें। इस तरह आप कई तरह की मुश्किलों से बच जायेंगी।

- दुकानदार से हमेशा बिल की माँग करें। सब्जियाँ खरीदते वक्त हमेशा ताजी सब्जी ही खरीदें। किसी भी सामान को खरीदते समय मोल भाव अवश्य करें।

- खरीदते वक्त 'ज' और 'च' का इस्तेमाल करें। कई महिलाएँ खरीददारी करते वक्त केवल तुलना की वजह से, दूसरों के पास कुछ चीजें देखकर, स्वयं के लिए वे चीजें खरीदती हैं, जिनकी उन्हें आवश्यकता भी नहीं होती। ऐसे समय में आपको अपने आपसे सिर्फ एक सवाल पूछना है, 'ज' कि 'च' यानी 'यह चीज खरीदना मेरी जरूरत (ज) है या चाहत (च) है?' **जरूरत** यानी वाकई उस चीज की आपको आवश्यकता है, वह चीज आपको चाहिए ही। **चाहत** का अर्थ है वह चीज सिर्फ मन को अच्छी लग रही है या किसी ने खरीदी है इसलिए आपको खरीदनी है।

तुलना, ईर्ष्या, त्योहार, बेहोशी की वजह से लोग वे चीजें खरीदते हैं, जिनकी उन्हें उस वक्त आवश्यकता नहीं होती। इसका अर्थ ऐसा भी नहीं है कि चाहत पूरी नहीं करनी है, चाहत जरूर पूरी करनी है मगर जरूरत पूरी होने के बाद वरना लोग जरूरत की चीजों को न खरीदकर, चाहत की चीजों को खरीदते हैं, बाद में कर्ज लेकर जरूरत की चीजें खरीदते हैं।

'ज कि च' पूछने से आपको आश्चर्य होगा कि इस एक सवाल पूछने की वजह से सही व जरूरी खरीददारी होगी। इस तरह 'ज' कि 'च' एक छोटा सा और सीधा सवाल आपको जागृत कर सकता है।

खण्ड

नारी - परिवार की शक्ति

भाग १

संवादहीनता

सांसारिक संबंधों में बाधा

परिपक्व होने के बाद हर लड़की में दुल्हन, पत्नी, माँ या एक सफल गृहिणी बनने की इच्छा जागृत होती है। वह संपूर्ण नारी बनने की कल्पना करती है। विवाह की पूर्व तैयारी के बाद जब वह शुभ घड़ी उसके जीवन में आती है तब उसकी कल्पनाओं को हकीकत के पर लग जाते हैं।

यदि नारी के अंदर धैर्य है तो उसके लिए अपने आपको पूर्ण रूप से नये माहौल में ढालना, ससुराल के सभी विभिन्न सदस्यों को समझना, उनके रीति-रिवाजों से तालमेल बिठाना, कोई कठिन कार्य नहीं है।

अपने सपनों, आकांक्षाओं व परिकल्पनाओं की पूर्णता को देखकर वह खुशी से झूम उठती है। ऐसे सपने जिन्हें उसके अचेतन मन ने बचपन से संजोना शुरू किया था। शादी के बाद उसे अपने पति के साथ ऐसा परिवार मिलता है, जिसे वह जिंदगीभर अपना परिवार मानती है।

न जाने कितने वर्षों से लोग कहते और महसूस करते आये हैं कि पति और पत्नी दाम्पत्य की गाड़ी के दो पहिये हैं। इन दो पहियों के बीच संतुलन अति आवश्यक है। विवाह के कुछ शुरुआती वर्ष तो एक दूसरे को जानने पहचानने में ही बीत जाते हैं, वहाँ भाव, स्पर्श, एक दूसरे का खयाल रखकर संवादों की पूर्ति हो जाती है। हाँलाकि वहाँ एक-दूसरे को जानने में संवाद भी बेहतर भूमिका निभाते हैं। इन वर्षों में पति-पत्नी के बीच की असहमतियाँ और झगड़े सामान्य हैं परंतु बीच के वर्षों में एक ऐसी स्थिति आती है जब महसूस होता है कि सारे संवाद चूक गये, यहाँ तक कि झगड़े, असहमतियाँ और शिकायतें भी।

संवादहीनता की इस स्थिति में पति-पत्नी आवश्यक संवादों के आलावा किसी और विषय पर बातचीत करने के लिए इच्छुक नहीं होते। वे बहुत सी बातें एक-दूसरे को बताने की आवश्यकता ही महसूस नहीं करते। दिनभर के कार्यों में दोनों व्यस्त रहते हैं, शाम को आवश्यक वार्तालाप हुआ तो हुआ, जैसे बच्चों के बारे में, घर के खर्चों के बारे में। रात में शारीरिक जरूरतें पास लायीं तो ठीक अन्यथा ऐसे ही सो गये।

दाम्पत्य के लंबे सफर में इस तरह की स्थिति ठीक नहीं है। यह स्थिति खतरे का संकेत भी साबित हो सकती है। जैसे, पति अपनी आर्थिक मामलों को छिपाने लगते हैं। यहाँ तक कि अपने दफ्तर के तनावों को भी। उन्हें लगता है कि ये सब बातें अपनी पत्नी को बताने की आवश्यकता ही क्या है और अगर बताया भी जाय तो पत्नी के पास समय ही नहीं या मन ही नहीं कि वह पूछे, 'क्या बात है, आप कुछ परेशान हैं!' पत्नियाँ भी यही सोचकर अपने तनाव छिपाने लगती हैं कि 'पति को बताकर होगा क्या, वे समझेंगे ही नहीं। पति का भी ऐसा मूड कब

होता है कि वे पूछ लें कि दिन भर थक जाती होगी। आओ! जरा पास बैठ जाओ, तबियत तो ठीक है ना!'

इस तरह की स्थिति जहाँ दाम्पत्य के लिए खतरे की स्थिति है, वहीं पति-पत्नी के मानसिक स्वास्थ्य के लिए भी हानिकारक है क्योंकि पति-पत्नी एक दूसरे के लिए मानसिक सहारा होते हैं। साथ ही साथ पति-पत्नी के मानसिक स्वास्थ्य का असर उनके बच्चों पर भी होता है। बच्चे बहुत संवेदनशील होते हैं, वे माता-पिता के स्नेह की कम-ज्यादा होती मात्रा से बहुत जल्दी प्रभावित होते हैं।

कई दम्पतियों में यह देखा गया है कि जहाँ दाम्पत्य के दस साल बीते, वहाँ ऐसी स्थिति होती है कि एक-दूजे के लिए 'बर्थडे कार्ड' देना या 'जन्मदिन की शुभेच्छा' देना बचपना समझा जाता है। शादी की सालगिरह पर व्यक्तिगत उपहारों की जगह घर के लिए कुछ बड़ी चीज खरीदी जाती है। किसी शादी या त्योहार के समारोह में पति-पत्नी दोनों का आगमन तो एक साथ होता है मगर थोड़े समय के बाद वे अलग-अलग समूह में व्यस्त हो जाते हैं। कई दंपतियों को तो एक दूसरे की तारीफ किये अरसा बीत जाता है।

लगातार एक-दूसरे को न समझ पाने की स्थिति में पति-पत्नी दोनों चुप रहना बेहतर समझते हैं। इसमें लम्बी व्यस्तताएँ और थकान भी एक वजह है। दोनों में से एक का अन्तर्मुखी होना भी दूसरे को चुप रहने की स्थिति में पहुँचा देता है।

जहाँ कुछ पति काम के सिलसिले से दौरे पर जाते हैं, वहीं उनकी पत्नियों को अपने काम व बच्चों में व्यस्त होने के कारण कोई उत्साह नहीं रह जाता। पति घर आकर बच्चों में व्यस्त हो जाता है और पत्नी अपने काम में। दिखने में दोनों पति-पत्नी बहुत आकर्षक और खूबसूरत होते हैं पर उनके बीच संवादहीनता साफ-साफ दिखायी देती है। ऐसे दंपति के बच्चे उनकी वजह से अन्तर्मुखी हो जाते हैं। उनके बच्चे प्रतिभावान होने के बावजूद लोगों के सामने आने में हिचकिचाते हैं।

विवाह को चाहे कितने भी साल क्यों न हुए हों, यह आपकी जिम्मेदारी है कि आप संवादहीनता की स्थिति को न आने दें क्योंकि कई जगहों पर पति-पत्नी के बीच पारदर्शिता और रोमान्स के नाम पर दिखावे से परहेज है। कई पतियों को लोगों के घर पर आना-जाना ज्यादा पसंद नहीं होता। किसी समारोह या पार्टी में डांस फ्लोर पर वे सब से अंत में आने वाले इंसान होते हैं, जब कि पत्नियाँ शायद डांस की शौकीन होती हैं। उन्हें ज्यादा लोगों के बीच में रहना, घर पर रिश्तेदारों का आना-जाना पसंद होता है। ऐसे में आपको हार नहीं माननी है।

आप के विवाह को कितने भी वर्ष क्यों न हुए हों, नीचे दिये गये इन सवालों के जवाबों से आप भी अपने दाम्पत्य जीवन में संवादहीनता के खतरे को ढूँढ़ सकती हैं।

१) कितने दिन पहले आपने अपने पति से देर रात तक यूँ ही अपनी, अपने दोस्तों की, अपने बचपन की और कॉलेज के दिनों की बातें की थीं?

२) कितने दिन पहले आपने साथ बैठकर संगीत सुना, बागवानी की, चाय पी और अखबार की किसी खबर पर चर्चा की?

३) कितने दिन पहले आपने थिएटर जाकर नाटक, फिल्म देखी या संगीत समारोह का आनंद लिया?

४) कितने दिन पहले आप दोनों ने पुराने एलबम निकालकर देखे थे?

५) आखिरी बर्थडे कार्ड आपने कब दिया था या उस दिन आपने उनके लिए विशेष क्या किया था?

६) कितने दिन पहले आपकी उनसे तकरार हुई थी?

७) कितने दिन पहले आपने उनसे उनके कार्यक्षेत्र या गृहस्थी की परेशानियों पर बातचीत की थी?

८) कितने दिन हुए आप दोनों ने अपने मामलों में राय ली थी?

९) आप कितने प्रतिशत अपने मामले उन्हें बताते हैं, कितने छिपा जाते हैं या आवश्यक नहीं समझते?

१०) क्या आप उनके तारीफ के काबिल होने पर तारीफ करते हैं?

संवादहीनता की स्थिति से बचने के लिए ऐसे प्रश्नों के जवाब ढूँढ़ें और संवादहीनता की तह से बाहर आने का प्रयास करें।

पति-पत्नी के रिश्ते में दोस्ताना व्यवहार बहुत मायने रखता है। दोस्त का मतलब सही मायने में दोस्त की हर परिस्थिति में आप कंधे से कंधा मिलाकर सारे अहम त्यागकर खड़े हों। गलतियाँ और गलतफहमियाँ हर दोस्ती का अंतरंग हिस्सा हैं, इन्हें दूर किया जाना चाहिए मगर दोस्ताना तरीके से, न कि तनावों के जरिये। सुनने की कला हर व्यवहारिक को सफल बनाती है और दाम्पत्य को भी। अपने जीवनसाथी की बातों को ध्यान से सुनें। अपनी भी कहें, वार्तालाप को एकालाप न बनने दें।

दाम्पत्य जीवन में ऊब से बचने के लिए जिंदापन दूसरी शर्त है। दाम्पत्य की सजीवता के लिए साथ-साथ कुछ न कुछ नया करते रहें। चाहे बहुत दिनों के बाद एक-दूसरे के साथ फिल्म ही क्यों न देखें। एक-दूसरे के लिए कुछ खरीदें। बहुत दिनों बाद शादी का एलबम निकालकर देखें। सैकण्ड हनीमून से बेहतर कुछ भी नहीं हो सकता, बच्चों को कुछ दिन ननिहाल छोड़कर आप अपने जीवन साथी के साथ एक ट्रिप कर सकते हैं। दाम्पत्य को कितना ही समय क्यों न हो जाय, जन्मदिन या शादी की सालगिरह पर एक-दूसरे को कार्ड या एक फूल के साथ ही सही शुभेच्छा जरूर दें। कितनी ही व्यस्तता क्यों न हो, प्रयास करें, कुछ मुख्य त्यौहार और जन्मदिन आदि आप अवश्य घर पर मनायें। ये छोटी-छोटी खुशियाँ साथ-साथ बाँटें, यही जीवन को उत्साह देती हैं।

अहम और चुप्पी से कुछ हल नहीं होता। अपने अहम और चुप्पी को कठोर न बनायें। नाराजगी कुछ घण्टों तक तो जायज है लेकिन दिनों में इसे न बदलें। नाराजगी में कह-सुन लेना, सदैव चुप रहने से बेहतर होता है। एक तो आपकी नाराजगी की वजह साथी को पता चलती है, उसकी प्रतिक्रिया में आप उसे अपनी सफाई का मौका भी नहीं देते। बिना कहे और बिना बताये कई दिनों

तक मुँह फुलाकर बैठ जाने से आपका मानसिक तनाव तो बढ़ेगा ही और साथ ही साथ आपका साथी भी परेशान रहेगा कि 'ऐसा क्या हुआ कि फिर बात संवादहीनता की शुरुआत तक पहुँच गयी।' जब तक आप नहीं बतायेंगे कि आप किस बात से चिढ़ रहे हैं तो साथी को कैसे पता चलेगा। माना कि वह हमसफर है, बहुत कुछ वह आपके बिना कहे समझता आया है पर हर बार वह समझ ले यह जरूरी नहीं है। आपके साथी को कभी कोई बात समझ में न आये तो आपको कहकर बताना ही चाहिए। अपने अहम के साथ-साथ, कभी-कभी उसके अहम को भी महत्ता देना सीखें। उसके चुप हो जाने पर आप मना लें। मनाने में दोनों में से किसी को कंजूसी नहीं करनी चाहिए, चाहे कुछ समय बाद ही सही। नाराजगी का आलम एक-दो घण्टे से ज्यादा न खींचें, इसका खयाल रखें।

प्रेम संवाद करें, जरूरी नहीं कि हर दस मिनट पर 'आय लव यू' कहें पर अपने प्रेम को समय-समय पर अपनी बातों से भी अभिव्यक्त करें क्योंकि आपका साथी आपके क्रियाकलापों से तो जानता ही है कि आप उससे प्रेम करते हैं पर कभी-कभी शब्दों द्वारा सुनना भी अच्छा लगता है। तारीफ की बात हो तो कहने से न हिचकिचायें। आप चाहते हैं कि आपकी कोई तारीफ करे तो पहल आप करें। 'लव नोट्स' लिखने की कोई उम्र नहीं होती। दाम्पत्य में रोमान्स ही चूक जाय तो वह दाम्पत्य कैसा?

तनावों और समस्याओं को जीवनसाथी से छिपाना उचित नहीं है बल्कि उसे बताकर उससे राय लें। उसे बेवकूफ या उस मामले से अनभिज्ञ समझकर उससे कोई भी बात न छिपायें। वस्तुस्थिति समझाकर अपना तनाव बाँटें और राय लें। आपके बताने पर हो सकता है कि आपका जीवनसाथी आपको घर में तनावरहित माहौल देने में लग जायेगा और आप अपनी समस्या का हल खोज ही लेंगे। यह कभी न सोचें कि उसे बता कर आप उसे दुःखी कर देंगे। दो दिमाग मिलकर बेहतर रास्ते खोजते हैं और एक-दूसरे को मानसिक सहारा भी देते हैं। एक-दूसरे में नित नया खोजने का कोई अंत नहीं। व्यक्तित्व तो समुंदर से

भी गहरा होता है, एक-दूसरे के बारे में नया जानने की तलाश कभी खतम न हो। कभी यह न मानें कि 'बस बहुत जान लिया इन्हें, अब क्या बचा है।' अगर आपके पास वह खास नजर है तो आप अपने प्रिय को हर दिन नया पायेंगे। हर दिन आप गौर करेंगे तो आप उनमें कुछ सकारात्मक और कुछ नकारात्मक आयाम पायेंगे।

जब सप्तपदी के सात कदम साथ चले हैं तो अपने साथी को जी जान से, आत्मा और देह से अपना लें। हर अच्छाई-बुराई के साथ, उसके जाने-अनजाने अतीत और वर्तमान के साथ। कठिन समय में, तनाव में, अवसाद में हर समय पर उसका साथ दें। आप अपने सकारात्मक व्यवहार से उसकी बुराइयों को भी अच्छाइयों में बदल सकते हैं। इसमें सिर्फ इतना ध्यान रखें कि ऐसा व्यवहार कभी न करें जो आपको अपने लिए ही नापसंद हो। अगर आपको पसंद नहीं कि आपके परिवार वालों को लेकर वह कोई कटाक्ष करे तो पहले आप ही ऐसा न करें। यदि उसकी ओर से नकारात्मक प्रतिसाद पर भी आपने उसे सकारात्मक प्रतिसाद दिया तो एक दिन उसे स्वयं ही अपनी गलतियों का एहसास हो जायेगा। आप अपने साथी को अच्छे शब्दों में केवल इतना ही समझा सकते हैं कि 'यह आपको पसंद नहीं।'

जीवनसाथी को जायज स्वतंत्रता दें, उसे अपने बारे में निर्णय लेने की, थोड़ा समय अकेले बिताने की, अपने शौक अपनाने के लिए प्रेरित करें ताकि वह अपने भूले बिसरे शौक फिर से शुरू कर सके। अपनी रुचियाँ एक-दूसरे से बाँटें। इस तरह से आप भी अपनी रुचियाँ बढ़ाने के लिए उसकी मदद पा सकेंगे।

वर्षों में दाम्पत्य को नहीं बाँधा जा सकता, इसे बहने दें। नदी भी जब पर्वतों से निकलती है तब तेज बहाव से बहती है। फिर मैदानों में आकर नहरों और छोटी नदियों में बँट जाती है। फिर समुंदर तक पहुँचते-पहुँचते धीर-गंभीर हो जाती है पर बहती रहती है। प्रौढ़ावस्था में जब बच्चे अपने पैरों पर खड़े हो जाते हैं तब दाम्पत्य सबसे मधुर होता है। संवादहीनता की स्थिति अगर इस अवस्था

तक आ पहुँचे तो बहुत कष्टकारी होता है इसलिए ऐसा न होने दें क्योंकि यही समय होता है जब जीवनभर की व्याख्या, विश्लेषण साथ बैठकर करनी होती है। यह समय है, समय के अभाव में अपने छूट गये शौक साथ-साथ पूरे करने का।

दाम्पत्य की मधुरता और कटुता आपके जीवन के हर पहलू पर प्रभाव डालती है जैसे आपके व्यक्तित्व, कार्यशैली, मानसिक-शारीरिक अवस्था, सामाजिक संबंध, बच्चों के प्रति आपके व्यवहार आदि। संवादहीनता आपको कटुता नहीं देती मगर मधुरता भी नहीं देती है। दाम्पत्य की हर अवस्था में संवादहीनता दूरस्थ प्रभाव छोड़ती है, संभव हो तो संवादहीनता की स्थिति आने ही न दें। यदि ऐसी स्थिति आ ही जाय तो इसे भाँपकर अपनी ओर से पहल करके इसे दूर करने का प्रयास करें और अपने जीवनसाथी से इस बारे में चर्चा अवश्य करें। दाम्पत्य जीवन कलकल करती नदी या गुनगुनाते झरने की तरह जीयें।

भाग २

संवादमंच

बेहतर रिश्ते की नींव

कुछ लोगों की समस्या पति-पत्नी के रिश्ते से संबंधित होती है। उनके बीच में अलग-अलग वजह से झगड़े होते हैं। जैसे बच्चों की वजह से, पैसों की वजह से, रिश्तेदारों की वजह से, मित्रों की वजह से, कामों की वजह से इत्यादि। पति-पत्नी के संबंध में 'संवाद मंच (Communication Platform)' तैयार होना चाहिए। हर पति-पत्नी को एक दूसरे के साथ सही वार्तालाप करना चाहिए। उदा. आज दिन भर में क्या-क्या हुआ, आज कैसे कुछ जगहों पर गलत प्रतिसाद दिया गया, कैसे सत्य की बातें याद आयीं,

जिससे हम उस तनाव से बाहर आ गये, इत्यादि। इस तरह का वार्तालाप (कम्युनिकेशन) करना चाहिए। अगर हर दिन ऐसा वार्तालाप होता है तब पति-पत्नी के बीच कम्युनिकेशन प्लेटफार्म (संवाद मंच) तैयार होता है और समस्या सुलझने लगती है।

जीवन का लक्ष्य क्या है? शादी क्यों हुई? उसके पीछे कारण है कि पति-पत्नी दोनों यह जान जायें कि वे इस पृथ्वी पर कुछ अनुभव लेने के लिए आये हैं। वह अनुभव प्राप्त करना वाद-विवाद से ज्यादा महत्त्वपूर्ण है। हमेशा पत्नी अपने पति की और पति अपने पत्नी की, वह अनुभव प्राप्त करने के लिए मदद करे, जो लेने वे इस पृथ्वी पर आये हैं। अगर दोनों इस बात के लिए चौकस हैं, राजी हैं तो दोनों के बीच जो प्रेम तैयार होगा वह तेज प्रेम होगा। तेज प्रेम, जो प्रेम और नफरत के परे है। उस प्रेम में कपट, ईर्ष्या, अहंकार नहीं होगा। वह प्रेम निष्कपट, निस्वार्थ होगा। ऐसे प्रेम का प्रभाव बच्चों पर बहुत जबदरस्त होगा। फिर ऐसा परिवार न सिर्फ अपने लिए बल्कि संसार के लिए भी बड़े निमित्त (खुशहाली) का काम करेगा।

आज पति-पत्नी के रिश्तों में जो बातचीत होनी चाहिए, वह न होने के कारण कई तरह के तनाव खुद-ब-खुद तैयार हो जाते हैं। आपसी संबंधों में तनाव के कई कारण हैं। जैसे अनुमान, छल, झूठ, डर, कपट, अहंकार की वजह से बातचीत न कर पाना। पति हमेशा सोचता है, 'मैं ऐसा बोलूँगा तो वह नाराज हो जायेगी' और पत्नी भी सोचती है, 'मैं ऐसे कहूँगी तो वे नाराज हो जायेंगे।' जब समस्या आती है तब वे सारी शिकायतें एक दूसरे को बताना चाहते हैं। सामने वाला जब गलती करता है तभी दूसरा उसे तुरंत बताना चाहता है कि 'तुम यह कर रहे/रही हो, तुम्हें ऐसा नहीं करना चाहिए।' जब गलती हो रही होती है तभी गलती बताने की उत्सुकता ज्यादा होती है मगर यह बातचीत गलतियाँ होने से बहुत पहले ही हो जानी चाहिए। पति-पत्नी पहले ही आपस में बात कर लें कि जब दोनों में से कोई भी गलती करेगा तब वे एक दूसरे को वह गलती बता सकते

हैं या नहीं। अगर पहले ही आपस में ये बातें तय की गयी हों कि कब, कैसे, एक-दूसरे की गलती एक-दूसरे को बतानी है तो जब समस्या आयेगी तब संवाद में बहुत आसानी होगी। सामने वाला जब गलतियाँ बतायेगा तब गुस्सा आने की संभावना कम होगी और धीरे-धीरे सभी शंकाएँ दूर होते जायेंगी।

अलग-अलग लोगों को बहुत तरह के डर होते हैं, शक होते हैं क्योंकि पति-पत्नी में यह संवाद मंच (प्लेटफार्म) कभी तैयार नहीं हुआ है, कपट नहीं निकला है। इस रिश्ते में से कपट बिलकुल निकल जाना चाहिए क्योंकि जीवन में कोई निमित्त बना है, जीवन भर साथ चलने को तैयार है, इतना बड़ा मौका मिला है तो उसका सबसे ज्यादा फायदा लिया जा सकता है। वहाँ पर पहले ही कपट मुक्त होकर, सुसंवाद करके 'कम्युनिकेशन प्लेटफार्म' (संवाद मंच) तैयार किया जाय। अगर दोनों की समझ का स्तर एक ही है, दोनों सत्य से जुड़े हुए हैं तो इस रिश्ते में बहुत खूबसूरत बात हो सकती है। इस रिश्ते का पूरा फायदा उठाया जा सकता है। दोनों एक-दूसरे के लिए सत्य पाने में निमित्त बन सकते हैं। एक उच्चतम विकसित सोसायटी (तेज संसार) निर्माण करने में ऐसे परिवार सबसे ज्यादा सहयोगी होंगे। *(रिश्तों से संबंधित तनाव को जड़ से हल करने के लिए पढ़ें तेजज्ञान फाउण्डेशन द्वारा प्रकाशित पुस्तक 'रिश्तों में नयी रोशनी'।)*

जब किसी स्त्री का उसके ससुराल वालों के साथ झगड़ा होता है तब वह कई दिनों तक उन्हीं विचारों में उलझी रहती है। यह समस्या कैसे सुलझायें और दुःख के विचारों से कैसे बाहर आयें, यह उसे पता नहीं चलता। इस समस्या से मुक्ति पाने के लिए महिलाएँ ध्यान विधि का सहारा ले सकती हैं। ध्यान से नकारात्मक और उलझाने वाले विचारों से मुक्ति पाना संभव है।

मन जिन विचारों से चिपक जाता है, उन्हें छोड़ता ही नहीं इसलिए बहुत सारी ध्यान विधियाँ बनायी गयी हैं। उस चीज से ध्यान हटाने के लिए हर विधि काम की है। कोई छोटा सा प्रयोग भी करते हैं तो वह काम का है ताकि फिलहाल उस परेशानी से मन हट जाय, जिसके लिए उच्च तरीके भी हैं।

पहले उस तनाव को स्वीकार करें कि तनाव आया है, यह स्वीकार है। अब हम आगे क्या कर सकते हैं? कौन सा ध्यान कर सकते हैं? आपने जो भी ध्यान सीखा है वह कर सकते हैं। पूछताछ करें कि यह तनाव किसे आया है? कौन ध्यान हटा नहीं पा रहा है? कहाँ पर दर्द, तनाव, पीड़ा हो रही है? कहाँ धड़कन है? कहाँ पर ऐसी कोई तरंग है जो परेशान कर रही है? ऐसे में शरीर को खींचकर ढीला छोड़ दिया, शवासन में भी गये, लेट गये, ठंढा पानी पीया... वगैरह। ऐसा कुछ भी किया तो आप अपना ध्यान वहाँ से हटा पायेंगे। इस वक्त आपकी अवस्था जैसी है, जो सीख चुके हैं वह जरूर इस्तेमाल कर सकते हैं।

ध्यान की विधियों का अभ्यास ध्यान की पुस्तकों द्वारा भी हो सकता है। जिससे आप सीखेंगे कि कैसे साँस पर ध्यान किया जाय या अलग-अलग तरह की आवाजें जो आजू-बाजू में आ रही हैं, वे सूक्ष्म आवाजें पकड़ी (सुनी) जायें। आपने ध्यान को उस घटना से हटाकर कहीं पर भी लगा दिया तो देखेंगे कि कुछ समय के लिए आप क्रोध से बाहर आ गये मगर यह कुछ समय के लिए है। हमें स्थायी इलाज पर भी जाना है, समझ भी बढ़ानी है। यह तनाव किस लिए आता है? क्यों आता है? प्रेशर कूकर की सीटी क्यों बजती है? आगे हमें किस चीज का श्रवण और पठन करना है? कैसे आगे बढ़ना है? उस पर भी काम करें।

भाग ३

घर को स्वर्ग बनायें, नरक नहीं

घर के सदस्यों को भी घर स्वर्ग लगे

जो इंसान जिस जगह पर रहता है, वह उस जगह को स्वर्ग बना सकता है। एक पुरुष अपने ऑफिस को स्वर्ग बना सकता है क्योंकि वह ऑफिस में ज्यादा समय तक रहता है। एक स्त्री घर को स्वर्ग बना सकती है क्योंकि वह ज्यादा समय तक घर में रहती है। जो इंसान जहाँ रहता है और सही ढंग से वस्तुएँ रखता है तो उसे हर वस्तु समय पर मिलती है। जब किसी को समय पर वस्तुएँ नहीं मिलतीं तब उसे नरक कहा जाता है। यह सिर्फ बाहर की वस्तुओं से संबंधित है

लेकिन ऐसा ही इंसान के आंतरिक अवस्था के बारे में सही है।

किसी भी घर में जो लोग रहते हैं, उन्हें घर आकर अच्छा नहीं लगता तो वह घर उनके लिए स्वर्ग नहीं होगा। अगर किसी पति को डर लगता है कि उसे घर जाकर शिकायतें ही सुननी पड़ेंगी तो वह ज्यादा देर तक बाहर रहना ही पसंद करता है। वह हर बार घर जाना टाल देगा। रास्ते में उसे जो लोग मिलेंगे, उनसे आधा घंटा बात करेगा। इसका अर्थ है कि उसका घर स्वर्ग नहीं है। वह घर जल्दी नहीं पहुँचना चाहता। उसे हमेशा लगता है कि वह घर में जितनी देर से पहुँचे, उतना अच्छा है, उतनी उसे कम परेशानी होगी। उस इंसान को ऐसा लगता है क्योंकि घर जाकर उसे जो शिकायतें और इल्जाम सुनने के लिए मिलेंगे, उससे उसे बहुत तकलीफ होगी। उसे लगता है कि देर से घर गये तो उसकी तकलीफ कम हो जायेगी।

आज कई घरों में ऐसी हालत होती है क्योंकि उस घर की महिला को पता नहीं होता कि उसकी हर शिकायत और इल्जाम घर को नरक बना रही है। अगर वह महिला दूसरे ढंग से सोचे कि घर में संवाद मंच (प्लेटफार्म) बनाया जाय तो घर को स्वर्ग बनने में देर नहीं लगेगी। घर की महिला यह तय कर सकती है कि हफ्ते में कब कौन सी बातें पति के साथ करनी हैं, उसका अजेंडा बनाया जा सकता है। स्त्रियाँ अपने पति से बातचीत करके हफ्ते का दिन तय कर सकती हैं कि उस दिन वे अपनी सारी बातें पति को बतायेंगी। अगर वे हर दिन अपने पति के साथ अच्छे ढंग से पेश आयें तो घर आसानी से स्वर्ग बन सकता है। अगर घर के सभी सदस्यों के साथ मिलकर हफ्ते में सिर्फ एक ही दिन पर सही ढंग से शिकायतें सामने रखी जायें तो घर का वातावरण बहुत अच्छा बन सकता है। अगर घर को नरक बनाना ही है तो हफ्ते में सिर्फ एक दिन ही बनाया जाय। पूरा हफ्ता भर घर का वातावरण बिगड़ा हुआ न रहे, इसके लिए घर की महिला बहुत कुछ कर सकती है।

महिलाएँ घर को स्वर्ग बना सकती हैं क्योंकि वे घर पर रहती हैं। उन्हें घर की सभी बातें पता होती हैं। घर में आने वाले लोग किस अवस्था में आते हैं, खाली पेट आते हैं या खाना खाकर आते हैं या ऑफिस से परेशान होकर आते हैं या थके हुए आते हैं, यह घर की महिलाओं को पता होता है। उस तरह घर में आने वाले सदस्य की अवस्था के अनुसार घर की महिलाएँ कुछ तैयारी करके रख सकती हैं। घर के जो सदस्य थके हुए घर में आते हैं उनकी थकान दूर होने के लिए घर में क्या होना चाहिए, यह पहले ही महिलाएँ सोचकर वैसी तैयारी कर सकती हैं। जिस घर में ऐसी तैयारी पहले से ही की जाती है, वह घर उस घर के सदस्यों को अपने आप स्वर्ग लगने लगता है। अगर घर की महिला खुद परेशान है तो वह घर को स्वर्ग बनाने के बारे में सोच नहीं पायेगी और अपनी परेशानियाँ बाकी सदस्यों को देगी।

आम तौर पर देखा गया है कि लगभग ८०% महिलाएँ घर में सबको ताजा नाश्ता देकर खुद बचा हुआ या रात का बासी खाना खाती हैं। यह आदत अच्छी नहीं है। वे सोचती हैं कि खाना नुकसान न हो जाय इसलिए वे बचा हुआ खाना खा लेती हैं और अपना पेट खराब कर लेती हैं। बासी खाना खाने की वजह से उन्हें पेचिश (dysentry) हो जाती है और उनके घर वाले उनका इलाज करते फिरते हैं।

जब बच्चे स्कूल चले जाते हैं और पति दुकान या दफ्तर चला जाता है तो पूरा दिन वे कुछ न कुछ काम करती रहती हैं और अपनी तबीयत खराब कर लेती हैं। वे इसी सोच में रहती हैं कि 'अब बच्चे स्कूल से आयेंगे, पति ऑफिस से आयेगा, उन्हें खाना देना है...उनके कपड़े इस्त्री करके रखने हैं।' इस तरह वे परिवार वालों की हर फरमाइश पूरी करती रहती हैं। अब थोड़ा रुकें और अपने बारे में सोचें। आपको अपने परिवार के प्रति बहुत प्रेम है, यह बहुत अच्छी बात है लेकिन इस बात पर भी गौर करें, मनन करें कि 'अगर मेरी तबियत खराब हो गयी तो मेरे परिवार की देखभाल कौन करेगा?'

आज बदलते समय की बदलती मान्यताओं के बीच, सिर्फ बच्चों को ही जीवन बीमा समझना हमारी भूल होगी। हमारा बुढ़ापा खुशी से कटे इसके लिए हमें स्वयं पर ध्यान देना पड़ेगा वरना हम मानसिक रूप से भी शक्तिहीन हो जायेंगे। अपनी तबीयत का ध्यान रखने के लिए हमें प्यार, प्रेम के साथ अपने परिवार से कैसे मदद मिल सकती है, इस पर सोचें। आपके बच्चे और आपका पति भी आपके कामों में हाथ बँटा सकते हैं, आपकी मदद कर सकते हैं। परिवार में सभी सदस्य मिलकर मीटिंग करें कि हम अपनी पत्नी या माँ का हाथ कैसे बँटा सकते हैं? पूरे दिन के कामों की सूची बनायें। इस तरह आप आसानी से अपने परिवार को स्वस्थ और खुश रख सकती हैं और बच्चे भी आत्मनिर्भर बन सकते हैं।

कई महिलाएँ बिना समझ के काम करती रहती हैं और अपनी सेहत खराब करती हैं। फिर बच्चे स्कूल से आकर आपकी मुरझायी हुई सूरत देखते हैं और उदास हो जाते हैं। स्कूल से आते ही माँ की मुरझायी हुई शकल देखकर बच्चों की खुशी पर बुरा असर पड़ सकता है। बच्चा पूरा दिन पढ़कर, घर आकर, माँ से खुलकर बात करना चाहता है लेकिन घर आते ही वह माँ का मुरझाया चेहरा देखता है, उसे पलंग पर सोया हुआ देखता है तो उसके मन की सभी बातें अंदर ही रह जाती हैं। उसने स्कूल में क्या-क्या पढ़ाई-लिखाई की, टीचर की बातें, खुशी और दुःख का एहसास इत्यादि बातें माँ से बताने के लिए बच्चा तत्पर रहता है लेकिन घर आकर वे बातें उसके मन में ही रह जाती हैं और वह खुल-खिल नहीं पाता। सिर्फ माँ को खुश न पाकर उसके कोमल मन पर भी असर पड़ने लगता है। पति जब थका-हारा घर आता है तो देखता है कि उसकी प्यारी पत्नी थकी-थकी सी लग रही है, जैसे वह कमजोर हो गयी हो। चेहरे का पीला रंग, सफेद नाखून, सुस्ती, उदासी और थकान से भरी पत्नी को देखकर बेचारे की भूख मर जाती है।

यदि आप चाहती हैं कि ऐसा न हो तो आप अपने लिए थोड़ा वक्त निकालें। स्वास्थ्य प्रदान करने वाला भोजन लें। मौसमी सब्जियाँ, सलाद और फलों में भरपूर विटामिन पाये जाते हैं, उनका नियमित सेवन करें। डॉक्टर को अपनी तबियत दिखाकर विटामिन की गोलियाँ लिया करें। सब्जियों को ज्यादा भून-भूनकर न बनायें। इससे उनकी पौष्टिकता कम हो जाती है।

अपनी समझ से आप पति और बच्चों की तो सेवा करती ही हैं लेकिन साथ में खुद का भी ध्यान रखें। पति और बच्चों के साथ बैठकर खाना खायें। रोज उन्हें भी दूध दिया करें और खुद भी उनके साथ दूध पीया करें। आप ठीक नहीं रहेंगी तो परिवार की सेवा कैसे करेंगी!

भाग ४

परिवार की नींव मजबूत करें
पति के साथ मिलकर ग्रुप बनायें

परिवार की नींव मजबूत करने के लिए परिवार में संघ बनायें। संघ में भाई, बहन, बेटा, पिताजी, पति-पत्नी भी हो सकते हैं यानी एक पूरा परिवार संघ बना सकता है। पति-पत्नी यदि अपनी कल्पनाओं और मान्यताओं से बाहर आने के लिए तैयार हो जायें तो वे अपने वैवाहिक जीवन में ग्रुप बनाकर लाभ ले सकते हैं।

तेज संसारी के लिए ग्रुप योजना सिद्धांत बड़ा परिणाम इसलिए भी ला सकता है क्योंकि पति-पत्नी में विश्वास के साथ-साथ तेज प्रेम होने की भी उच्चतम संभावना होती है। परिवार में

वफादारी आसानी से प्राप्त की जा सकती है, जो परिवार की नींव मजबूत करती है। आपस में संघ बनाने से उनके आध्यात्मिक गुणों का एकरूप बनता है। इस तरह के ग्रुप बनाने से दोनों जीवन साथी सदा सुखी और संतुष्ट रहते हैं। वे न सिर्फ आत्मपरिवर्तन प्राप्त करते हैं बल्कि उनके बच्चों को भी उत्तम चरित्र का वरदान मिलता है। ये बच्चे विश्व की बहुत बड़ी जरूरत हैं।

घर वह जगह है, जहाँ ग्रुप योजना सिद्धांत के उपयोग की शुरुआत करनी चाहिए। जिस इंसान ने अपना जीवन साथी समझदारी से चुना है और अगर वह ग्रुप योजना के महत्त्व को जानता है तो वह अपने जीवन साथी को भी अपने ग्रुप का सदस्य बनायेगा। तेज संसारी परिवार में न सिर्फ जीवन साथी को बल्कि घर के अन्य सदस्यों को भी शामिल किया जा सकता है। इस तरह ग्रुप योजना की शक्ति, आध्यात्मिक शक्तियों को घर में सक्रिय कर देती है। आध्यात्मिक शक्ति अदृश्य है लेकिन यही सबसे बड़ी शक्ति है।

परिवार में ग्रुप योजना सिद्धांत लागू करने से परिवार में एक-दूसरे के प्रति सहानुभूति, प्रेम और विश्वास बढ़ जाता है। परिवार में एक ही संवाद मंच (प्लेटफॉर्म) तैयार होता है। यह अवस्था इंसान को प्रेम, आनंद और सफलता देती है।

पति-पत्नी में प्रेम का सहयोग होने की वजह से वे स्वइच्छा से एक-दूसरे का कार्य कर सकते हैं। प्रेम एक ऐसी चीज है, जिसके लिए इंसान अपनी इच्छा, सुविधा और दिशा बदल सकता है। प्रेम की शक्ति से आत्मपरिवर्तन बहुत आसान हो जाता है। प्रेम की वजह से इंसान हर व्यसन से मुक्त हो जाता है। प्रेम-प्रतिज्ञा में वचन बद्ध होते ही इंसान बड़ी से बड़ी कठिनाई सह लेता है।

परिवार में ग्रुप बनाने की वजह से भोजन करते वक्त सभी सदस्य रोज एक-दूसरे के साथ आसानी से मिल सकते हैं तथा विकास वार्ता कर सकते हैं। इस तरह हर रोज की विकास वार्ता से सबका अपने लक्ष्य की तरफ विकास होता है। आत्मपरिवर्तन (निर्मल और अकंप मन पाने) का मूल लक्ष्य तब साकार होता है।

बड़े-बड़े समझदार उद्योगपति जो यह नियम जानते हैं, वे अपने परिवार

के साथ ग्रुप बैठक करते हैं। यह ग्रुप बैठक उन्हें जीने और काम करने का मकसद देती है।

परिवार एक, मंदिर अनेक :

ग्रुप का महत्त्व समझते हुए यदि परिवार के सदस्यों ने आपस में तालमेल और संवाद मंच (प्लेटफॉर्म) बनाया है तो उस परिवार में बहुत आनंद होगा। ऐसे परिवार को देखकर आपके आस-पास में जो भी पड़ोसी हैं, वे भी यह आश्चर्य देखकर कि 'कैसे इस परिवार में भरपूर आनंद व प्रेम है', अपने परिवार में भी 'ग्रुप' बनायेंगे। इस तरह पति-पत्नी के एक संघ से, एक परिवार, परिवार से समाज, समाज से राष्ट्र और राष्ट्र से विश्व बनता है।

एक आनंदित परिवार को देखकर कई सारे आनंदित परिवार बन सकते हैं। अगर विश्व में आनंद की संभावना खुलेगी, बढ़ेगी तो उसकी तरंगें सारे ब्रह्माण्ड में हर तरफ पहुँचेंगी। विश्व कितना सुंदर होगा! कहीं पर भी युद्ध, दंगा या फसाद नहीं होगा। हर एक को खिलने-खुलने और आनंद मनाने का मौका मिलेगा। इस तरह पति-पत्नी का संघ पूरे विश्व की संभावना खोलने व पूरा विश्व बदलने के लिए काम कर सकता है।

पति-पत्नी के ग्रुप्स परिवार के सदस्यों में एक ही चेतना के विचार फैला सकते हैं। इसी से परिवार में सहकार्य, प्रेम और एक-दूसरे के लिए सद्भावना बढ़ेगी। दोनों मिलकर परिवार में जिस तरह का परिवर्तन होना चाहिए, वैसा परिणाम ला सकते हैं। ऐसा करके वे परिवार की हर मुसीबत में परिवार के सदस्यों का सहारा महसूस करेंगे। पति-पत्नी दोनों मिलकर परिवार में सभी सदस्यों का एक प्लेटफॉर्म बना सकते हैं। परिवार के सभी सदस्य मिलकर कुछ इकट्ठा सोच पायें, ऐसी व्यवस्था, ऐसा वातावरण वे निर्माण कर सकते हैं।

पति-पत्नी दोनों मिलकर कुछ बातों के लिए एक-दूसरे को सजग कर सकते हैं, संकेत (रिमाईंडर) दे सकते हैं। घर में विवाद होने से पहले ही रिमाईंडर (इशारा) सोचकर रखें। प्लेटफॉर्म बनाने का या रिमाईंडर्स बनाने का कार्य गुस्से

में या विवाद के समय न करें। पति-पत्नी को विवाद होने से बहुत पहले संकेत और इशारे बना लेने चाहिए। एक-दूसरे की सहमति से अलग-अलग अवस्थाओं के लिए, अलग-अलग संकेत निर्धारित करके रखें। उदा. 'यदि ऐसा-ऐसा हो गया तो मैं आपको इस-इस मुद्रा से रिमाईंडर दूँगा/दूँगी।' ये निर्धारित इशारे अपना उद्देश्य पाने में बहुत मदद करते हैं। पति-पत्नी के मनमुटाव ग्रुप की शक्ति कम कर सकते हैं इसलिए अपने लक्ष्य को अपने अहंकार से ऊँचा उठायें। एक-दूसरे को दिया गया इशारा आलोचना न लगे। 'तुम ऐसे हो, तुम वैसे हो, तुम हमेशा ऐसा ही करते हो, तुम्हारी वजह से ही सब कुछ होता है' इत्यादि कहकर ग्रुप के नियम न तोड़ें।

यहाँ पर हमें यह समझना है कि सामने वाले की आलोचना न करके, उसे केवल बताना है कि 'मुझे ऐसा लगता है कि तुम कभी गुस्सा करते हो तो उस वक्त परिवार में जो आनंद है वह कम होता है तो क्या उस वक्त मैं तुम्हें गुप्त निर्धारित संकेत दे सकता हूँ? उस वक्त मैं तुम्हारे लिए क्या कर सकता/सकती हूँ, कौन सा रिमाईंडर दे सकता/सकती हूँ?' इस तरह पति-पत्नी आलोचना मुक्त होकर एक-दूसरे की प्रशंसा करना सीखें।

पति-पत्नी अमृत के द्वारा अपने परिवार में विकास करते हैं। जहर (आलोचना, कपट, नफरत) का इस्तेमाल करके वे अहंकार में नहीं उलझते। जीवन में सफलता पाने के लिए, परिवार में सुख-शांति से जीने के लिए, सभी का सहयोग हासिल करने के लिए यह समझना जरूरी है कि 'आप दूसरों की मदद के बिना सफलता, आनंद हासिल नहीं कर सकतीं।' आपको ऊँचाई पर बढ़ते ही जाना है तो आपको ज्यादा मददगार हाथों की जरूरत होती रहेगी। आपको काम करने के लिए हजारों हाथों की जरूरत पड़ेगी, जिन्हें आप आलोचना द्वारा नहीं, प्रशंसा द्वारा प्राप्त कर सकती हैं। यदि आपको शहद से इच्छित नतीजा मिल सकता है तो जहर की क्या जरूरत है! इसलिए पति-पत्नी एक-दूसरे की प्रशंसा करके, एक-दूसरे के गुण बढ़ाने में मदद करें।

पति-पत्नी के ग्रुप में 'कम्युनिकेशन प्लेटफॉर्म (Communication Platform)' तैयार होना चाहिए। हर पति-पत्नी को एक दूसरे के साथ सही शब्दों में वार्तालाप करना चाहिए। उदा. 'आज दिन भर में क्या-क्या हुआ, आज कैसे कुछ जगहों पर गलत प्रतिसाद दिया गया, कैसे संकल्प टूटा' इत्यादि। इस तरह की शेअरिंग दोनों में दिन की समाप्ति पर होनी चाहिए । अगर हर दिन ऐसा वार्तालाप होता है तो पति-पत्नी के बीच कम्युनिकेशन प्लेटफार्म तैयार होता है ।

पति-पत्नी दोनों यह जान जायें कि वे इस पृथ्वी पर कुछ अनुभव लेने के लिए आये हैं, वह अनुभव ज्यादा महत्त्वपूर्ण है। हमेशा पत्नी अपने पति को मदद करे उस अनुभव को प्राप्त करने के लिए, जो उसका पति लेने आया है और पति अपने पत्नी को मदद करे, वह अनुभव प्राप्त करने में, जो लेने पत्नी पृथ्वी पर आयी है। अगर दोनों इस बात के लिए सजग हैं, राजी हैं तो दोनों के बीच जो प्रेम तैयार होगा वह तेज प्रेम होगा। तेज प्रेम, जो प्रेम और नफरत के परे है । उस प्रेम में कपट, ईर्ष्या, अहंकार नहीं होगा। वह प्रेम निष्कपट और निस्वार्थ होगा। ऐसे प्रेम का प्रभाव बच्चों पर बहुत जबदरस्त होगा। फिर ऐसा परिवार न सिर्फ अपने लिए बल्कि पूरे विश्व के लिए बड़े निमित्त का काम करेगा।

पति-पत्नी पहले ही आपस में पूछ लें कि जब दोनों में से कोई भी गलती करेगा तब क्या वे एक दूसरे को वह गलती बता सकते हैं या नहीं? इसी तरह वे आपस में मिलकर यह तय कर लें कि वे बच्चों को किस तरह पालेंगे। इस तरह उन्हें बच्चों से संबंधित बहुत सी समस्याओं का हल मिल सकता है।

जब पति या पत्नी, दोनों में से एक बच्चे को डाँटता है तब दूसरे को बच्चे को डाँटने वाले पर गुस्सा आता है। अगर दोनों का आपस में सही तालमेल है कि कब बच्चे को डाँटना आवश्यक है, कब बच्चे को प्रेम की आवश्यकता है तो ये दिक्कतें नहीं आयेंगी। दोनों की भूमिका सही समय पर चलेगी तो ही बच्चे की अच्छी परवरिश होगी ।

खण्ड

स्वस्थ नारी

भाग १

स्वस्थ नारी के हाथ विश्व का भविष्य

निरोग नारी बनें

ईश्वर ने जब संसार की रचना की तब उसने रचनात्मकता के शिखर पर नर और नारी की रचना की। नर व नारी यानी शिव और शक्ति, जिससे संसार पूर्ण होता है। स्त्री व पुरुष दोनों एक-दूसरे के पूरक हैं, एक-दूसरे के बिना वे आधे-अधूरे हैं। ईश्वर ने पुरुष को सशक्त एवं शक्तिशाली बनाया तो नारी को कोमल तथा प्रेममयी।

नारी, जीवन का आधार-स्तंभ है जिसका मजबूत व सुदृढ़ रहना आवश्यक है। नारी जननी है जिसे अपनी प्रकृति के प्रति सजग रहना आवश्यक है। पहले

नारी घर में रहकर घर-परिवार की जिम्मेदारी निभाती थी, उसे अपने लिए पर्याप्त समय मिलता था । आज नारी में शिक्षा का प्रसार हुआ है, वह चार दीवारों से बाहर आकर अनेक क्षेत्रों में, घर व बाहर के कार्यों में व्यस्त रहते हुए अपने लिए समय नहीं निकाल पाती है । समय की कमी के कारण, तनाव व व्यस्तता भरी जिंदगी में अधिकतर स्त्रियों का न तो खाने का नियत समय है और न ही सोने का । नारी के इस अनियमित दिनचर्या ने अनेक रोगों को आमंत्रित कर दिया है । सूर्य नियत समय पर उदय और अस्त होता है, सभी ऋतु अपने नियमित समय पर आती-जाती है । प्रकृति में सब कुछ व्यवस्थित चल रहा है, अव्यवस्थित हो गयी है तो वह है इंसान की जिंदगी, विशेषकर कामकाजी महिलाओं की ।

नारी का विकास बहुत प्रोत्साहनीय है परंतु इससे वह अपने स्वास्थ्य के प्रति उदासीन न हो । नारी जननी है, भावी पीढ़ी की उत्तरदायी है इसलिए उसका यह प्रथम कर्तव्य है कि वह अपने स्वास्थ्य के प्रति सजग रहे । नारी पर परिवार, समाज, देश व विश्व को बेहतर बनाने की जिम्मेदारी है । अगर नारी स्वस्थ है तो समाज, देश स्वस्थ रहेगा और देश स्वस्थ रहेगा तो विश्व स्वस्थ रहेगा । यह स्वस्थता केवल शारीरिक तौर पर ही नहीं बल्कि मानसिक तौर पर भी यानी हमारे विचार भी स्वस्थ होने आवश्यक हैं । संस्कार पूर्ण जीवन के दृष्टिकोण बदलते हैं इसलिए जीवन का सही लक्ष्य जानना जरूरी है । आपके जीवन का सही लक्ष्य आपके बच्चों को सही दिशा तथा सही लक्ष्य देगा ।

यदि नारी स्वस्थ है तो वह चिंता और तनावों से दूर रहती है, हर समस्या का मुकाबला स्वयं कर पाती है । इस वैज्ञानिक युग में अपने बारे में जानें और स्वास्थ्य व बीमारियों के बारे में ज्ञान रखें । अपने लिए समय दें ताकि आप निरोगी रहकर सभी जिम्मेदारियों को व्यवस्थित रूप से पूर्ण कर सकें ।

आप पूर्ण निरोगी तब रह सकती हैं जब आपका तन-मन निरोगी, आनंदित और उत्साहित रहेगा । इसके लिए आप स्वयं अपना मार्ग खोजें । जो आप करना

चाहें करें, जैसे सुबह की सैर करें, योगा-प्राणायाम करें, जिम जायें, तैराकी करें, हास्य-क्लब जायें या नृत्य करें ।

अपने शरीर के साथ अपने विचारों और भावनाओं को दिशा दें, समाज, देश और विश्व को भविष्य दें। आज की नारी की आँखों में पानी नहीं बल्कि आत्मविश्वास है।

भाग २

स्वस्थ नारी आत्मनिर्भर बन सकती है

स्वस्थ रहने के १३ उपाय

इंसान में बीमारी पैदा होने का मुख्य कारण है मानसिक तनाव, जिससे ९० प्रतिशत बीमारियाँ हो सकती हैं। स्त्रियों पर इसका प्रभाव पुरुषों की अपेक्षा दुगुना होता है । एलर्जी, मुहाँसे, खून की कमी, दमा, अल्सर और कैन्सर इत्यादि के पीछे मानसिक तनाव मुख्य कारण हो सकता है, जिसे अकसर अनदेखा किया जाता है। बीमारियों के बाकी कारणों पर तो इलाज किया जाता है परंतु तनाव, उत्पीड़न इत्यादि को अनदेखा किया जाता है, जो गलत है। मनोवैज्ञानिक मानते हैं कि

मानसिक उत्पीड़न और तनाव यदि मायूसी, लाचारी और ग्लानि इत्यादि प्रवृत्ति पैदा करते हैं तो कैन्सर होने की आशंका रहती है।

क्रोध को यदि दबाया जाय तो खतरनाक हो सकता है। दबी हुई भावना भी रोगों को निमंत्रण देती है। अपनी भावनाएँ व्यक्त करें ताकि वह आपके अंदर रोग की जड़ न बने। भावनाएँ और क्रोध को दबाने से घातक किस्म के ट्र्युमर्स हो सकते हैं। नीचे कुछ बीमारियों की जानकारी थोड़े में दी गयी है, उनका लाभ लेकर, अपने लिए खबरदारी बरतें।

स्वस्थ और सुखी रहने के लिए बड़े-बुजुर्गों ने सैकड़ों बातें बतायी हैं। उनमें कुछ बातें इतनी उपयोगी हैं कि यदि हम उनका पालन करें तो तरह-तरह के रोगों से बचा जा सकता है। यहाँ कुछ प्रमुख बातों को प्रस्तुत किया जा रहा है।

१. प्रतिदिन सुबह उठते ही ईश्वर से प्रार्थना करें कि 'सभी को शांति प्रदान हो।'

२. उठने के बाद जाड़े में गुनगुना और गरमियों में ठंढा पानी पीयें। यह पानी यदि तांबे के बरतन में रखा हुआ हो तो सोने पे सुहागा। इससे पेट साफ होता है और पेट के कृमि मर जाते हैं। शरीर स्वच्छ और हलका हो जाता है। दिनभर काम करने के बावजूद ताजगी बनी रहती है।

३. सुबह ताजा हवा और स्वच्छ माहौल में थोड़ी देर पार्क या उद्यान में टहलने जायें वरना घर के बाहर गली या सड़क पर टहलने की क्रिया की जा सकती है। टहलने से शरीर खुलता है और अंग-अंग अपनी खोई हुई शक्ति अर्जित करता है। मस्तिष्क के द्वार खुल जाते हैं और मन दिनभर शांति का सेहरा बँधा रहता है।

४. अब दाँतों की स्वच्छता, जीभ की सफाई, नाक और आँख की सफाई पर ध्यान दें। मुँह धोते समय आँखों पर पानी के छींटे मारें ताकि वे स्वच्छ हो जायें और आप शीतलता ग्रहण कर पायें। आँखें धोने से उनकी ज्योति बढ़ती है और आँखों के रोग कभी नहीं होते।

५. स्नान करने के लिए शुद्ध पानी का प्रयोग करना चाहिए। यह अलग बात है कि जाड़ों में बंद कमरे में और गरमियों में खुले में नहाया जा सकता है लेकिन स्नान करने से पहले तिल या सरसों के तेल से शरीर की मालिश जरूर करें। मालिश करने से न केवल शरीर मजबूत होता है बल्कि छोटे-मोटे रोग भी दूर होते हैं। इससे शरीर की त्वचा मुलायम, चमकीली, झुर्रियों रहित और खूबसूरत हो जाती है। आँखों की रोशनी ज्यों की त्यों बनी रहती है। शरीर के अंग-अंग को जीवन-शक्ति के रूप में रक्त मिल जाता है । यदि तेल में थोड़ी सी अजवायन, लौंग और अदरक का रस डालकर उसे पका लिया जाय तो यह तेल शरीर के लिए टॉनिक बन जाता है। शरीर के छिद्र खुल जाते हैं जिनसे गंदगी बाहर निकलती रहती है और शरीर पर अधिक मांस नहीं चढ़ पाता।

६. स्नानादि से निपटकर सुबह हलका नाश्ता करना चाहिए। नाश्ते में दूध, चाय, बिस्कुट, फल, खजूर, मेवा आदि लिए जा सकते हैं। यदि ये चीजें उपलब्ध न हों तो चाय और बिस्कुट का सेवन करें। दोपहर का भोजन पौष्टिक, किंतु सादा और सुपाच्य होना चाहिए। भोजन अपनी प्रकृति, रुचि, समय तथा ऋतु को ध्यान में रखकर करें। साथ ही अपनी भूख से एक रोटी कम खायें। भोजन के साथ फल, सलाद आदि अवश्य लें । ये दोनों भोजन को पचाने में सहायता करते हैं तथा पेट को हलका और मुलायम बनाये रखते हैं। उचित मात्रा में किया जाने वाला भोजन शरीर को बल-वृद्धि प्रदान करता है और विकारों को पनपने नहीं देता ।

७. भोजन करने के बाद अवश्य मूत्र त्याग करें। इससे पेट हलका रहता है और गुर्दों का रोग नहीं होता। मूत्र विकार संबंधी हलके रोग अपने आप मिट जाते हैं।

८. दोपहर के भोजन के बाद आधा घंटा आराम और शाम के भोजन के बाद टहलना, दोनों बहुत जरूरी है। भोजन के बाद पाँच मिनट बायीं करवट

और पाँच मिनट दायीं करवट अवश्य लेटें। ये दोनों करवटें भोजन को पीसने तथा पचाने में मदद करती हैं। वायु को नहीं बनने देतीं और यदि बन भी जाती है तो गुदा मार्ग द्वारा निकल जाती है। भोजन के पश्चात दौड़ भाग और स्नान न करें। भोजन के बाद ये दोनों कार्य शरीर के लिए हानिकारक हैं।

९. रात को निश्चिंत होकर सोयें। इससे अच्छी नींद आती है। सोने से पूर्व दोनों पैरों में घुटनों तक तेल की हलकी मालिश अवश्य करें। इससे गहरी नींद आती है। गहरी नींद में व्यर्थ के सपने नहीं आते । सुबह शरीर भी हलका-फुलका रहता है और मन शांत रहता है।

१०. स्वस्थ रहने की दृष्टि से कपड़ों का विशेष महत्त्व है। गरमियों में सूती तथा जाड़ों में गरम कपड़े पहनने से शरीर को काफी आराम मिलता है। कसे हुए वस्त्र कदापि धारण न करें। ऐसे वस्त्र अंगों को कमजोर करते हैं। शारीरिक अंगों का असली स्वास्थ्य तब है, जब वे क्रियाशील रहते हैं। क्रियाशीलता खोयी हुई शक्ति को पुनःग्रहण कर लेती है। इससे शरीर की सुंदरता भी बढ़ती है। क्रियाशीलता जीवन है और शिथिलता मृत्यु।

११. **उपवास रखें** :

ईश्वर ने पेट को शरीर के सारे अंगों का पालनहार बनाया है। जैसे बनिया सबको अन्न खिलाता है, वैसे ही पेट भी अपने भंडारगृह से अन्न का रक्त बनाकर सभी अंगों को थोड़ा-थोड़ा बाँट देता है। अत: हर समय खाते-पीते नहीं रहना चाहिए। अच्छा हो, यदि सप्ताह में एक बार उपवास रखें या केवल फल खायें।

हमेशा एक पत्नी ही अपने पति के लिए उपवास करती है। ऐसे उपवास के पीछे महिलाओं को सही समझ हो। उपवास का असली अर्थ जानकर ही उपवास किये जायें। उपवास शब्द का अर्थ है स्वयं के साथ उपस्थित रहने की कला।

सिर्फ महिलाएँ उपवास रखें, ऐसा कोई नियम नहीं है। किसी के लिए प्रेम है तो कोई भी इंसान किसी के लिए उपवास रख सकता है। उपवास रखने के लिए

सबसे मुख्य बात स्पष्ट होनी चाहिए कि उपवास रखने के पीछे उद्देश्य क्या है। पुराने समय में महिलाएँ आपस में नहीं मिलती थीं तब उपवास एक-दूसरे से मिलने का बहाना था। उपवास, उत्सव और उस बहाने मनोरंजन के कार्यक्रमों द्वारा सभी महिलाएँ आपस में मिलती थीं इसलिए समाज में ऐसी बातें बनायी गयीं।

आज की अवस्था में उपवास करते समय इस समझ के साथ करें कि 'यह उपवास मेरे शरीर को स्वस्थ बना रहा है, न कि रोगी।' अगर उपवास रखने से रोग हो रहे हैं या रोग बढ़ रहे हैं तो उपवास बंद करें। अगर उपवास आपको तंदुरुस्त बना रहा है, शरीर की चरबी कम कर रहा है तो उपवास करना ज्यादा सही है।

उपवास करने का आध्यात्मिक लक्ष्य भी समझें। उपवास आपको किस चीज की याद दिला रहा है, यह जानें। अगर उपवास आपको सत्य की याद दिला रहा है तो आपने सही ढंग से उपवास किया। भूख की वजह से सत्य की याद आना ही सही उपवास का लक्षण है। उपवास से भक्ति बढ़े। कामकाज करते हुए भी उपवास से सत्य की याद बनी रहे वरना हम कामकाज में इस तरह उलझ जाते हैं कि रात में काम खतम होने के बाद हम शिकायत करते हैं कि दिन भर सत्य (ईश्वर को) याद करने के लिए भी मुझे समय नहीं मिला। अब मैं आत्मविकास कब करूँगी? इस तरह उपवास या भूख अगर आपको सत्य की याद दिला रही है और आपके आत्मविकास में निमित्त बन रही है तो सही ढंग से उपवास हुआ।

उपवास अगर सही ढंग से किया गया तो उपवास दवा का काम करता है, आँतों को अतिरिक्त ऊर्जा प्रदान करता है और शरीर में जीवन-शक्ति का संचार करता है।

१२. निद्रा :

अनिद्रा एक सामान्य रोग है। अनिद्रा के मूल कारण चिंता, शोक, विषाद

निराशा आदि हैं। यदि नकारात्मक भावनाओं से स्वयं को दूर रखा जाय तो इस रोग से छुटकारा पाया जा सकता है ।

नींद न आने के बहुत से कारण होते हैं । उनमें से कुछ कारण इस प्रकार हैं – नींद आते समय काम करते रहना, शरीर में वायु और पित्त का रोग, जुकाम, खाँसी, साँस की बीमारी, पेट या शरीर के किसी अन्य अंग में दर्द, हिचकी, डकार, प्यास अधिक लगना आदि । इसके अलावा शारीरिक श्रम न करना, कोई दुःखद घटना होना, अत्याधिक शोर, अधिक चाय, कॉफी, तंबाकू आदि का सेवन इत्यादि कारणों से नींद नहीं आती है । सारी रात जागते हुए बीत जाती है । बेचैनी, करवटें बदलना, बार-बार नींद खुल जाना, आधी रात को नींद खुल जाने के बाद दोबारा नींद न आना आदि लक्षण अनिद्रा के ही माने जाते हैं । अनिद्रा के कारण शरीर में थकान, सुस्ती और आलस्य समाया रहता है।

एक बालक, एक किशोर और एक बूढ़ा इंसान, जिनके कार्य भिन्न-भिन्न हैं, वे एक जैसी नींद से संतुष्ट नहीं होंगे। बालक १८ से २० घंटे नींद करके विकास करता है। जब कि बूढ़े को नींद की उतनी आवश्यकता नहीं होती। कुछ लोगों के लिए ४ से ६ घंटे नींद लेना पर्याप्त होता है। कम व गहरी नींद लेकर भी शरीर को हरदम ताजा रखा जा सकता है। रात में कम नींद ली तो दिन में झपकी (कैट नैप) लेना अति उपयोगी है।

उत्तम स्वास्थ्य में जितना योगदान भोजन और व्यायाम का है, उतना ही योगदान नींद का भी है। शारीरिक श्रम करने वाले व्यक्तियों की अपेक्षा अधिक मानसिक श्रम करने वाले लोगों को नींद की आवश्यकता अधिक होती है। सामान्य व्यक्ति को ७ से ८ घंटे नींद की आवश्यकता पड़ती है। गहरी नींद आना उत्तम स्वास्थ्य का लक्षण है।

सोते समय काम-काज के विचार और चिंता, भय, क्रोध, तनाव आदि का त्याग करें। मन को प्रसन्न रखने की चेष्ठा करें। बिस्तर पर लेटकर मांस-पेशियों को हलका छोड़ दें। पूरे शरीर को इस तरह ढीला छोड़ दें, जैसे शव पड़ा

हो। सब कुछ भूलकर ईश्वर का स्मरण, शुभविचार और उपासना करते हुए सोयें। विश्राम मिलने के बाद शरीर में चुस्ती, फुर्ती और ताजगी आती है।

शुभविचारों का शरीर पर इतना असर होता है कि अनेक बीमारियाँ विचारों से ही ठीक हो जाती हैं। जब भी समय मिले तब प्रभु का या अपने गुरुदेव का जप, ध्यान करें और उनकी कृपा को न भूलें। विचारों को शुद्ध, शुभ और पवित्र रखें। आपके अच्छे-बुरे विचारों का सीधा प्रभाव आपके शरीर पर पड़ता है। दूषित विचारों से न केवल मन दूषित होकर रोगी होता है बल्कि शरीर भी रोगी होता है। अतः स्वस्थ बने रहने के लिए विचारों की शुद्धता का होना अनिवार्य है।

१३. अपनी परेशानियों की विज्ञापन बाजी न करें :

जब कभी आप परेशान होती हैं तब आप अपनी परेशानी सभी को बताती हैं। यह स्वाभाविक है पर कभी आपने सोचा है कि इससे आपकी परेशानी कम नहीं होती। सारी दुनिया को पता चल जाता है कि आप परेशान हैं। अतः अपनी परेशानियों का जिक्र सरेआम न करें, इससे आप ही तमाशा बन जायेंगी। सरेआम अपनी परेशानियों का पिटारा खोलने का कोई अर्थ नहीं है। हाँ डॉक्टर से आप अपनी बीमारी का जिक्र जरूर कर सकती हैं।

कुछ स्त्रियों को अपनी समस्या के बारे में बार-बार बातें करना अच्छा लगता है। वे समस्या के समाधान पर ध्यान देने की बजाय उस परेशानी की ही चर्चा करती रहती हैं। इसमें कोई संदेह नहीं कि दूसरों से बातचीत करने पर दिल का बोझ कम हो जाता है। आप अपने मन के भार को हलका भी अनुभव करती हैं पर इसे आदत न बना लें। दूसरों की सहानुभूति हासिल करने के लिए अपनी समस्या को बढ़ा-चढ़ाकर बताने की आदत छोड़ दें क्योंकि यह आपका कमजोर मनोबल दर्शाता है। अपनी इच्छा शक्ति पर काम करके आत्मनिर्भर बनें।

भाग ३

अतिरिक्त समय दिये बिना शरीर को तंदुरुस्त रखें

स्वस्थ रहने के लिए छोटी मगर उपयोगी बातें

महिलाएँ अपने घर के सभी सदस्यों की स्वास्थ्य प्रबंधक होती हैं। अपने पति के लिए डॉक्टर से अपॉईंटमेंट लेना, अपने सास-ससुर को समय पर दवाई देना, अपने बच्चों का नियमित चेक-अप करवाना इत्यादि। इन सबके साथ ही उन्हें अपने शारीरिक व मानसिक स्वास्थ्य को भी प्राथमिकता देना आवश्यक होता है। शरीर को चुस्त रखने के लिए व्यायाम करना आवश्यक है पर आज के भाग-दौड़ के जीवन में व्यायाम करने के लिए अलग से समय निकालना महिलाओं के लिए कई बार कठिन होता है। यदि आपके साथ भी यही समस्या है तो आप घर के

कामों को करते समय मामूली बातों पर विशेष ध्यान देकर काम के साथ-साथ व्यायाम कर सकती हैं और अतिरिक्त समय दिये बिना अपने शरीर को फिट रख सकती हैं।

नीचे दी गयी बीस बातों पर ध्यान देकर अपनी शारीरिक व मानसिक सुरक्षा मजबूत करें।

१) अगर आप व्यायाम पसंद करती हैं तो किसी बड़े बगीचे में दौड़ने या टहलने जायें। घर के किसी सदस्य या अपनी पड़ोसन को अपने साथ जरूर लें। अगर कोई साथ में न आ सकता हो तो अपने साथ पालतू कुत्ते को भी लेकर जा सकती हैं। ध्यान रहे कि अंधेरा होने से पहले घर लौट आयें।

२) खुद अपनी डॉक्टर न बनें। अर्थात खुद के लिए दवाइयों का चयन बिना डॉक्टर की सलाह के न करें।

३) ऐसा व्यायाम चुनें जो स्वास्थ्य वर्धक हो और जिसे करने में आनंद मिले।

४) अगर आप ३५ साल के ऊपर हैं और कई महीनों या वर्षों के बाद व्यायाम शुरू करने जा रही हैं तो डॉक्टर से सलाह लेने के बाद ही व्यायाम शुरू करें।

५) हृदय रोग, उच्च रक्तचाप व डायबिटीज जैसी बीमारियों से बचने के लिए अपने वजन पर नियंत्रण रखें और दिन में कम से कम ३० मिनट तक पैदल चलें। इस बात का ध्यान रहे कि चलते वक्त अपनी गति को संतुलित रखें।

६) धूप और तेज हवा से अपना बचाव करें। बाहर निकलने से पहले क्रीम व स्कार्फ का उपयोग करें।

७) रखा हुआ, बासी खाना न खायें इससे आप कई बीमारियों से बच सकती हैं।

८) तनाव से बचने के लिए योगा, ध्यान, सकारात्मक सोच के साथ-साथ संतुलित आहार लें।

९) नशीली चीजें, ज्यादा मात्रा में चाय या कॉफी से बचें। सिगरेट के धुएँ से अपने आपको दूर रखें।

१०) आप स्वयं आटा गूँथें। फूड प्रोसेसर की मदद न लें। आटा गूँथने से अंगुलियों, कलाई और कंधों पर दबाव पड़ता है। इस प्रकार कंधे की जकड़न से बचा जा सकता है।

११) रोटी बनाते समय भी बाहों और कलाइयों का व्यायाम अपने आप हो जाता है।

१२) घर के जालों को साफ करते समय आपकी कमर और बाजुओं पर जोर पड़ता है। इससे आपकी स्ट्रेचिंग एक्सरसाइज हो जाती है।

१३) कालीन को हैंडल वाले ब्रश से एक निश्चित दूरी और दिशा में ब्रशिंग करने से बाजुओं पर आवश्यक खिंचाव पड़ता है।

१४) बिस्तर ठीक करना, चादर, कंबल और रजाई को तह लगाने से कंधों और पीठ पर पूरा दबाव पड़ता है।

१५) घर की झाड़-पोंछ करते समय टाँगों और पीठ पर दबाव पड़ता है क्योंकि झाड़ते-पोंछते समय कई बार झुकना पड़ता है।

१६) फर्श पर बैठकर झाड़ू और पोछा लगाने से पेट, टाँगों, जाँघों और बाजुओं का व्यायाम हो जाता है।

१७) कपड़े धोने से बाजुओं और कमर के ऊपरी भाग का व्यायाम हो जाता है।

१८) कपड़े निचोड़ते समय और सूखने के लिए डालते समय कलाई और गर्दन का व्यायाम हो जाता है।

१९) अपने नाखुनों को नियमित काटें ताकि उनमें मैल न जमे। नाखुनों में मैल के कारण अनेक कीटाणु खाना खाते समय, खाना पकाते समय भोजन में जा सकते हैं।

२०) सोने से पहले अपना पूर्ण मेकअप क्लिंजिंग मिल्क से साफ करें। ठंढे पानी से सौम्य साबुन लगाकर चेहरा साफ करें, हो सके तो सोने से पूर्व शॉवर लें।

इस प्रकार जब भी घरेलू कार्य करें तो थोड़ा व्यायाम का ध्यान रखते हुए करने से आप 'एक पंथ दो काज' वाली कहावत को चरितार्थ कर सकती हैं।

भाग ४

स्वच्छता है स्व की इच्छा
अंतर्बाह्य स्वच्छता कैसे करें

हर इंसान अपनी अलग और सही पहचान बनाना चाहता है। वह सही लक्ष्य और सही मंजिल हासिल करना चाहता है। अपने लक्ष्य को हासिल करने के लिए हमें पहले अपने शरीर को, जो इस लक्ष्य में निमित्त बनने वाला है, निरोगी रखना होगा।

स्वयं को निरोगी रखने के लिए सफाई बहुत ही आवश्यक है क्योंकि निसर्गोपचार में कहते हैं, 'गंदगी शरीर के लिए रोग है तो स्वच्छता आरोग्य है।' शरीर एक ऐसा आइना है, जिसमें हमें अपना अक्स नजर आता है। स्वच्छ शरीर

स्वस्थ होता है, स्वस्थ शरीर में स्वस्थ मन होता है, स्वस्थ मन में शुभ विचार होते हैं और यही शुभ विचार हमें अपने लक्ष्य तक ले जाने में सहायक होते हैं।

स्वच्छता के लिए यह जरूरी है कि हम तन और मन दोनों की सफाई करें यानी अंतर्बाह्य स्वच्छता करें। स्वच्छता से आरोग्य को जतन करें। शरीर की स्वच्छता के लिए नियम एवं अनुशासन आवश्यक है क्योंकि अनुशासन से नियमपूर्ण किया गया कार्य सफल होता है। हमें हर रोज अपने पूर्ण शरीर की सफाई करनी होगी।

इसमें सबसे महत्त्वपूर्ण है पेट की सफाई। अगर पेट साफ न हुआ तो मल आँतों में जमा रहेगा, जिससे कब्ज होगा और कब्ज का मतलब है बीमारी। पेट की ठीक से सफाई के लिए रोज रात सोते समय या सुबह उठते ही त्रिफला चूर्ण को कुनकुने पानी में भीगोकर पीयें। इससे पेट की भीतरी सफाई हो जायेगी, आँतें साफ होंगी। सप्ताह में या पंद्रह दिन में एक बार सुबह सबेरे शुद्ध कॅस्टर ऑइल लेने से पूर्ण आँतों की सफाई होती है।

सुबह उठते ही पहले ईश्वर का स्मरण करें फिर व्यायाम और प्राणायाम करें। व्यायाम से शरीर पुष्ट होता है। प्राणायाम से शरीर की नाड़ियाँ शुद्ध होती हैं। शरीर में प्राणवायु की पूर्ति होती है। काया सुदृढ़ होती है। मन प्रसन्न होता है।

ब्रश के बाद स्नान करें। स्नान करने से पहले हो सके तो तेल से थोड़ा सा मसाज करें।

अपने नाखुनों को नियमित काटें ताकि उनमें मैल न जमे। नाखुनों में मैल के कारण अनेक कीटाणु खाना खाते समय, खाना पकाते समय भोजन में जा सकते हैं।

आँख, नाक, कान की सफाई करें। आँखों को ठंढे पानी से धोयें। सप्ताह में एक बार नेत्रांजन, गुलाब जल या शहद डालें। खाना खाने से पूर्व व बाद में भी हाथ धोयें। सोने से पहले अपना पूर्ण मेकअप क्लिंजिंग मिल्क से साफ करें। ठंढे पानी से सौम्य साबुन लगाकर चेहरा साफ करें, हो सके तो सोने से पूर्व शॉवर लें।

तन की सफाई करना आसान होता है लेकिन महत्त्वपूर्ण है मन की सफाई करना।

हमारे मन में अनेक भावनाएँ जन्म लेती हैं। कभी मन आनंद में झूमता है, कभी गुस्से में बेकाबू होता है, कभी दु:ख से दु:खी होता है। हमारी भावनाओं का असर हमारे मन पर होता है, मन का असर तन पर होता है।

क्रोध, चिंता, तनाव, मोह, माया, लालच, आलस, मत्सर, घृणा कितने तरह की नकारात्मक भावनाओं का हर समय हमारे ऊपर विपरीत परिणाम होता है। ये सभी मन के मैल हैं। ये मन को नकारात्मक की धूल से मलिन करते हैं। मन को मलिन न होने दें। अगर आपका मन ईश्वर के प्रति प्रेम, भक्ति, श्रद्धा, विश्वास से भरा होगा तो इसे कोई भी मैला नहीं कर पायेगा।

इसके लिए पहले अपने विचारों पर ध्यान दें। नकारात्मक विचार यानी अस्वच्छता इसलिए विचारों में सकारात्मकता लायें। विचारों की दिशा बदलें। ऐसे विचारों को लायें जिसमें स्वार्थ न हो, जो पूर्ण विश्व के बारे में सोचे। विचारों को अपने तक सीमित न रखें, असीमित करें ताकि आप सभी का कल्याण सोच सकें।

क्रोध, मत्सर, लालच हम में होता है। हम क्रोध करते हैं क्योंकि क्रोध हमारे अंदर पनपता है लेकिन हम क्रोध का कारण सामने वाले को बताते हैं। क्रोध का असर सामने वाले पर नहीं, आप पर होता है। आप क्रोध के प्रभाव से बेचैन होते हैं, हिंसक होते हैं। क्रोध के कारण आपका मन मैला, बेहोश होकर अपना संतुलन खो देता है और गलत काम कर बैठता है।

क्रोध पर समझ से विजय पायें क्योंकि क्रोध अकल खो देता है इसलिए अपने क्रोध को होश में देखें। देखें कि क्रोध में आपका या सामने वाले का क्या नुकसान हो रहा है। कारण कुछ भी हो, कोई भी हो, क्रोध से नुकसान सिर्फ आपका ही होता है। क्रोध आने पर सजग हो जायें। अपना नुकसान न होने दें तो देखेंगे कि क्रोध शांत हो जायेगा। क्रोध आने पर तुरंत अपनी प्रतिक्रिया प्रकट न करें। सामने वाले की गलती को क्षमा करें, क्षमावान बनना आसान नहीं लगता

लेकिन बहुत आसान होता है। एक बार प्रयोग करके, आजमाकर देखें, आपके मन का मैल धुल जायेगा।

लालच और द्वेष अपने अंदर से धो डालें। अपने आप को जानने की चेष्टा करें। ईश्वर की लीला जानने का प्रयास करें। सब कुछ उसी के निर्देश से हो रहा है। हम तो एक साँस भी उसकी इच्छा के बिना लेने में असमर्थ हैं। जिस मन को आनंद की अभिव्यक्ति के लिए हमें प्रदान किया गया है, उसमें गलत भावनाओं का मैल क्यों जमा करें?

समस्या से चिंता, तनाव उत्पन्न होते हैं लेकिन यह जानें कि हर समस्या का समाधान ईश्वर देगा। सब उस पर छोड़ दें वह आपको जरूर राह दिखायेगा। आपको उस राह पर सिर्फ चलना है, वह आपको मार्गदर्शन देगा। चिंता करते रहने से कुछ भी हासिल नहीं होगा क्योंकि चिंतित मन चिंता के सिवाय क्या सोचेगा और क्या हल ढूँढ़ेगा। चिंता हमारे शरीर को इस कदर खोखला करती है कि चिंता और बढ़ते जाती है। चिता पर जाने से पहले हमारा मन ईश्वर की भक्ति, आराधना से भर जाय, न कि चिंता से।

शरीर की स्वच्छता बाहरी सौंदर्य को निखारती है लेकिन अंतर्मन की सफाई से अंदर-बाहर दोनों सौंदर्यों में निखार आता है। मन की सुंदरता की चमक तन पर दिखायी देती है। प्रेम, आत्मविश्वास, एकाग्रता, समर्पण, भक्ति इत्यादि भावनाओं से आप बहुत उच्च स्तर पर पहुँच सकते हैं। ईश्वर के प्रति प्रेम भरा हो तो मन में दूषित भावनाओं के लिए जगह ही नहीं बचेगी। इस तरह आप मन और तन दोनों की अंतर्बाह्य स्वच्छता कर सकते हैं।

भाग ५

स्व संवाद द्वारा आत्मनिर्भर बनें

सकारात्मक शब्दों से स्वास्थ्य प्राप्त करें

आत्मनिर्भर नारी बनने के लिए अपने स्व संवादों (मन में चलने वाली बातचीत) को जानें, पहचानें और दिशा दें। लोगों के साथ वार्तालाप करते हुए यदि इंसान शब्दों के चयन में गलती करता है तब उसे लोग (माँ-बाप, शिक्षक, मित्र, शुभचिंतक) तुरंत टोक देते हैं कि 'ऐसा नहीं कहना चाहिए, वैसा नहीं कहना चाहिए' लेकिन वही इंसान जब अपने अंदर वार्तालाप करता है तब उसे टोकने वाला कोई नहीं रहता। हम बड़े होकर बाहर का वार्तालाप तो सीख लेते हैं लेकिन अपने साथ होने वाला वार्तालाप (स्व संवाद)

कभी नहीं सीख पाते। इसके दो कारण हैं १) हमें स्व संवाद सीखने की कभी आवश्यकता नहीं लगी २) उसमें सुधार करने के लिए हमें कोई मिला ही नहीं, जो यह जानता हो कि हम अपने भीतर कैसा स्व संवाद करते हैं।

स्वयं के साथ स्व संवाद सही ढंग से कर पाना अति आवश्यक है। इसके लिए सबसे पहले हमें स्व संवाद के महत्त्व को समझना होगा। स्व संवाद से ही हम अपने अंदर आनंद के झरने से संपर्क बनाने की विधि सीख सकते हैं। स्व संवाद से ही रिश्तों में सुधार, संपूर्ण विकास और आत्मनिर्भरता संभव है। स्व संवाद की तकनीक और उसका महत्त्व जानकर हम सभी दुःखों से मुक्त हो सकते हैं।

जैसे हम बाहर के वार्तालाप में अपशब्द इस्तेमाल करने से डरते हैं ताकि हमारे संबंध दूसरों से बिगड़ न जायें, वैसे ही अपने आप से योग्य रिश्ता बनाये रखने के लिए नीचे दिये गये नकारात्मक संवादों का त्याग करें।

- 'मैं निर्णय लेने के काबिल नहीं हूँ। मैं जो भी निर्णय लेती हूँ वह गलत ही साबित होता है।'
- 'मैं अपने आपको पसंद नहीं करती। अपने आपको योग्य बनाने के लिए अपनी निंदा करनी चाहिए।'
- 'मैं बहुत छोटी हूँ, मुझ से ये सारे काम कैसे हो सकते हैं?'
- 'मैं बहुत मोटी हूँ, मैं दुनिया में असुरक्षित महसूस करती हूँ।'
- 'मैं बहुत पतली हूँ, इस वजह से मैं अच्छी नहीं दिखती।'
- 'मैं बहुत काली हूँ, लोग काले लोगों को पसंद नहीं करते।'
- 'लोग बुरे हैं, मुझे उनकी नजर लग जायेगी।'
- 'इस दुनिया में किसी पर विश्वास नहीं करना चाहिए।'
- 'लोग केवल अपने मतलब के लिए अच्छी बातें करते हैं।'
- 'मेरे साथ भी वही होगा जो मेरी माँ के साथ हुआ है।'
- 'मेरे पिता को कभी इंसाफ नहीं मिला क्योंकि आज का युग ही ऐसा है जहाँ इंसाफ नहीं मिलता।'

- 'ज्यादा हँसे तो बाद में रोना पड़ता है।'
- 'जीवन में चीजें कम हैं, सबको सब नहीं मिल सकता।'
- 'स्त्रियाँ पैसों का हिसाब-किताब नहीं रख सकतीं।'
- जीवन मुझे अच्छी तरह से रहने देना नहीं चाहता।
- अच्छे हालात हमेशा नहीं रह सकते।
- मेरे लिए सफल होना कठिन है, मैं जीत ही नहीं सकती।
- मुझे कोई भी प्यार नहीं करता, मैं प्यार के काबिल नहीं हूँ।
- मुझे सीखने में ज्यादा समय लगता है, सीखना मुश्किल है।
- बीमारी तो मेरे खून में है।
- मेरा जन्म दूसरों के अत्याचार सहने के लिए हुआ है।
- मैं हमेशा मौसम का शिकार रहती हूँ।
- मैं दौलत को अपने पास रख नहीं पाती।
- पैसा मेरे पास जल्दी आता नहीं। आता है तो टिकता नहीं।

हमारे स्व संवाद से शरीर और मन पर गहरा प्रभाव पड़ता है, लोग यह सब नहीं जानते इसलिए वे अपने भीतर नकारात्मक स्व संवाद अनजाने में करते रहते हैं। जो संवाद बार-बार दोहराये जाते हैं वे विश्वास में बदल जाते हैं। यह विश्वास हमें नकारात्मक परिणाम देता है। अगर कोई हर रोज *'मैं स्वस्थ हूँ, मैं स्वास्थ्य हूँ'*, कई बार दोहराते रहे तो उसके अचेतन मन को यह विश्वास हो जायेगा। जब अचेतन मन कोई बात मान लेता है तब उसका परिणाम हमें अपने जीवन में दिखायी देता है। अचेतन मन के इस गुण को जानकर आप स्वास्थ्य, प्रेम, धन, आनंद और संतुष्टि प्राप्त कर सकते हैं। अचेतन मन अपने पुराने वैचारिक ढाँचे अनुसार कार्य करता है। वह यह काम तब तक करते रहेगा, जब तक हम उसे नया वैचारिक ढाँचा नहीं देते। आज ही अपना नया वैचारिक ढाँचा तैयार करें जिसमें प्यार, स्वास्थ्य, समय और आनंद भरपूर हो। इस नये सकारात्मक वैचारिक ढाँचे (पैटर्न) को तब तक हर दिन (कम से कम सौ बार) दोहराते रहें,

जब तक आपका अचेतन मन वह बात मान नहीं ले। अचेतन मन को कोई बात मनवाने का राज है 'पुनरावृत्ति (रिपीटेशन, दोहराना)।' यह पुनरावृत्ति पुरानी प्रोग्रामिंग को नष्ट करती है। नया, तेज और ताजा बनने के लिए इस सूत्र का भरपूर लाभ लें। सकारात्मक शब्दों का चयन करें, उन्हें बार-बार सहजता और प्रेम से दोहरायें। कुछ पंक्तियों को कंठस्थ (याद) कर लें ताकि वे बिना चेतन मन को सजग किये अचेतन मन में जा सकें। यह स्व संवाद अपने शरीर को रिलैक्स करके, कुर्सी पर बैठकर या लेटकर, लय-ताल में दे सकते हैं। जब शरीर आराम में होता है तब स्व संवाद का असर दस गुना बढ़ जाता है। यदि संभव हो तो अपने नये वैचारिक स्व संवाद को कविता का रूप दें। इस कविता को जब भी समय मिले गुनगुनायें। अचेतन मन तक पहुँचने के लिए संगीत और ताल अचूक रास्ते हैं।

जब शरीर बीमार रहता है तब मन नकारात्मक स्व संवाद करता है, छोटी-छोटी बातों पर चिड़-चिड़ करता है, जल्दी परेशान हो जाता है। ये नकारात्मक संवाद शरीर को स्वस्थ होने में रुकावट डालते हैं। शरीर खुद-ब-खुद अपने आपको ठीक करने का ज्ञान रखता है, बशर्ते उसके काम में बाधा न डाली जाय। नकारात्मक संवाद निरोगी जीवन में बाधा है।

जैसे शरीर के अनेक रोग होते हैं वैसे ही क्रोध, अहंकार, भय, चिंता, नफरत, द्वेष, लालच मन के रोग हैं। ईर्ष्या, क्रोध, भय, चिंता, तनाव, द्वेष आदि से पीड़ित मनुष्य द्वारा खाये हुए भोजन का पाचन ठीक से नहीं होता। ऐसा कोई भी मानसिक विकार जिन्हें हम दूसरों से छिपाना चाहते हैं, हमें हानि पहुँचाते हैं। अहंकार घुटनों की तकलीफें तथा कपट गले और फेफड़ों के रोग उत्पन्न करता है। अपने जिद पर अड़े रहने की आदत से इंसान में पेट के रोग उत्पन्न होते हैं। अपनी बात को पकड़े रहने की गलती से इंसान अपने अंदर के कचरे को भी बाहर जाने नहीं देता। जिन विचारों (स्व संवादों) के प्रकट होने से इंसान के आत्मसम्मान को आघात पहुँचने की संभावना रहती है, उन विचारों को छिपाकर रखने से शरीर के

अंग रोग ग्रस्त और कमजोर बनते हैं। ज्यादा क्रोध और चिड़चिड़ापन लिवर और गालब्लेडर को हानि पहुँचाते हैं। भय- गुर्दे और मूत्राशय को हानि पहुँचाता है। तनाव और चिंता पैनक्रियाज को हानि पहुँचाते हैं। अधीरता और क्षणिक आवेश से हृदय और छोटी आँत (इन्टेस्टाईन) को हानि पहुँचती है तथा दुःख दबाने से फेफड़ों और बड़ी आँत की कार्य क्षमता कम होती है। अपने आपको स्वीकार और सुरक्षित करते ही अनेक रोग खतम हो जाते हैं इसलिए हर दिन यह स्व संवाद दोहरायें, '*मैं अपने आपको, जैसा भी हूँ, स्वीकार करती हूँ*'।

मन के गलत स्व संवाद से परेशान लोगों में यह देखा गया है कि उन्हें किसी को कुछ देने की इच्छा नहीं होती है। उनकी इस कंजूसी की आदत से उनकी आँतें मल विसर्जन करने में, त्वचा पसीना बाहर निकालने में, फेफड़े पूरी साँस छोड़ने में तकलीफ देते हैं।

हम अशुभ विचारों से नहीं, शुभ विचारों से अपनी सेहत का काफी खयाल रख सकते हैं। तनाव का कारण समय पर ढूँढ़कर स्वीकार करना चाहिए क्योंकि समय का नियंत्रण तो हमारे ही पास वर्तमान में है। इस पर दूसरों से अपेक्षा नहीं रखनी चाहिए। अपमान होने पर भी मन को छोटा नहीं करना चाहिए। बचपन में हुए अपमान और दुर्घटनाओं की वजह से इंसान सिकुड़कर जीता है। जिस वजह से उसके शरीर का विकास ठीक ढंग से नहीं हो पाता। वह आत्मनिर्भर नहीं बन पाता, वह जिम्मेदारी लेने से डरता है। उसे कंधों और पैरों में तकलीफ होने की संभावना होती है क्योंकि पैर हमें आगे बढ़ाते हैं और कंधे जिम्मेदारी उठाते हैं। यदि आपके साथ बचपन में ऐसी बातें हुई हैं तो यह स्व संवाद करें, '*अब मैं आगे बढ़ने के लिए तैयार हूँ क्योंकि मुझे दिव्य योजना पर पूरा भरोसा है। मैं अब नयी जिम्मेदारी ले सकती हूँ जिसका साहस कुदरत मुझे प्रदान कर रही है। मैं सुरक्षित हूँ और समृद्ध बन रही हूँ।*'

नकारात्मक स्व संवाद बीमारियों को आमंत्रण देते हैं इसलिए ऐसी कई

बीमारियों के लक्षण प्रकट होते हैं जो शरीर को भुगतने पड़ते हैं। इसलिए नकारात्मक स्व संवाद न दोहराते हुए सकारात्मक स्व संवाद दोहरायें। स्व संवादों द्वारा उत्पन्न बीमारियों से बचने के लिए सकारात्मक स्व संवादों की शक्ति आजमायें और अपने स्व संवादों को इस पुस्तक में दिये गये मार्गदर्शन अनुसार दिशा दें। सकारात्मक स्व संवाद और आत्मसूचनाओं द्वारा योग्य आरोग्य प्राप्त करें।

बीमारियों का डॉक्टरी इलाज करवाने के साथ-साथ सकारात्मक स्व संवाद दोहराना भी आवश्यक है। किसी स्व संवाद को बार-बार मन में या जोर से दोहराने को आत्मसूचना (सेल्फ रिर्पोटिंग) कहते हैं।

रोग के इलाज के साथ मन की ताकत को दवा का रूप देने के लिए ये स्व संवाद विश्वास व प्रेम से दोहरायें - *मैंने स्व संवाद का जादू जान लिया है इसलिए अब मैं ठीक हो रही हूँ, मैं प्रवीण (परफेक्ट) हो रही हूँ, मेरी जो भी तकलीफ है जल्दी ठीक होने लगी है। मेरे जीवन में दिव्य योजना अनुसार सब अच्छा और सही घट रहा है।'*

इसके साथ आप यह भी स्व संवाद दोहरा सकती हैं, *'हर क्षण और हर दिन मेरा शरीर हर तरीके से ठीक होता जा रहा है' (In every minute, in every way my MSY (Body) is getting better and better) /* उसके साथ और एक स्व संवाद दोहरा सकती हैं, *'मैं ईश्वर की दौलत हूँ, कोई बीमारी मुझे नुकसान नहीं पहुँचा सकती' (I am Gods property no disease can harm* ***(touch)*** *me) /*

सकारात्मक स्व संवाद की शक्ति इस्तेमाल करने के साथ-साथ बीमारियों के कारण जानने की भी कोशिश करें। यह देखें कि क्या यह रोग आपके मामले में किस कारण से (आपके खान-पान की आदत, सोने तथा व्यायाम न करने की गलत आदत की वजह से) हुआ है? यदि आप में गलत आदतें नहीं हैं तो शांत भाव से अपने आपसे पूछें कि *'मेरे अंदर कौन से स्व संवाद चल रहे हैं, जिन्होंने यह बीमारी पैदा की है?'* जब हमारे रोग का कोई शारीरिक कारण नहीं है तब

हमारे स्व संवाद ही दोषी होते हैं। कई बार महिलाओं को अपने शरीर की वजह से समाज में दिक्कतें सहनी पड़ती हैं या वे अपने आपको हीन और कमजोर महसूस करती हैं इसलिए नीचे लिखे गये स्व संवाद दोहराकर अपने शरीर को स्वीकार करें :

१) 'मैं जो हूँ उससे खुश हूँ। मेरा शरीर जैसा भी है उसे मैं स्वीकार करती हूँ क्योंकि मेरा शरीर मेरा मित्र है।'

२) 'औरत होना भी अनोखा एहसास है। मैं अपनी सभी क्षमताओं को जान रही हूँ और सभी कमजोरियों को स्वीकार कर रही हूँ। मैं सदा सुरक्षित और प्रेममय हूँ।'

३) 'जिस गलत विश्वास ने यह स्थिति.......... (बीमारी) उत्पन्न की है, मैं अब अपने चेतन मन के उस विचार प्रवाह (गलत विश्वास, मान्यता) को छोड़ने को तैयार हूँ। अब मैं आज़ाद हूँ, मुक्त हूँ। I am free, I am freedom, मैं मुक्ति हूँ, मुक्त हूँ। मैं खुश हूँ, खुशी हूँ।'

४) यह शुभ इच्छा (नये वैचारिक पैटर्न) बार-बार दोहरायें। अंत में रोग मुक्ति की घोषणा एक बार फिर से करें, 'अब मैं आज़ाद हूँ, मुक्त हूँ। I am free, I am freedom, मैं मुक्ति हूँ, मुक्त हूँ। मैं खुश हूँ, खुशी हूँ।' बार-बार, हर दिन जब भी याद आये ये स्व संवाद दोहरायें।

५) यह कल्पना करें कि आप ठीक होने की प्रक्रिया से गुजर रही हैं। आपके अंदर ठीक होने का अनुभव हो रहा है। जब कभी भी जरूरत महसूस हो तो इन्हीं शब्दों को, शुभ विचारों को, स्व संवादों को दोहरायें कि 'मैं अपने नकारात्मक स्व संवादों से मुक्त हो रही हूँ और मैं शांत हो गयी हूँ। मैं जीवन में विश्वास रखती हूँ, मैं सुरक्षित हूँ। जिस विशेष सकारात्मक वैचारिक पैटर्न से मेरे भीतर यह आनंद पैदा हुआ है, मैं वह महसूस कर रही हूँ, मैं शांत हूँ, मैं महत्त्वपूर्ण हूँ, मैं संपूर्ण हूँ, मैं खुद को प्यार और स्वीकार करती हूँ। मैं प्यार करने लायक हूँ। मुझे ताजगी महसूस हो रही

है, मैं प्रेम पूर्वक अपने शरीर, दिमाग तथा सभी अंगों की देखभाल करती हूँ। मैं जीवन के आनंद को अभिव्यक्त तथा स्वीकार कर रही हूँ। मुझे विश्वास है कि मेरे जीवन में हमेशा सही काम हो रहे हैं। मैं चैतन्य हूँ, मैं मजे से जीवन के हर अनुभव के साथ बह रही हूँ। सब ठीक-ठाक चल रहा है। मैं खुशी-खुशी अपने अतीत को मुक्त करती हूँ और अब मैं चैन से हूँ। मैं अब वर्तमान में जीती हूँ, मेरा जीवन अब आनंद से भरपूर है। प्रसन्नता से भरे हुए विचार मेरे भीतर सहजता से उमड़-घुमड़ रहे हैं।'

अपनी बात बताकर रोग मुक्त रहें :

कुछ लोग अपनी बात, राय, भावना बोल नहीं पाते हैं। ऐसे लोग गले और फेफड़ों के रोग अपने शरीर में निर्माण करते हैं। अपनी इस समस्या (रोग) को खतम करने के लिए ये स्व संवाद जब भी समय मिले दोहरायें :

१) 'मैं जानती हूँ कि जीवन मेरे साथ है। मुझे जिसकी भी जरूरत होती है वह मुझे मिलता है।'

२) 'मैं अपनी भावनाओं को जाहिर करती हूँ क्योंकि अपनी भावनाओं को जाहिर करना सुरक्षित है।'

३) 'मैं जो चाहती हूँ उसे माँगने में मैं आज़ाद हूँ। स्वयं को प्रस्तुत करना सुरक्षित है।'

४) 'मैं खुशी, शांति, खुले दिल से और साहस के साथ वार्तालाप (संप्रेषण) करती हूँ।'

५) 'मैं हर प्रकार के दोष से मुक्त हूँ, मैं दूसरों के नज़रिये पर गौर करती हूँ। मैं अपना हृदय खोलकर प्रेम के गीत गाती हूँ। मैं सहजता से अपने हक में बोल सकती हूँ। मैं पूर्णता करने में सहज हूँ।'

ऊपर दी गयी तकनीक के अलावा यदि आप चाहें तो नीचे दी गयी विधि का इस्तेमाल कर सकते हैं। एक या दो दृढ़ विचार लें और उन्हें प्रतिदिन १० से २० बार डायरी में लिखें और जोर-जोर से पढ़ें। उनमें एक गति तैयार करें और

उन्हें खुशी से गुनगुनायें, अपने दिमाग को पूरा दिन इन विचारों पर सोचते रहने दें। लगातार इस्तेमाल किये गये दृढ़ विचार हकीकत में बदल जाते हैं। कभी-कभी तो ऐसा नतीजा प्राप्त होता है जिसकी हमने कभी कल्पना भी नहीं की होती।

इस अध्याय में लिखे गये स्व संवाद आप अपनी ही आवाज में एक कैसेट (टेप) में रेकॉर्ड कर दें। इस टेप को सुबह, दोपहर अथवा शाम में एक बार रोज शवासन की अवस्था में सुनें। शवासन एक बहुत ही महत्त्वपूर्ण आसन है। योगासन में विश्राम के लिए सर्वाधिक उपयुक्त आसन शवासन है। इस आसन से शरीर तथा मन को पूर्ण आराम प्राप्त होता है तथा शरीर एवं मन तनाव रहित रहता है। शव यानी कोई मृत या निर्जीव शरीर इसलिए इस आसन को शवासन कहा जाता है। इस आसन में अपने पूरे शरीर को फर्श पर कंबल डालकर ढीला छोड़ दें, जैसे कोई मृत शरीर पड़ा हो। यह आसन करने का तरीका इस प्रकार है।

शवासन :

१) पीठ के बल लेट जायें।

२) दोनों पैरों के बीच १२ से १८ इंच का अंतर रखें। हाथों को भी शरीर से ८ से १२ इंच दूर रखें। शरीर को ढीला रखें।

३) सिर को बायीं या दायीं ओर या फिर सीधा रखें। आँखें बंद होनी चाहिए।

४) शरीर में कल्पना व इच्छा शक्ति के द्वारा शिथिलता पैदा करें। शरीर के हर अंग को शिथिल (रिलैक्स) करना शवासन में बहुत जरूरी है।

५) साँस क्रिया को सामान्य रूप से चलने दें। मन को हृदय पर बिना प्रयास एकाग्र करें।

६) इस आसन को १५ से २० मिनट तक करें। शवासन में निद्रा की अवस्था न आये इसका ध्यान रखें। शरीर को विश्राम देने की कला सीखें।

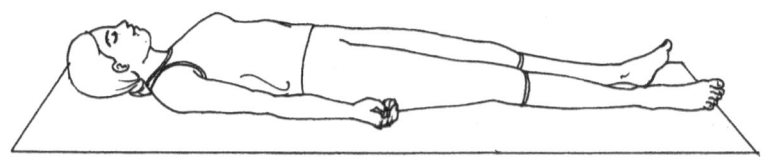

इस आसन के बहुत से लाभ हैं। शवासन से शरीर और मन को शांति प्राप्त होने के कारण रक्त प्रवाह की क्रिया में सुधार आता है। यह आसन हृदय रोगियों के स्वास्थ्य के लिए विशेष लाभकारी है। हृदय रोग, रक्तचाप, शारीरिक और मानसिक तनाव के रोगियों को शवासन का अभ्यास अवश्य करना चाहिए।

शरीर और मन को स्वस्थ रखने की विधि आप ने जान ली है। इसी विधि का इस्तेमाल आप आध्यात्मिक स्वास्थ्य पाने के लिए भी कर सकती हैं। निरंतर स्व सुसंवाद की शक्ति और आत्मसूचनाओं की शक्ति द्वारा आप सत्य के पथ पर साहस के साथ सारे पैटर्नस्, वृत्तियों, गलत संस्कारों और आदतों को तोड़ते हुए चल सकती हैं। जब आप ऐसा कर पायेंगी तब आपको मिलेगा 'संपूर्ण स्वास्थ्य।'

भाग ६

जीवन का जोश बनाये रखें

मिड लाईफ अंत नहीं शुरुआत है

मिड लाइफ यानी ३० साल के बाद की उम्र। उम्र का एक ऐसा पड़ाव जहाँ पर स्त्री किशोर अवस्था और प्रौढ़ अवस्था के बीच की स्थिति में अपने आपको पाती है। यह एक ऐसा पड़ाव है, जहाँ पर हर स्त्री अपने आप को जीवन के दोराहे पर खड़ा देखती है, जहाँ वह सोचती है कि अब आगे की यात्रा कैसी हो।

जब कोई किशोरी अपनी उम्र के ३० वें साल में प्रवेश करती है तब उसकी सोच व उसकी मानसिकता में तो परिवर्तन आता ही है, साथ ही उसके शरीर में भी

परिवर्तन आता है। यह परिवर्तन कई बार असमंजस वाला होता है क्योंकि इतने सावन देख लेने के बाद, अचानक उसे यह आभास होता है कि अब वह अटखेलियाँ करने वाली, चंचल, मदमस्त किशोरी नहीं रही। हालाँकि उसके मन में अभी भी उमंगें हैं, जोश है परंतु वह अब एक परिपक्व युवती में बदल रही है।

उम्र के इस पड़ाव पर उसकी समझ में अब एक बड़ा परिवर्तन आ जाता है। इसके लिए कुछ हद तक शारीरिक बदलाव जिम्मेदार है। छरहरापन अब शायद मोटापे में बदलने लगता है।

३० वर्ष की होते-होते अधिकाँश स्त्रियाँ शादी करके सुखद वैवाहिक जीवन बिता रही होती हैं। बहुतों को एक या दो बच्चे भी हो चुके होते हैं। कई स्त्रियाँ नौकरी पेशा होने का दायित्त्व निभा रही होती हैं। कुल मिलाकर एक औसत स्त्री के जीवन में अब निश्चिंतता होती है या फिर शायद यह बात परिपक्व सोच के कारण महसूस होती है।

इस तरह के शारीरिक और मानसिक बदलाव होने के बावजूद भी कोई स्त्री तीस साल की नहीं दिखना चाहती। वह हमेशा अपनी उम्र से कम उम्र की दिखना चाहती है। वह कभी नहीं चाहती कि उसके जन्मदिन के केक पर ३० जलती हुई मोमबत्तियाँ लगी हों क्योंकि हर स्त्री अपने अंदर छोटे बच्चे जैसा ही महसूस करती है।

स्त्रियों में शायद यह एक अच्छी व अनोखी बात है कि मिड-लाइफ की उम्र में भी वह एक बच्चे के साथ एक बच्चे की तरह तोतली भाषा में बात कर पाती है। अपने जीवन के इस मोड़ पर हर स्त्री सारी सीमाएँ तोड़ देना चाहती है। वह अपनी मर्जी से, पूरी तरह से, एक नये अंदाज के साथ एक पत्नी, बहू, भाभी और माँ की भूमिका निभाती है। बड़ी जिंदादिली और अपनेपन के साथ-साथ वह अपने निजी जीवन में, रिश्तों के मामले में, कामकाज में, अपने व्यवसाय में उतनी ही संतुलित, शालीन और गरिमापूर्ण है।

अब नये जीवन की दहलीज पर कदम रखने वाली स्त्री खुद को जोश से भरपूर देख रही है। उसके लिए अभी जीवन की शुरुआत हुई है। अब वह अपना परिवार बढ़ाना चाहती है और खुद को भी एक बच्चे का अनुभव करते हुए पूरा जीवन खिल खुलकर जीना चाहती है।

नोट : स्वास्थ्य के बारे में अधिक जानकारी प्राप्त करने के लिए तथा संपूर्ण स्वास्थ्य के लिए पढ़ें तेजज्ञान फाउण्डेशन द्वारा प्रकाशित पुस्तक 'स्वास्थ्य त्रिकोण - स्वास्थ्य संपन्न'।

खण्ड

निरोग नारी

भाग १

मासिक धर्म - तकलीफें व उपचार

योग्य जानकारी और योग अभ्यास

प्रकृति ने स्त्री को माँ बनने का वरदान दिया है। इस सुख को प्राप्त करने के लिए प्रकृति ने स्त्री के शरीर में इसकी विशेष व्यवस्था की है। १३-१४ वर्ष की अवस्था से ही लड़की के अंडाशय (ओवरी) में एक अंडा, जिसे डिंब (ओवम) कहते हैं, बनता है। पुरुष के साथ संभोग के फलस्वरूप जब वह डिंब पुरुष के शुक्र या वीर्य (स्पर्म) के साथ मिलकर प्रस्फुटित होता है तब लड़की गर्भवती हो जाती है। किसी कारणवश यदि ऐसा नहीं होता तो डिंब टूट जाता है

और रक्तस्राव के साथ योनि से बाहर आता है, इस क्रिया को ही मासिक धर्म कहते हैं। लड़कियों को मासिक धर्म हर महीने होता है। लगभग ४० से ४५ साल की आयु के बाद यह क्रिया बंद हो जाती है।

बचपन के आँगन से उठकर किशोरावस्था की दहलीज पर पाँव रखने पर जो शारीरिक उलझन लड़कियों के सामने आती है, वह है मासिक समस्या। जो न केवल शारीरिक है बल्कि किशोरी के लिए मानसिक व भावनात्मक महत्त्व का एक जबरदस्त बदलाव है। बचपन से अलगाव और यौवन से जुड़ाव का यह प्रतीक चिन्ह है।

इस नाजुक दौर में किशोरी को चाहिए ढेर सी हमदर्दी, देखभाल व जानकारी जो एक माँ ही भली प्रकार दे सकती है और कोई नहीं।

ऋतुवती होना एक विशेष पर्व ही है। वेदों एवं मनुस्मृति में मासिक के प्रारंभ को प्रजनन का पहला चरण मानकर इसके विषय में बहुत गंभीरता से विश्लेषण किया गया है। कुमारी का मासिक एक स्पष्ट संकेत है कि वह प्रजनन के लिए पूर्ण समर्थ है। इसी भावना को सामने रखकर बीते दिनों में और आज भी ग्रामीण अंचलों विशेषकर महाराष्ट्र एवं कोकण में मासिक प्रारंभ होने पर घर में उत्सव मनाया जाता है। ऋतुवती कन्या को सादर एवं सप्रेम इस नये जीवन चरण में प्रवेश कराया जाता है।

आमतौर पर आज मासिक प्रारंभ को इस तरह सामाजिक उत्सव के रूप में भले ही न मनाया जाय लेकिन व्यवहारिक स्तर पर एक किशोरी के इस शारीरिक बदलाव को पूरी गंभीरता से लिया जाना चाहिए।

मासिक धर्म की मान्यताएँ :

महिलाओं के मासिक धर्म के बारे में बहुत सारी मान्यताएँ बनायी गयी हैं। जैसे महिलाओं के मासिक धर्म के दौरान उन्हें अलग रखा जाता है, उन दिनों घर के सदस्य उनके हाथ का बना खाना तक नहीं खाते, चार दिनों तक उन्हें छूते भी नहीं। अगर उन दिनों में उन्हें छूआ गया तो फिर गाय को छूकर या नहाकर शुद्धि

की जाती है। वे चार दिन महिलाएँ ज्यादातर घर के एक कोने में पड़ी रहती हैं। इसके अतिरिक्त और भी कई मान्यताएँ हैं, जो नीचे दी गयी हैं।

१) सक्रिय जीवन से उन्हें दूर रखने की कोशिश की जाती है।
२) खेल एवं व्यायाम उनके लिए वर्जित कर दिया जाता है।
३) शारीरिक रूप से उन्हें कमजोर समझकर आराम करने की सलाह दी जाती है।
४) मूली, दही, शरबत या अन्य ठंढी चीजों के सेवन पर रोक लगायी जाती है।
५) उन्हें नहाने से रोका जा सकता है।
६) मासिक धर्म से कमजोरी आती है। अतः इस समय अधिक पौष्टिक व भारी भोजन दिया जाय।

ये बातें अंधविश्वास से भरी हुई लगती हैं परंतु पुराने जमाने में ये नियम बनाये गये थे तो इनका जरूर कुछ मतलब था। मासिक धर्म में अति श्रम (काम) न करें। ठंढ से बचें। इस वक्त स्त्री का शरीर थोड़ा कोमल व नाजुक हो जाता है। वह ज्यादा संवेदनशील हो जाती है, फलतः घर से बाहर जाने पर जल्द ही कीटाणुओं के आक्रमण से ग्रसित हो सकती है। मासिक धर्म में इस नियम के बहाने बहू-बेटियों को आराम मिल जाता है इसलिए ऐसी परंपरा बनायी गयी थी। इसका असली मतलब न समझकर, नियमों को स्वास्थ्य के साथ न जोड़कर, उलटा एक पीढ़ी दूसरी पीढ़ी को अंधविश्वास में डराती रही। इससे लाभ होने की बजाय हानि ही होती गयी। अतः इन नियमों की उपयुक्तता जानकर अपना खयाल रखना है।

मान्यताएँ क्यों बनीं?

आइये अब समझें कि ये सब मान्यताएँ आखिर क्यों बनीं? यह देखा गया है कि कोई बात सीधे-सीधे बतायी जाय तो लोग उसे मानते नहीं हैं मगर उस बात को किसी मान्यता के साथ जोड़ दिया जाय तो डरकर लोग मान्यताओं का पालन करते हैं।

बच्चों की सुरक्षा के लिए कुछ मान्यताएँ बनायी गयी हैं । जैसे बच्चों का खाली पालना नहीं हिलाना चाहिए। यह मान्यता इसलिए बनी क्योंकि अगर खाली पालना हिलाया तो वह ढीला हो सकता है, जिससे बच्चे के गिरने की संभावना होती है। इन बातों को टालने के लिए ऐसी मान्यताएँ बनायी गयीं। हर एक की सुरक्षा के लिए कुछ मान्यताएँ बनायी जाती हैं, बच्चों के लिए, महिलाओं के लिए, वस्तुओं के लिए आदि। जैसे एक मान्यता है कि रात में झाडू नहीं लगाना चाहिए। यह मान्यता वस्तुओं की सुरक्षा के लिए बनायी गयी। पुराने जमाने में बिजली का आविष्कार नहीं हुआ था इसलिए अगर कोई रात में झाडू लगाये तो कोई कीमती चीज कचरे के साथ बाहर फेंक दिये जाने की संभावना बनी रहती थी। ऐसी बातों को ध्यान में रखते हुए कुछ खबरदारियाँ ली गयीं और ऐसी मान्यताएँ बनायी गयीं। जब असली कारण बताये जाते हैं तब लोग उनका पालन नहीं करते मगर जब डर दिया जाता है तब लोग उसका कड़ाई से पालन करते हैं।

इंसान के जीवन में अलग-अलग अवस्थाएँ होती हैं, अलग-अलग समय होते हैं। हर काल में, हर समय में उसके शरीर में परिवर्तन होते रहते हैं। उन परिवर्तनों को ध्यान में रखते हुए, पूर्वजों ने कुछ ऐसी मान्यताएँ बनायीं ताकि शरीर को कोई तकलीफ न हो और इंसान आसानी से उन परिवर्तनों के साथ तालमेल बिठा सके। मासिक धर्म से संबंधित मान्यताएँ बनाने के मुख्य कारण निम्नलिखित हैं।

१) सुरक्षा के लिए :

शरीर में समय के साथ हार्मोन्स में बदलाव होते हैं, कई तरह की रासायनिक क्रियाएँ होती हैं। इसकी वजह से शरीर कभी ज्यादा कमजोर हो जाता है। यह कुदरत का नियम है कि आपके चारों तरफ जो माहौल होता है, उसे आप ग्रहण करते हैं। जब शरीर कमजोर होता है तब वह नकारात्मक चीजों के लिए, बीमारियों के लिए ज्यादा ग्रहणशील होता है। जब आप तंदुरुस्त होते हैं तब आप नकारात्मक चीजों को ग्रहण नहीं करते, उन चीजों को अंदर नहीं आने देते और बीमारियों को रोक पाते हैं।

मासिक धर्म के दौरान महिलाएँ ज्यादा कमजोर होती हैं, ज्यादा ग्रहणशील होती हैं । इस वजह से उनका शरीर बीमारियाँ और नकारात्मक चीजें आसानी से ग्रहण कर लेता है । इन बीमारियों से उनकी सुरक्षा करने के लिए ऐसी मान्यताएँ बनायी गयीं । आज तक जो भी मान्यताएँ बनायी गयी हैं, उनके पीछे सबसे मुख्य कारण है 'सुरक्षा' ।

२) आराम और विश्रांति के लिए :

महिलाओं के लिए भी जो मान्यताएँ बनायी गयी हैं, अगर वे नहीं बनायी जातीं तो कोई उन बातों का पालन नहीं करता । न महिलाएँ, न उनके घर वाले । फिर उन दिनों में भी उनसे ज्यादा काम करवाया जाता । ऐसी अवस्था में पहले ही वे कमजोर होती हैं, जिस वजह से वे नकारात्मक चीजों के लिए ज्यादा ग्रहणशील हो जाती हैं । ये मान्यताएँ इसलिए बनायी गयीं ताकि उस दौरान उन्हें आराम मिल पाये । दिनभर वे काम करती रहती हैं तो ऐसे वक्त में उन्हें एक मौका मिलता है कि वे फिर से तंदुरुस्त होकर, बाकी का पूरा महीना काम कर पायें । ऐसे समय उन्हें बाहर नहीं जाने दिया जाता ताकि वे दूषित वातावरण से बची रहें । उनके आस-पास एक स्वस्थ वातावरण बनाया जाता है । इन सब कारणों की वजह से मासिक धर्म के दौरान उन्हें अलग रखने की मान्यता बना दी गयी ।

३) स्वच्छता के लिए :

मासिक धर्म के दौरान स्वच्छता बरकरार रखने के लिए भी ये मान्यताएँ बनायी गयीं । कई स्त्रियाँ इस दौरान जितनी स्वच्छता (हाइजिन) रखनी चाहिए, उतनी नहीं रख पातीं । उनकी वजह से घर का वातावरण अशुद्धि से बचा रहे इसलिए उन्हें अलग रखने की मान्यता दी गयी ।

यह भी मान्यता है कि मासिक धर्म के दौरान स्त्रियों को पूजा नहीं करनी चाहिए । आज यह समझ दी जाती है कि इस दौरान किसी कारण से यदि आपसे धार्मिक कर्मकाण्ड हो जाय तो उसका डर न रखें । इन मान्यताओं का असली अर्थ समझें तथा दूसरों को भी इन मान्यताओं में उलझने से बचायें । पुराना वातावरण

अलग था, आज का वातावरण अलग है। आज इस तरह की कोई संभावना नहीं है। जब सब चीजें साफ-सुथरी हैं तो इन्फेक्शन होने की कोई संभावना नहीं होती मगर असली चीज बतायी नहीं जाती क्योंकि लोगों को जब डर दिया जाता है तो ही वे उसका अनुकरण करते हैं वरना ऐसी बातों का कोई अनुकरण नहीं करता इसलिए ये बातें डर के साथ बतायी गयी हैं और आज तो यह मान्यता ही बनकर रह गयी है।

जब तक डर नहीं दिया जाता तब तक इंसान नियमों का पालन नहीं करता। समझ देने के लिए लोगों के पास समय नहीं है। न बताने वाले के पास समय है, न सुनने वाले के पास समय है। अतः यह आसान तरीका ढूँढ़ा गया कि इंसान को डर दे दिया जाय तो वह इन नियमों का पालन करता रहेगा वरना हर पीढ़ी को यह समझाना पड़ेगा और समझाने के लिए किसी के पास भी समय नहीं है।

यह बात सबसे महत्त्वपूर्ण है कि इन सारी मान्यताओं को मानते हुए आपके भाव कैसे हैं? इन बातों का पालन करके यदि आप ईश्वर का आदर करते हैं तो उसमें कोई बुराई नहीं है। जैसे जब आप मंदिर जाते हैं तो नहा-धोकर ही जाते हैं। इसके पीछे उद्देश्य यही होता है कि आप शुद्ध तन व मन के साथ ईश्वर की पूजा करना चाहते हैं। ऐसा करना ईश्वर के प्रति प्रेम प्रदर्शित करना है वरना बिना नहाये भी मंदिर जाना अनुचित नहीं है। स्वच्छ होकर जाना यह दर्शाता है कि हम ईश्वर के सामने किस अवस्था में और किस भाव में जाते हैं। हर इंसान चाहता है कि वह ईश्वर के सामने अपनी तकलीफें लेकर जाने के बजाय अपना प्रेम लेकर जाय इसलिए ये मान्यताएँ बनायी गयीं कि आप शुद्ध, प्रेम पूर्ण होकर मंदिर में जायें। अगर आप खुद मान्यता और डर में हैं तो उस अवस्था में न जायें। इन बातों का खयाल रखने के लिए नहाकर मंदिर में जाने की प्रथा बनायी गयी।

इन सभी मान्यताओं के पीछे का उद्देश्य समझें। मान्यताओं में न उलझते हुए समझ के साथ हर काम करें।

मासिक धर्म के दौरान लड़कियों को दी जाने वाली समझ :

उन लाखों अल्हड़ लड़कियों और औरतों का क्या हाल होगा, जो न पढ़ सकती हैं, न लिख सकती हैं, न ही उन्हें कोई बताने वाला है? आजकल माताएँ ज्यादा सजग हो गयी हैं क्योंकि उन्हें मासिक धर्म के दौरान जो तकलीफें हुईं, वे नहीं चाहतीं कि उनकी बेटियों को भी उन तकलीफों का सामना करना पड़े। आजकल सभी माताएँ अपनी बेटियों को सहज रूप से शिक्षा दे पाती हैं। आजकल स्कूलों में भी सही ढंग से व्यावहारिक शिक्षा मिलने के कारण लड़कियाँ समय से पहले ही सयानी और निडर हो जाती हैं। यह देखकर अच्छा लगता है फिर भी मासिक धर्म को लेकर बहुत लड़कियाँ चिंता करती हैं। वे सोचती हैं कि 'यह मुसीबत हर महीने क्यों आती है?' कई लड़कियों को मासिक धर्म क्या है, यह तक मालूम नहीं होता। सबसे पहले समझें कि मासिक धर्म कोई बीमारी नहीं है। यह एक शारीरिक क्रिया है, जिसे गोलियों द्वारा रोकना न तो सही है और न ही संभव है। लड़कियों को १३, १४ वर्ष में ही मासिक धर्म आता है। आज-कल नौ से बारह साल की उम्र में भी आ जाता है।

लड़कियाँ जब बचपन छोड़कर जवानी में कदम रखती हैं तब इसके लक्षण स्वरूप शरीर के अंदर तेजी से बदलाव आते हैं। इस उम्र में लड़कियों में बिना कारण चिंता, संकोच, घबराहट, जल्दबाजी आदि लक्षण दिखायी देते हैं। घर के बुजुर्ग इस बात का ध्यान रखें कि ऐसे समय में लड़कियों को सँभालने की जरूरत होती है, न कि डाँटने की। माँ प्यार से अपनी बच्ची को समझाये कि यह सब सामान्य है। जैसे ही लड़की का शारीरिक विकास पूरा हो जायेगा, उसमें भावनात्मक स्थिरता आती जायेगी। इस दौरान उसका मानसिक स्वास्थ्य सँभालने की जरूरत होती है। उम्र के इस नाजुक मोड़ पर लड़की अपने व्यवहार को सँभाले वरना नर्वसनेस, अस्थिरता और कुछ गलत प्रवृत्तियाँ उसके व्यवहार में दिखायी देने लगती हैं। वक्त रहते इन बातों पर अंकुश नहीं लगाया गया तो ये आदतें उसके व्यवहार का अंग बन सकती हैं। यही समय है जब उन्हें हीन भावना से ऊपर

उठाकर आत्मविश्वासी बनाया जा सकता है। इस समय उनके भोजन, व्यायाम, विश्राम, मनोरंजन का पूरा ध्यान रखना चाहिए ताकि उनका शारीरिक, मानसिक, भावनात्मक विकास सही-सही हो सके।

बहुत सी किशोर लड़कियों को जब मालूम पड़ता है कि उनकी सहेली को १२, १३ साल में मासिक धर्म आ गया है तो वे चिंता करती रहती हैं कि 'मैं १५-१६ साल की हो रही हूँ, मुझे मासिक धर्म क्यों नहीं हो रहा है?' ऐसे में चिंता करने की कोई बात नहीं है। कई बार गरम प्रदेश में रहने से वहाँ के वातावरण के कारण और अपनी-अपनी प्रकृति के अनुसार या अन्य कई कारणों से भी यह जल्दी हो सकता है। फिल्में देखने से भी मासिक धर्म जल्दी आ सकता है क्योंकि आजकल फिल्मों में जो दिखाया जाता है, उसका गहरा असर मन पर पड़ता है। इसके अतिरिक्त गरम मसालों के अधिक सेवन से, अधिक पौष्टिक खुराक लेने से भी मासिक धर्म जल्दी शुरू हो सकता है। फिर भी यह नियम जरूरी नहीं है। ठंढे देशों में यह देर से शुरू होता है। भारत में मासिक धर्म आने का समय ११ से १४ वर्ष है पर १६ वर्ष तक आने पर भी यह सामान्य बात है। अगर ११ से पहले आये या १७ साल तक न आये तो अपने डॉक्टर से जरूर परामर्श करें।

दो मासिक धर्मों के बीच सामान्यतः २८ दिनों का अंतर होना चाहिए। यह अंतर २१ दिनों से लेकर ३० दिनों तक हो सकता है। इसे सामान्य ही मानना चाहिए। इसे लेकर घबराने की बात नहीं है।

शुरू में एक-दो वर्ष तक मासिक धर्म यदि अनियमित हो यानी कभी हर महीने तो कभी कुछ अंतराल के बाद हो तो घबराने की बात नहीं है। आरंभ में ऐसा हो सकता है। कभी-कभी अधिक सर्दी, बीमारी, चिंता से भी इसमें रुकावट आ जाती है। कुछ समय बाद यह फिर से नियमित हो जाता है। अगर काफी समय से अनियमित हो रहा हो और साथ ही दर्द भी हो तो अपने डॉक्टर की राय जरूर लें।

मन से यह भ्रम निकाल दें कि मासिक रक्तस्राव से कमजोरी आती है। यह एक तरह का अशुद्ध रक्त होता है, जिसका समय पर निष्कासन होना जरूरी है।

गर्भ के समय के लिए प्रकृति स्वयं ही इसे रोककर इसका शोधन कर लेती है। बाकी किसी भी उपाय से इसे रोकना ठीक नहीं है।

यदि शुरुआत में अपने आपको सँभालने में तकलीफ हो रही है तो अपनी अनुभवी समझदार सहेली, बड़ी बहन या भाभी से सलाह लें। माँ का फर्ज बनता है कि प्यार से, सही ढंग से अपनी बेटी को व्यवहारिक सलाह दे। अगर माँ ध्यान न दे तो लड़कियाँ खुद माँ से निस्संकोच पूछ सकती हैं। माँ आपको सही ढंग से सिखायेगी और इन दिनों आपका विशेष खयाल रखेगी। आपको उस वक्त बादी (पचने में कठिन) चीजें नहीं खानी चाहिए। ज्यादा बेसन, चना, छोले ऐसी चीजें खाने से गैस होती है। गैस की वजह से पेट में दर्द होता है। माँ को चाहिए कि ऐसे वक्त बेटी को हलका आहार जैसे खिचड़ी, दाल, रात में दूध वगैरह दे। लड़कियाँ खुद भी समझ के साथ अपना ध्यान रख सकती हैं। जिस दिन मासिक धर्म शुरू हो, वह दिन, तारीख, महीना, टिकमार्क करके रखें ताकि आने वाले महीने में आपको मालूम पड़े कि मासिक धर्म कब आया था ताकि आप बेफिक्र होकर अपने काम आने वाली तारीख के पहले कर सकें। हर हालत में सफाई व स्वच्छता का पूरा ध्यान रखना चाहिए। सैनेटरी पैड काम में लायें या पैड खरीद नहीं सकते तो घर पर ही चौकोन एक से डेढ़ फुट का सफेद व स्वच्छ धुला हुआ नरम सूती कपड़ा लें। धोने के बाद कपड़े को पानी में डेटॉल (Dettol) डालकर उसमें अच्छी तरह डुबोकर, निचोड़कर घर की साफ सुथरी डोरी पर सुखायें ताकि कीड़े, चींटी वगैरह कपड़े पर न लगें। थोड़े समय के अंतराल में पैड बदलें वरना गंदे कपड़े से आपको इनफेक्शन हो सकता है या खुजली वगैरह हो सकती है।

मासिक धर्म के समय नहाना जरूरी है। पानी ठंढा या कुनकुना ले सकते हैं। ज्यादा गरम पानी तभी लें जब रक्तस्राव ज्यादा न हो। गरम पानी से नहाने से रक्तस्राव ज्यादा हो सकता है। खून कम जा रहा हो तो गरम पानी से नहाना अच्छा रहेगा। अलग-अलग स्त्रियों में रक्तस्राव की मात्रा कम-ज्यादा हो सकती है। यदि स्राव बहुत ज्यादा हो तो लेटकर आराम करना चाहिए। उस समय गरम

पानी से नहीं नहाना चाहिए। ठंढ के दिनों में इस अवस्था में एक-दो दिन नहीं नहाया तो कोई बात नहीं। सिर्फ हाथ, मुँह पोंछ सकते हैं।

ऐसे समय लड़कियों को घर या स्कूल का साधारण काम करते रहना चाहिए। स्कूल में जाने वाली लड़कियाँ इस समय ज्यादा खेल-कूद न करें। कॉलेज की लड़कियाँ इस दौरान पढ़ने जा सकती हैं। इस समय कुछ घंटे आराम करना भी जरूरी है। इसी तरह इसका उलटा भी नहीं करना चाहिए। मासिक धर्म में दिनभर आलसी होकर पलंग पर बीमारों के जैसा पड़े रहना भी उचित नहीं है। खाना हलका, पौष्टिक और पचने योग्य होना चाहिए। चना दाल, अरहर (तुअर) दाल, मूँगफली दाना, बेसन से बनी चीजें, नारियल इन सबसे गैस (acidity) बनती है। हर एक का अनुभव अलग-अलग हो सकता है। ऐसा शायद न भी हो। आपको खुद समझ में आयेगा कि आपके साथ क्या हो रहा है। तली हुई चीजें, मिर्च मसाले, खटाई वाली चीजें, आइसक्रीम ऐसी चीजों से इस समय परहेज रखें तो अच्छा रहेगा।

मासिक धर्म में ली जाने वाली घरेलू दवाइयाँ :

यदि मासिक धर्म सिर्फ एकाध महीने न आये तो इसमें घबराने की कोई बात नहीं है क्योंकि हो सकता है कि ऐसा मनोवैज्ञानिक कारणों से हुआ हो। वैसे भी यदि मजबूरी न हो तो कुँवारी लड़कियों के लिए स्त्री रोग परीक्षण की सलाह नहीं दी जाती। अतः ऐसी अवस्था में कुछ घरेलू उपाय अपनाये जा सकते हैं। इसके लिए पपीता सर्वाधिक उपयुक्त है।

१) यदि मासिक धर्म की तिथि गुजरे हुए १५-२० दिन हो गये तो कच्चे पपीते की सब्जी काफी मात्रा में खाइये या फिर पका हुआ पपीता खाइये। एक सप्ताह तक लगातार पपीता खाने से सामान्यतः मासिक धर्म आ जाता है। यदि किसी कारणवश एक सप्ताह के अंदर मासिक धर्म न आये तो भी पपीता खाते रहना चाहिए। इसका असर जरूर पड़ेगा।

२) यदि पपीता खाने पर भी एक सप्ताह में मासिक धर्म न आये तो पपीते के

साथ खजूर भी खाइये। वैसे भी यदि खजूर नियमित रूप से खाये जायें तो मासिक धर्म ठीक समय पर आता है। दिन में दो बार दो-तीन खजूर जरूर खायें लेकिन ध्यान रहे कि बहुत अधिक खजूर न खायें अन्यथा मोटापा बढ़ जायेगा।

३) इसके अलावा सोंठ और गुड़ भी मासिक धर्म की अनियमितता में प्रभावकारी होते हैं। थोड़े से गुड़ को पिघलाकर उसमें एक चौथाई चम्मच सोंठ डालिए। दिन में दो बार ऐसा खाने से भी मासिक धर्म एक सप्ताह में आ जाता है।

४) यदि गुड़ के साथ सोंठ अच्छी न लगे तो चौथाई चम्मच सोंठ को गर्म दूध के साथ दिन में दो बार लीजिये, इससे भी फायदा होगा।

५) अगर मासिक धर्म के समय आपको पेट की नीचे वाले हिस्से में दर्द हो रहा हो, गैस होने का अनुभव हो रहा हो तो थोड़ा सा तिल का तेल पेट पर लगायें और गरम पानी की थैली से पेट को सेकें। इससे काफी आराम आयेगा।

६) एक चम्मच देसी घी लेकर उसमें थोड़ी सी हींग (खाने वाली) डालकर गैस पर गरम करके, कपास लेकर उसे घी में डुबोकर दर्द वाले हिस्से पर लगायें।

७) अगर आपको रक्तस्राव ज्यादा हो रहा है, किसी भी तरह कम नहीं हो रहा है और आप डॉक्टर के पास जा नहीं पा रहे हैं तब निम्नलिखित आयुर्वेदिक गोली ले सकते हैं।

८) Himalaya का १-२ या Styplon गोली की मात्रा १-१ दो बार ले सकते हैं। यह गोली दो दिन लेकर देखें।

९) रक्तस्राव कम न होने पर यहाँ पर लिखी हुई ऐलोपैथिक दवाइयाँ ली जा सकती हैं- AYAPON (ALARSIN) नामक २ गोलियाँ दिन में तीन बार (२-२-२) ले सकते हैं।

१०) अगर पेट में दर्द बहुत हो रहा है तो डॉक्टर के पास जाने से पहले Cyclopam नामक गोली सुबह-शाम (१-१) खाना खाने के बाद दिन में दो बार ले सकते हैं या MEFTAL-SPAS यह गोली दिन में दो बार (१-१) ले सकते हैं।

११) MEFTAL से किसी-किसी को नींद या चक्कर आ सकता है, शायद न भी आये। ऐसा निश्चित मानकर नहीं चलना है। अगर आपको आराम नहीं हो रहा है तो अपने लेडी डॉक्टर की सलाह लें।

कई लोगों की यह मान्यता रहती है कि रक्तस्राव के समय कोई भी आसन या योगा नहीं करना चाहिए परंतु योगा टीचर की सलाह से यह बताया गया है कि रक्तस्राव के समय कुछ आसन आरामदायक होते हैं और बिना तकलीफ आराम से किये जा सकते हैं। रक्तस्राव के दौरान टाँगें ऊपर करने का व्यायाम करना चाहिए।

शुरुआत में मासिक धर्म कुछ अनियमित सा रहता है परंतु बाद में यह नियमित समय पर होता जाता है। यदि कोई और तरह की समस्या हो तो अपनी बड़ी बहन या सहेली से आप पूछ सकती हैं। इसमें झिझक बिलकुल नहीं रखनी है। झिझकने से आपका ही नुकसान हो सकता है।

मासिक धर्म लगभग ४५ वर्ष के आस-पास अपने आप बंद हो जाता है। यह कुदरतन, स्वाभाविक क्रिया है परंतु युवावस्था में मासिक धर्म रुकने का या बंद होने का कारण शारीरिक दोष (physiological disorder) हो सकता है। ऐसे समय डॉक्टर को दिखायें।

यह परिवार के विभिन्न सदस्यों और विशेषकर उसकी माँ का एक जरूरी कर्तव्य बनता है। प्रौढ़ावस्था की एक महिला बताती है, 'अचानक एक दिन कपड़ों में धब्बे लगे तो पैरों के नीचे से धरती निकल गयी। सोचा, हे भगवान ये कौन सा फोड़ा है या घाव है। अरे यह हुआ क्या?' माँ के पास रोते गये तो उन्होंने कपड़े लेने का ढंग बताया और कहा, 'लेकर लेट जाओ, बस चार दिन तक लेटे रहे, रोते रहे लेकिन इसके आगे कुछ बताया नहीं गया।'

एक दूसरी महिला ने कहा, 'अछूत बना दिये गये, पूरे ५ दिन न खेलो, न पानी छूओ, न पूजा घर में जाओ, न रसोई में बल्कि चचेरे भाई (कजिन) आयें तो उनके सामने भी न पड़ो।' हम चीखना चाहते हैं कि 'अरे! भाई क्यों पर डर के मारे बोल न पायें, हमारी माताजी एकदम बंद दरवाजा बन गयी थीं।'

बटोरने जाइये तो ऐसे-ऐसे न जाने कितने अनुभव मिल ही जायेंगे। लेकिन आज बहुत कुछ बदल गया है। आज बगल की किशोरी से पूछे कि 'क्यों प्रीती, आज खेलकूद नहीं हो रही है? क्या बात है?' तो मुँह बनाकर वह बताती है, 'क्या करें, आंटी आयी है ... आंटी।'

मासिक को किशोरियाँ 'आंटी' 'चम' 'विजिट' और न जाने कितने मजेदार नामों से पुकारती हैं। किशोरियाँ आज मासिक को लेकर बड़ी आत्मविश्वासी व जागरूक हो चुकी हैं। आज-कल के समाज के अपेक्षाकृत खुले रवैये से एवं टी. वी. के विज्ञापनों को भी इस विषय में धन्यवाद दिया जाना चाहिए।

मासिक धर्म में उचित सलाह माँ से ही मिल सकती है :

मासिक को लेकर बाहरी जगत में खुलापन आया है। सैनिटरी नैपकीन एवं टैम्पून्स के विषय में आज-कल भरपूर जानकारी दी जा रही है। जैसे ऋतुवती किशोरी को निम्नलिखित जानकारी समय-समय पर दी जानी चाहिए-

१) यह परिवर्तन बहुत स्वाभाविक व सहज है और सौभाग्यपूर्ण भी क्योंकि यह इस बात का संकेत है कि 'तुम अब बड़ी, परिपक्व व जिम्मेदार हो गयी हो। तुम स्वस्थ हो। अस्वस्थ होने पर मासिक धर्म ढंग से नहीं होता और फिर कई बीमारियों का डर रहता है।'

२) प्यार व समझदारी से समझाये जाने पर निश्चय ही एक कुमारी इसका मातम नहीं मनाती बल्कि ये भी उसके 'रूटीन' का एक हिस्सा बन जाता है।

३) रक्तस्राव के लिए उसे ढंग से नैपकिन या कपड़ा लेना सिखाना, एक बहुत जरूरी बात है। रूई, नैपकिन या घरेलू कपड़ा जो भी आप लें, वह साफ

हो। उसे कितनी मात्रा में लें और उसे दिन में कितनी बार बदलें, ये बातें भी उसे खूब स्पष्ट समझानी चाहिए।

४) खाने-पीने में लोह तत्त्व का अभाव न रहे, इसका पूरा ध्यान रखना आवश्यक है। यदि खाद्य पदार्थों से लोहा पूरा न पड़े तो टॉनिक व गोलियाँ ली जा सकती हैं।

५) थोड़ी बहुत असुविधा जैसे सिर, पेट व बदन में हलका दर्द, सुस्ती व बेचैनी भी महसूस हो सकती है, इसकी जानकारी भी देनी चाहिए।

६) आखिर और सबसे आवश्यक बात जो आज की हर माँ को अपनी बेटी से कहनी चाहिए, वह है गर्भ ठहरने की बात। लड़कियाँ, सहेलियों या किताबों से यह जानकारी पा तो जा सकती हैं लेकिन माँ के मुँह से सुनी बात कुछ और ही वजन रखती है। एक किशोरी को यह जानकारी होनी चाहिए कि अब पुरुष से सहवास होने पर वह गर्भवती हो सकती है। अनब्याहा मातृत्त्व अभी हमारे यहाँ एक ऐसी खबर है, जो १०० खबरों का एक प्रतिशत हिस्सा ही बनाती है। एक आम हिंदुस्तानी लड़की के लिए यह एक श्राप या विपदा जैसी ही घटना है। अतः मासिक और गर्भधारण का गठजोड़ समझाकर उसे पूरी तरह आगाह करना चाहिए।

मासिक को लेकर अपनी बिटिया का ऐसा विश्वास प्राप्त करें कि वह किसी भी असामान्य परिवर्तन को आपको बताती रहे। किसी भी प्रकार का प्रश्न पूछने में न हिचकिचाये और स्वस्थ भी रहे। उसे भी एक स्वस्थ माँ बनने का पूरा अवसर दें।

मासिक धर्म में होने वाली अलग-अलग तकलीफें और उनके उपचार

मनुष्य शरीर में जो भी रोग होते हैं, उन सभी रोगों की जड़ है, शरीर में गंदगी का जमा होना। इसके अलावा महिलाओं को कुछ तकलीफों का सामना करना पड़ता है। कुदरत के अनुसार एक अतिरिक्त बोझ उठाना पड़ता है। हर एक महिला की प्रकृति के अनुसार माहवारी की तासीर अलग-अलग होती है।

१) वेदनायुक्त माहवारी (Dysmenorrhea) :

महिलाओं को माहवारी होना एक सामान्य, नैसर्गिक प्रक्रिया है परंतु गलत मान्यता, गलत आदत, गलत आहार-विहार-विचार-उच्चार के कारण यह पीड़ादायक हो सकती है । महिलाएँ माहवारी को महत्त्व न देते हुए, उसकी वजह से होने वाली तकलीफों को नज़रअंदाज करके अनेक तकलीफों को आमंत्रित करती हैं। इन तकलीफों को सहने के पीछे अज्ञान भी एक बहुत महत्त्वपूर्ण कारण है, जिसके लिए यहाँ पर कुछ साधारण मगर महत्त्वपूर्ण घरेलू उपचार बताये गये हैं।

उपचार :

- गरम पानी से पेट सेंकना, ठंढा इंद्रिय स्नान ।
- माहवारी से तीन दिन पूर्व गरम कटिस्नान* लेना ।
- माहवारी में और बाद में ठंढा कटिस्नान* लेना ।
- माहवारी के दौरान अधिक काम न करें ।

२) माहवारी में आवश्यकता से कम रक्तस्राव होना :

उपचार :

- गाजर के बीज, मेथी बीज, सौंफ, काले तिल, खांड-चीनी (प्रत्येक की ५० ग्राम) मिलाकर पीसें ।
- एक से दो ग्राम पाउडर गुनगुने पानी के साथ तीन-चार बार लें । (माहवारी से दस दिन पूर्व तीन से चार महीनों तक लें) ।
- नाश्ते में पपीता लें, खाने में पत्तों सहित मूली का सेवन करें ।

---

* जब छोटे टब में कमर के नीचे तथा घुटनों के थोड़ा ऊपर तक का हिस्सा पानी में रखा जाता है तब उसे कटिस्नान कहते हैं ।

३) मासिक धर्म का रुकना (Absence of Menses) :

गर्भधारण या मेनोपॉज के अलावा यदि मासिक धर्म रुकता है तो वह तकलीफ देह होता है ।

एनीमिया, अधिक दुःख, गलत आहार-विहार-विचार, नैराश्य, मानसिक अस्वस्थता इत्यादि कारणों से शरीर के हार्मोन्स प्रभावित होते हैं, जिससे मासिक धर्म रुक सकता है लेकिन कभी-कभी ऐसा भी होता है कि किसी महीने मासिक धर्म नहीं होता। हो सकता है कि एक महीना स्राव न हो और अगले महीने फिर से मासिक धर्म हो जाय किन्तु कभी-कभी ३-४ महीने तक लगातार मासिक धर्म नहीं होता।

रमा के साथ यही हुआ। रमा के दो बच्चे हैं। दूसरे बच्चे के पैदा होने के बाद उसे सिर्फ एक बार ही मासिक धर्म हुआ। उसके बाद तीन महीने तक मासिक धर्म नहीं हुआ। वह डॉक्टर के पास गयी। डॉक्टर ने सबसे पहले तो गर्भ परीक्षण (प्रेगनेंसी टेस्ट) किया ताकि पता चल सके कि कहीं वह गर्भवती तो नहीं है। परीक्षण के बाद पता चला कि वह गर्भवती नहीं थी । फिर मासिक धर्म न आने के कारण पता करने के लिए अन्य परीक्षण किये गये। उनसे यह पता चला कि उसमें हार्मोन्स का असंतुलन हो गया था, जिसके कारण मासिक धर्म आना रुक गया था। तीन महीने इलाज करने के बाद मासिक धर्म फिर से शुरू हो गया।

सामान्य रूप से मासिक धर्म का रुक जाना गर्भावस्था की निशानी समझा जाता है लेकिन कभी-कभी अन्य कारणों से भी मासिक धर्म रुक जाता है। कभी-कभी कैंसर या किसी अन्य बीमारी के कारण भी मासिक धर्म नहीं होता। इसी प्रकार हार्मोन्स की गड़बड़ी के कारण भी मासिक धर्म रुक सकता है।

इसके अलावा कुछ और कारण भी इसके लिए उत्तरदायी हो सकते हैं, जिनका सिर्फ स्त्री रोग संबंधी (गायनेकोलॉजिकल) परीक्षण द्वारा ही पता चलता है। कभी-कभी प्रजनन संस्थान की किसी बीमारी का असर भी मासिक धर्म पर हो सकता है। चूँकि मासिक धर्म का रुक जाना स्वयं ही एक असामान्य अवस्था

होने के साथ-साथ किसी अन्य गंभीर बीमारी का लक्षण हो सकता है इसलिए इलाज के लिए डॉक्टरी परीक्षण कराना आवश्यक है।

उपचार :

- ❐ काली मिर्च, सौंठ, पिपली (त्रिकुटा), काला नमक, भारंगी प्रत्येक को एक-एक ग्राम लेकर उसमें गुड़ मिलाकार उबालें और सुबह-शाम लें।
- ❐ दो ग्राम गाजर के बीज + पुराना गुड़ दस ग्राम लेकर पंद्रह पुड़िया तैयार करें। दिन में तीन बार, पाँच दिन तक लें। ऐसा तीन महीने तक लें।

४) मेनोरिआ (अधिक स्राव होना) :

शरीर में जमी हुई गंदगी और कैलशियम की कमी इत्यादि के कारणों से 'मेनोरिआ' हो सकता है।

उपचार :

१) नाभी को गरम-ठंढा सेकें और इंद्रिय स्नान करें।

२) मासिक धर्म आने से आठ दिन पहले गरम कटिस्नान लें।

३) मासिक के दौरान ठंढा कटिस्नान लें।

४) मानसिक तनाव, चिंता इत्यादि से दूर रहें। सकारात्मक विचार करें, सही दृष्टिकोण रखें।

५) मासिक धर्म में योगासनों से उपचार करें। ये आसन इस भाग के अंत में दिये गये हैं। आसनों की विधि समझकर आसनों का अभ्यास करें।

६) तीन दिनों तक जितना हो सके आराम करें, बेड रेस्ट करें। बेड से पैर थोड़ा ऊपर करें या पैरों के नीचे मोटा तकिया या कुशन लें। नाभी के नीचे मिट्टी की अथवा बर्फ के पानी में भिगोयी हुई पट्टी रखें। सलाद, अंकुरित मूँग, फल, जूस, अनार, गोभी, मूँगफली इत्यादि लें।

५) मासिक धर्म अनियमित होना :

शारीरिक कारणों के अलावा मनोवैज्ञानिक कारणों से भी मासिक धर्म अनियमित हो सकता है। पीयूष ग्रंथि (पिट्यूटरी ग्लैंड) शरीर की प्रमुख ग्रंथि होती है। इसका मस्तिष्क के साथ सीधा संबंध होता है। मन की विभिन्न अवस्थाओं का इस ग्रंथि पर प्रभाव पड़ता है। भावनाएँ भी इस ग्रंथि की कार्यक्षमता को प्रभावित करती हैं। चिंता, तनाव या मानसिक उद्वेग जैसी भावनाएँ इस ग्रंथि की कार्य प्रणाली पर इस कदर प्रभाव डालती हैं कि ग्रंथि के कार्य में व्यवधान पैदा हो जाता है। मासिक धर्म पर भी इसका प्रभाव पड़ता है। इस कारण मासिक धर्म रुक भी सकता है लेकिन ऐसी अवस्था में चिंता की कोई बात नहीं होती क्योंकि मानसिक स्थिति सामान्य होते ही मासिक धर्म भी सामान्य हो जाता है।

अनियमित मासिक स्राव के इलाज के लिए डॉक्टरी परीक्षण कराना आवश्यक है। मासिक धर्म का रुक जाना किसी गंभीर बीमारी का लक्षण भी हो सकता है। इसलिए किसी गंभीर खतरे से बचने के लिए समय पर जाँच कराना आवश्यक है ताकि सही इलाज किया जा सके। यदि बार-बार मासिक धर्म रुक जाता हो अर्थात हर एक-दो महीनों के बाद मासिक धर्म आना बंद हो जाय अथवा दो-तीन महीने या इससे अधिक समय तक न हो तो डॉक्टर के पास जाने में विलंब नहीं करना चाहिए।

६) मासिक काल में कमर दर्द होना :

कमर दर्द महिलाओं की एक आम शिकायत होती है। यह रोग नहीं है बल्कि रोग का एक लक्षण है। विशेषकर मासिक धर्म की गड़बड़ी के कारण महिलाओं को कमर दर्द अधिक होता है। मासिक धर्म की अनियमितता, मासिक धर्म की तकलीफ देह प्रवृत्ति, खून की कमी, रजोनिवृत्ति, स्त्री रोग, श्वेतप्रदर, रक्तप्रदर, कमर की हड्डियों का कमजोर होना, प्रसव, मोटापा, सूजन आदि कारणों की वजह से महिलाएँ कमर दर्द से परेशान हो जाती हैं।

कमर दर्द का कारण चाहे जो हो, महिलाएँ कामकाज करने में असमर्थ व

चिड़चिड़ी हो जाती हैं, वे बार-बार झुंझलाहट की स्थिति में रहती हैं। उनका मन हर चीज से उकता जाता है।

उपचार :

- सोंठ और गोखरु का काढ़ा बनाकर पीने से कमर दर्द में तुरंत आराम होता है (इसे एक सप्ताह तक लें)।
- सेंक करने से कमर दर्द में आराम मिलता है।
- खसखस और काली मिर्च समान मात्रा में लेकर चूर्ण बनायें, दस ग्राम चूर्ण सुबह-शाम गरम दूध के साथ नियमित लें।
- पाँच ग्राम हल्दी का चूर्ण फाँककर ऊपर से मीठा दूध पीयें।
- नारायण तेल की मालिश दो मिनट तक करने से असह्य दर्द में आराम हो जाता है।

कमर दर्द में सहारे यानी प्रॉप्स का उपयोग मदद करता है। अपनी रचनात्मकता से प्रॉप्स (कुर्सी, तकिये, ईंट के आकार का लकड़ी का टुकड़ा, रस्सी इत्यादि) का इस्तेमाल बहुत अच्छे तरीके से किया जा सकता है। नीचे दिये गये आसनों द्वारा आपको कमर दर्द से राहत मिल सकती है।

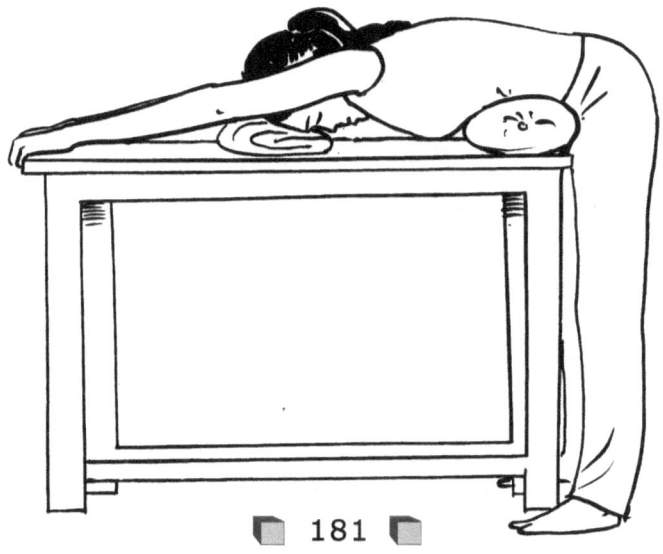

मासिक धर्म में नीचे दिये गये ९ आसन करने चाहिए

१) पद्मासन :

पद्म यानी कमल। पद्मासन में पाँव का आकार कमल जैसे होने के कारण इस आसन को पद्मासन कहते हैं। यह आसन करने से चंचल मन स्थिर हो जाता है। शरीर को साधने में यह उपयोगी है। इससे वात, कफ, पित्त का नाश होता है। मानसिक शांति और शक्ति बढ़ती है। आयु में वृद्धि होती है। स्वप्न दोष और बहुत सारी बीमारियों का नाश होता है। स्मरण शक्ति बढ़ती है। पेट के रोगों से छुटकारा मिलता है। स्त्रियों में गर्भाशय संबंधी रोग दूर होते हैं। सबसे पहले इस आसन में बैठें, यदि बैठने में कठिनाई हो तो अर्धपद्मासन या सुखासन में बैठें।

इस आसन के बाद बद्धकोनासन करें।

२) बद्धकोनासन :

बद्ध का अर्थ है- बंधा हुआ, नियंत्रित। कोन का अर्थ है कोई छोर, सिरा अथवा कोना।

विधि :

१. जमीन पर सीधे सामने की ओर पैर पसार कर बैठें।
२. दोनों पैरों को घुटने से मोड़ें और पंजों को पास में लायें।

३. पंजों को इस प्रकार मिलायें कि तलवे और एड़ियाँ आपस में सट (जुड़) जायें।

४. पंजों का निचला हिस्सा जमीन पर रहे और एड़ी मूलाधार (पेट के निचले हिस्से) के नजदीक हो।

५. जाँघों को चौड़ा करें और घुटने को नीचे दबायें, ताकि वे जमीन से लग जायें।

६. दोनों पैरों के पंजों को हाथ से पकड़ें। घुटने, टखनों और जाँघों को जमीन पर जमाये रखें, धड़ को ऊपर की ओर तानें।

७. जब तक संभव हो इसी मुद्रा में रहें। नाभि के ऊपर से धड़ तना रहे, पंजों पर हाथ की पकड़ जितनी मजबूत होगी, धड़ को ऊँचा रखने में उतनी ही आसानी होगी। कंधों को विस्तार दें और कंधों की हड्डियों को पीछे की तरफ तानें।

जिनका नितंब अथवा पेट ज्यादा मोटा हो या जो स्त्री मासिक-स्राव से गुजर रही हो, वे लगभग तीन इंच मोटा कंबल अपने आसन (थॉय– ऊपरी टाँगों) के नीचे रखें ताकि उन्हें आसन करने में आसानी हो। इससे बद्धकोनासन करते समय, सीधा बैठने में और इसी अनुसार पेट को ऊँचा रखने में मदद मिलती है।

लाभ : १. महिलाओं को इससे विशेष फायदा होता है, अनियमित माहवार इससे ठीक हो जाती है और गर्भाशय सुचारू ढंग से काम करने लगता है। २. यदि गर्भवती महिला इस मुद्रा में रोजाना कुछ मिनट बैठे तो प्रसव के समय उसे पीड़ा कम होती है। ३. इस आसन से मल, मूत्र, विसर्जन की बीमारियों में विशेष लाभ होता है। पेट और पीठ में रक्त संचार बेहतर गति से होता है और ये अंग मजबूत होते हैं। ४. इससे गुर्दे तथा मूत्राशय सदा स्वस्थ रहते हैं। ५. इस आसन को करने से साईटिका (सिअटिका) का दर्द और हर्निया नहीं होता है।

इस आसन के बाद सुप्त बद्धकोनासन करें।

३) सुप्त बद्धकोनासन :

सुप्त का अर्थ है लेटा हुआ, यह बद्धकोनासन का ही एक प्रकार है, जिसे लेटकर किया जाता है।

१. पीठ के बल लेटकर घुटनों को मोड़ें और पाँव के तलवों को मूलाधार के पास लायें।
२. जाँघ और घुटने सामने-सामने फैलायें और एड़ी तथा तलवों को पास लायें और आपस में मिलायें।
३. साँस लेते हुए पंजों को हाथ से पकड़ें और कंधों से थोड़ा ऊपर उठें।
४. साँस छोड़ते हुए पूर्व अवस्था में आ जायें।

इस आसन के बाद कुछ समय वज्रासन में बैठें।

४) वज्रासन :

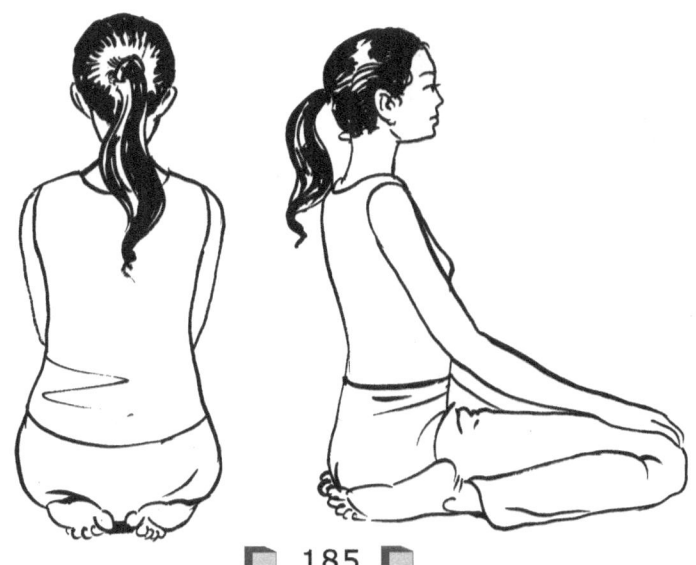

इस आसन में बैठने वाला व्यक्ति दृढ़ और मजबूत स्थिति प्राप्त करता है। इस स्थिति में सरलता से हिला-डुला नहीं जा सकता है। इसलिए इसे वज्रासन कहा जाता है। सामान्यतः योगी इस आसन में बैठा करते हैं।

विधि :

१. पैर के दोनों तलवों को गुदा के, दोनों ओर इस प्रकार रखें कि दोनों पैर के तलवे जाँघों के नीचे आयें।

२. टखनों से घुटने तक का पैरों का भाग जमीन को छूना चाहिए। पूरे शरीर का वजन घुटनों और टखनों पर रखें।

३. शुरुआत में घुटनों और टखनों में थोड़ा दर्द होगा। किंतु बाद में यह दर्द बहुत जल्द अपने आप दूर हो जायेगा।

४. दोनों हाथ सीधे करके घुटनों पर रखें या अपनी गोद में रखें। दोनों घुटनों को नजदीक रखें। शरीर, गर्दन और सिर एक सीध में रखकर बिलकुल तनकर बैठें। यह अत्यंत सामान्य आसन है। आराम से साँस लेते रहें।

५. इस आसन में बहुत लंबे समय तक आराम से बैठा जा सकता है। अब आप सुप्त वज्रासन करें।

वज्रासन के बाद सुप्त वज्रासन की अवस्था में जायें।

५) **सुप्त वज्रासन :**

इस आसन में जब हम चित्र अनुसार पीछे लेट जाते हैं तब उसे सुप्त वज्रासन कहते हैं। इसे साधने के लिए जल्दबाजी न करें।

लाभ :

१. इस आसन में पाचक रस अधिक मात्रा में उत्पन्न होते हैं और गैस का रोग मिटता है। २. यह आसन निरंतर करने से घुटनों, पंजों, पैरों और जाँघों में होने वाला दर्द दूर होता है। ३. यही एक ऐसा आसन है जो कहीं भी, कभी भी, भोजन करने से पहले, भोजन करने के बाद भी किया जा सकता है।

सुप्त वज्रासन के बाद आगे दिये गये आसन क्र. ६, ७, ८ की स्थिति में आयें। अब तक बताये गये आसन मासिक धर्म की तकलीफ में आप कर सकते हैं। इन्हें करने के लिए आप नीचे दी गयी आकृतियों में दिखाये गये तीन तरीके (आसन ६, ७, ८) से तकिये का सहारा भी ले सकते हैं। इससे आपको कमर दर्द की तकलीफ में राहत महसूस होगी। इस आसन से महिलाओं के मासिक धर्म की समस्त तकलीफें कम होती हैं। हृदय चुस्त होता है और हृदय के रोग ठीक होते हैं। इन आसनों के बाद अंत में कुछ देर मकरासन की अवस्था में विश्राम कर सकते हैं।

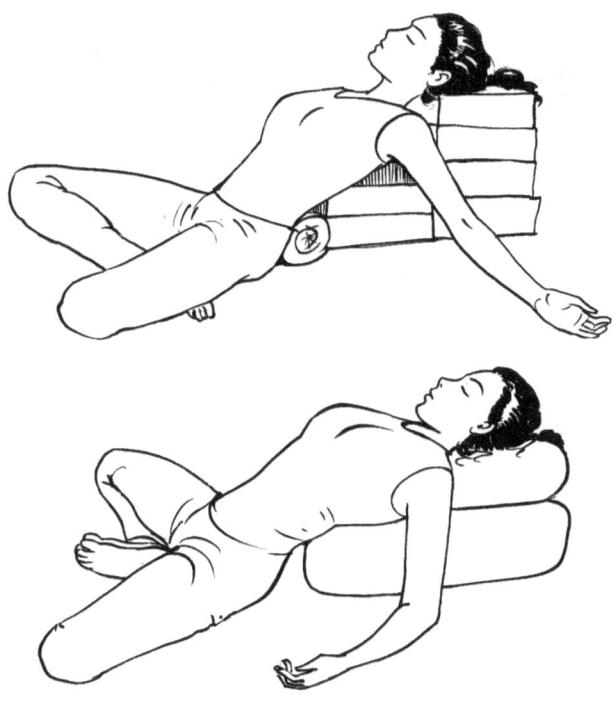

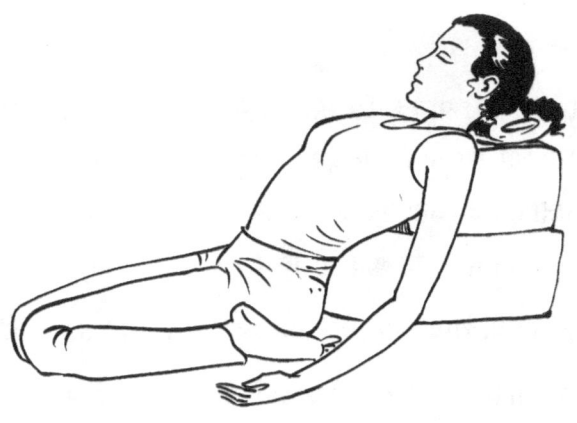

मासिक धर्म में बताये गये ८ आसन कर लेने के बाद अंत में मकरासन करें।

९) मकरासन :

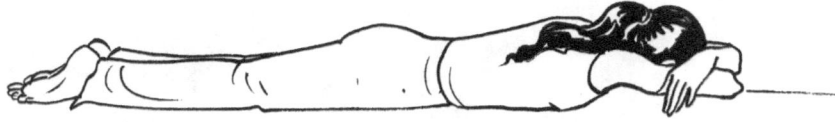

मकर अर्थात मगर। इस आसन में शरीर की आकृति पानी में तैरते हुए मगर जैसी लगती है इसलिए इस आसन को मकरासन कहा जाता है। इस आसन से बहुत सारे लाभ होते हैं । यह आसन करने से शरीर की पूरी थकावट दूर हो जाती है और सभी अंगों को आराम मिलता है। इस आसन की क्रिया शवासन की क्रिया से विपरीत है किंतु दोनों का ध्येय एक ही है। शरीर को संपूर्ण आराम देना है। पीठ या रीढ़ में चोट लगी हो तो यह आसन शवासन का काम कर देता है। इस आसन के बाद आनंद व शक्ति की अनुभूति होती है।

भाग २

मेनोपॉज

रजोनिवृत्ति को नये रूप से देखें

रजोदर्शन (Menstrual Cycle) की तरह ही रजोनिवृत्ति भी नारी के जीवन का एक महत्त्वपूर्ण काल है। महिलाओं को हर माह होने वाले मासिक धर्म का अंतिम रूप से रुक जाना अथवा बंद हो जाना ही रजोनिवृत्ति कहलाता है। अंग्रेजी में इसे मेनोपॉज कहते हैं, जो ग्रीक शब्द मेनो (महीना) और पॉसिस (रुक जाना) से बना हुआ है, अर्थात् यौनारंभ से शुरू हुई हर माह की माहवारी प्रक्रिया का जीवन चक्र रुक जाना।

स्त्री की उम्र के पैंतालीस-पचास

वर्ष में माहवारी की क्रिया बंद होनी शुरू हो जाती है । कुछ महिलाओं को इसमें तकलीफ नहीं होती और माहवारी बंद हो जाती है परंतु कई महिलाओं को अनेक तकलीफों का सामना करना पड़ता है । मेनोपॉज के वक्त स्त्री के शरीर के हार्मोन्स में बदलाव आते हैं । मेनोपॉज के समय में महिलाओं को शारीरिक व मानसिक तकलीफें होती हैं ।

जीवन की अन्य जरूरी प्रक्रियाओं की तरह ही मेनोपॉज (रजोनिवृत्ति) भी महिलाओं के जीवन का महत्त्वपूर्ण काल है, जिससे कोई भी स्त्री अछूती नहीं रह सकती । कई स्त्रियों को इस बात का बहुत डर होता है । मेनोपॉज एक सहज प्राकृतिक अवस्था है, जिससे डरने की कोई आवश्यकता नहीं है । यह अवस्था स्वीकार करते हुए यदि महिलाएँ स्वयं को उसके लिए तैयार करें तो उनका स्वास्थ्य बेहतर हो सकता है । कभी-कभी कुछ स्त्रियों को इसके बारे में बहुत सारी आशंकाएँ और डर होते हैं । इसके विपरीत कुछ स्त्रियों को पता ही नहीं चलता कि उनके जीवन का यह संक्रमण काल कब और कैसे बीत गया । ये दोनों तरह के अनुभव ध्यान में रखते हुए, जीवन का यह संक्रमण काल सहजता से लें और हर तरह के डर से दूर रहें ।

मेनोपॉज की उम्र :

मेनोपॉज की उम्र के बारे में अनेक व्यक्तिगत भिन्नताएँ हैं । ५० प्रतिशत महिलाओं में ४५ से ५० की उम्र में तथा ५० प्रतिशत महिलाओं में ४०-४५ के बीच तो किसी को ५० से ५५ के बीच मेनोपॉज होता है । इस तरह की भिन्नता की मुख्य वजह स्त्रियों का वंशानुक्रम, उनका सामान्य स्वरूप, माहौल और देश की भिन्नताएँ आदि हैं । फिर भी औसतन मेनोपॉज ५० की उम्र में होता है ।

मेनोपॉज के लक्षण :

मेनोपॉज के समय में महिलाओं को कभी-कभी बहुत अधिक गुस्सा आता है, कभी एकदम शांत लगता है । उदास लगना या अचानक बिना वजह के रोना आना इत्यादि मानसिक तकलीफें होती हैं । साथ में पसीना आना, शरीर की गर्मी

बढ़ जाना, शरीर से गरम भाप निकलना आदि लक्षण दिखायी देते हैं।

कई स्त्रियों के मन में यह सवाल उठता है कि उन्हें कैसे पता चलेगा कि वे मेनोपॉज की प्रक्रिया से गुजर रही हैं। यह बात जानने के कई लक्षण हैं। जैसे चिड़चिड़ापन, बेचैनी, अचानक गर्मी का आभास होना, रात को बिना किसी वजह के पसीने से भीग जाना, सिरदर्द, थकावट, नींद न आना, सेक्स के प्रति अरुचि, योनि शुष्कता आदि। ऐसे समय में धैर्य और सहजता से काम लें।

नारी की प्रजनन संबंधित संरचना तथा अन्य शारीरिक विकास में इस्ट्रोजन और प्रोजेस्ट्रॉन हार्मोन्स मुख्य भूमिका निभाते हैं। ये हार्मोन्स खासकर स्तन, त्वचा, बाल, शरीर आदि आकार के विकास में महत्त्वपूर्ण भूमिका निभाते हैं। इस्ट्रोजन- योनि, गर्भाशय का विकास, हड्डियों की सुरक्षा तथा मजबूती के लिए भी बेहद जरूरी होता है। मेनोपॉज के बाद शरीर में इस्ट्रोजन की कमी हो जाती है, जिससे शरीर पर प्रतिकूल प्रभाव होता है। ८८% महिलाओं को तीव्र गर्मी का एहसास, गालों पर लाली, शरीर के ऊपरी भाग व चेहरे पर खासकर रात के समय पसीना आता है। दस में से छ: महिलाओं में ये लक्षण १ साल से ७ साल तक भी हो सकते हैं। दस महिलाओं में से एक महिला को करीब १० सालों तक भी यह समस्या रहती है।

मेनोपॉज के परिणाम :

इस्ट्रोजन की कमी के कारण योनि सिकुड़ और सूख जाती है। योनि में खुजलाहट और संक्रमण होने के साथ-साथ सेक्स के दरमियान और बाद में दर्द होता है। इस्ट्रोजन की कमी के कारण हड्डियों को भी क्षति पहुँचती है, जिससे महिलाएँ ऑस्टियोपोरोसिस की शिकार हो जाती हैं। मेनोपॉज के बाद ३ में से १ स्त्री ऑस्टियोपोरोसिस से पीड़ित हो जाती है। इतना ही नहीं, मेनोपॉज की शुरुआत के ५ से ६ साल में कम-से-कम २० प्रतिशत महिलाओं में हड्डियों की क्षति की शिकायत होती है। इसके अलावा मेनोपॉज के कारण दाँतों के गिरने का खतरा भी रहता है।

मेनोपॉज में इस्ट्रोजन की कमी से कोलेस्ट्रॉल की मात्रा अस्वाभाविक रूप से प्रभावित होती है क्योंकि मेनोपॉज के प्रभाव से एचडीएल (अच्छा कोलेस्ट्रॉल) की मात्रा कम हो जाती है, जिससे हृदय रोग होने की संभावना होती है। फिलहाल मेनोपॉज, कोलेस्ट्रॉल और हृदय रोग के जटिल संबंधों पर संशोधन हो रहा है।

इस्ट्रोजेन की कमी कैसे पूरी करें : (उपचार)

मेनोपॉज में इस्ट्रोजन की कमी के कारण स्त्री को जाने-अनजाने में बहुत सारी बीमारियाँ हो सकती हैं। अतः इस्ट्रोजन की कमी पूरी करने का सबसे बेहतर तरीका है- एच.आर.टी (हार्मोन रिप्लेसमेन्ट थेरेपी)। इससे हड्डियाँ मजबूत बनने के साथ-साथ हृदय रोग का खतरा भी कम हो जाता है। यह इलाज योनि शुष्कता कम करने के अलावा कामोत्तेजना भी बढ़ाता है लेकिन कुछ डॉक्टरों का मानना है कि एच.आर.टी. से ब्रेस्ट कैंसर का खतरा बढ़ सकता है। हाल ही में किये गये रिसर्च से यह तथ्य सामने आया है कि पाँच साल तक एच.आर.टी. लेने से कोई खतरा नहीं है। इसके अलावा ई.आर.टी. (इस्ट्रोजन रिप्लेसमेन्ट थेरेपी) भी उपरोक्त परेशानियाँ दूर करने में बराबर की भूमिका निभाती है। जो महिलाएँ ई.आर.टी. लेती हैं, उनके दाँत गिरने का खतरा इस्ट्रोजन इस्तेमाल न करने वाली महिलाओं की अपेक्षा दो तिहाई रहता है। अधिक समय (१५ साल या उससे अधिक) तक इस्तेमाल करने से, यह खतरा आधा होता है।

मेनोपॉज की तकलीफ से बचने के लिए अन्य उपाय :

१) सादगीपूर्ण जीवन जीने से भी मेनोपॉज में होने वाले असंतुलन से बचा जा सकता है। इसके लिए नियमित रूप से व्यायाम करें, अपने खान-पान में बदलाव लायें, भोजन हलका और सुपाच्य लें, शरीर की सक्रियता बनाये रखें और आहार में विटामिन्स और मिनरल्स शामिल करें।

२) एक चम्मच गाजर के बीज + बीट का जूस लें।

३) तनावमुक्त रहना सीखें, चिंता न करें। योगासन करें। अंतर्मन को सूचनायें दें।

४) अपने डॉक्टर की सलाह से होमियोपैथिक दवाइयों का सेवन करें। होमियोपैथिक दवाइयाँ मेनोपॉज की अनेक तकलीफों पर परिणामकारक सिद्ध होती हैं । होमियोपैथी में शारीरिक तकलीफ के साथ मानसिक तकलीफ पर भी ध्यान दिया जाता है। मानसिक तकलीफ का विचार करने के बाद जो दवाइयाँ दी जाती हैं, उन दवाइयों का कोई भी पर्याय नहीं है ।

महिलाओं की प्रजनन शक्ति के विकास के क्रम में, रजोदर्शन के साथ-साथ रजोनिवृत्ति भी एक अहम संक्रमण काल है। जिस तरह शुरू में किशोरावस्था से लेकर परिपक्वावस्था तक कुदरत उनके प्रजनन अंगों को धीरे-धीरे पुष्ट तथा प्रजनन की प्रक्रिया के लिए तैयार करती है, उसी तरह रजोनिवृत्ति काल में वह उन्हें इस प्रजोत्पत्ति की जिम्मेदारी से मुक्त कर देती है। अत: रजोनिवृत्ति के बारे में परेशान या तनावग्रस्त महसूस न करें। जब आप धैर्य और समझदारी से काम लेंगी तब कई तकलीफों का आसानी से अंत होगा और आप बेहतर जीवन जी पायेंगी।

भाग ३

महिलाओं की समस्या - श्वेतप्रदर

जानकारी और निदान

महिलाओं के जीवन में अनेक उतार-चढ़ाव आते हैं जैसे-गर्भधारण और प्रसव। इस चक्र के कारण उन्हें कुछ समस्याओं का सामना करना पड़ता है परंतु वे लज्जावश और संकोचवश अपनी बीमारियों को लेकर डॉक्टर के पास जाने से हिचकिचाती हैं। रोग की आरंभिक अवस्था में उपचार करने पर वह जल्दी ठीक हो सकता है मगर उसके बढ़ने के बाद डॉक्टर के पास जाने से इलाज मुश्किल हो जाता है इसलिए बेहतर है, डॉक्टर से पहले ही जाँच करवायें, इसमें संकोच न करें। शरीर का रोगी होना एक सामान्य बात है।

श्वेतप्रदर - सेहत का दुश्मन :

श्वेतप्रदर में मासिक ऋतुस्राव अनियमित हो जाता है। योनि की दीवारों से या गर्भाशय ग्रीवा से श्लेष्मा (म्यूकस) का स्राव होता है। इसके कारण बार-बार कमर दर्द होती है, शरीर में थकावट महसूस होती है । अलग-अलग स्त्रियों को अलग-अलग तकलीफें होती हैं। यदि श्वेतस्राव ज्यादा मात्रा में हो, उसका रंग पीला, हरा या नीला हो, खुजली पैदा करने वाली स्थिति हो तो यह गंभीर परिस्थिति है। इससे शरीर कमजोर, हाथ-पैर में दर्द, कमर दर्द, पिंडलियों में खिंचाव शरीर भारी रहना, चिड़चिड़ापन, गाढ़ा बदबूदार स्राव होता है।

स्त्रियों में श्वेतप्रदर (ल्युकोरिया) संक्रमण (इन्फेक्शन) के कारण होता है और इसे अनदेखा करने से यह व्याधि का रूप ले लेता है। ल्युकोरिया का शाब्दिक अर्थ है सफेद तरल पदार्थ का स्राव होना।

यह व्याधि सामान्यत: अधिक तीखे, गरिष्ठ भोजन, मादक वस्तुओं का सेवन, कफ प्रधान भोजन, संक्रमण आदि कारणों से होता है। जिसके कारण मानसिक और शारीरिक परेशानी बढ़ने लगती है। ऐसी महिलाओं में शारीरिक दुर्बलता, हाथ-पैरों में जलन, रक्त की कमी, स्वभाव में चिड़चिड़ाहट एवं मानसिक तनाव आदि लक्षण देखे जाते हैं।

आधुनिक चिकित्सा विज्ञान के आधार पर जननेंद्रियों (Genital organs) जैसे गर्भाशय, योनि (Vagina) एवं योनि मार्ग में संक्रमण होने से श्वेतस्राव होता है। ल्युकोरिया अनेक प्रकार के संक्रमण द्वारा होने वाला लक्षण है। भारीपन, सुस्ती, बेचैनी, घबराहट, दुर्बलता, भूख ठीक से न लगना, शारीरिक कांति का कम होना आदि इसके लक्षण होते हैं।

श्वेतप्रदर का संक्रमण (इन्फेक्शन) दो प्रकार से होता है। गर्भाशय तथा गर्भाशय ग्रीवा से उत्पन्न होने वाले स्राव और कभी-कभी योनि मार्ग की ग्रंथियों (Vulular glands) की क्रिया के बढ़ जाने के कारण होता है। बार-बार गर्भपात होने के कारण, मधुमेह के कारण और गर्भ-निरोधक गोलियों के अति सेवन से श्वेतप्रदर हो सकता है।

खाया हुआ भोजन पचने से पहले फिर से भोजन करना, तेज रफ्तार से घुड़सवारी करना, ज्यादा दुःख मनाना या चिंता करना, ज्यादा मसालेदार, चटपटे व खट्टे पदार्थ खाना, शरीर दुबला, कमजोर होना, योनि प्रदोष का साफ न रखना, किसी कारण से सूजन होना, ये सब श्वेतप्रदर के कारण होते हैं।

रोग का निदान :

इसके इलाज के लिए विशिष्ट जाँच (पेप-स्मीअर टेस्ट) करवायी जाती है। इसमें द्रव का नमूना लेकर इन्फेक्शन के कारणों की जाँच की जाती है और उसके अनुसार दवा दी जाती है। यदि सर्विक्स में सूजन या रक्तस्राव हो तो लेजर विधि का उपयोग किया जाता है। इसके अलावा सफाई, आहार-विहार इत्यादि में बदलाहट की जाती है। लक्षणों को देखते हुए रुग्णों की अवस्थानुसार उपचार किया जाता है।

आयुर्वेदिक उपचार :

- प्रदरांतक लौह २५० मि. ग्राम, कुकुटाण्डक त्वक् भस्म २५० मि. ग्राम, प्रवाल भस्म २५० मि. ग्राम, प्रातः व सायं दो बार शहद के साथ लें।
- भोजन के बाद : अशोकारिष्ट १० मि.ली., लोहासव १० मि.ली. दिन में दो बार १० मि.ली. जल के साथ लें।

घरेलू इलाज :

१) सिंघाड़े के आटे का हलवा खाना लाभदायी है।

२) गोंद को शुद्ध घी में तलकर शक्कर की चाशनी में डालकर खाने से फायदा होता है।

३) पके टमाटर का सूप पीने से व आँवले का मुरब्बा खाने से भी इस बीमारी में आराम मिलता है।

४) सिंघाड़े शाम को पानी के मटके में डाल दें, सुबह मटके से निकालकर पीस लें, इसमें बराबर मात्रा में पिसी मिश्री मिलाकर, सुबह खाली पेट खाकर ऊपर से मीठा गरम दूध पी लें।

५) बिना बीज वाली बबूल की बारीक फल्लियाँ, छाँव में सुखाकर पीस लें। यह चूर्ण एक चम्मच शहद में मिलाकर सुबह शाम चाट लिया करें।

६) सोते समय एक छोटा चम्मच त्रिफला चूर्ण गरम पानी के साथ लें। यह प्रयोग ४० दिनों तक करें, आराम मिलेगा।

७) एक गिलास दूध में एक केला मसलकर एक चम्मच शुद्ध घी व तीन चम्मच शहद डालकर सुबह व सोते समय लिया करें, जरूर आराम मिलेगा।

खण्ड

गर्भवती नारी

भाग १

स्त्री का माँ न बनना क्या अधूरापन है

शारीरिक पूर्णता ही पूर्णता नहीं है

जो स्त्री विवाहोपरांत मातृत्व-सुख से वंचित रहती है, वह समाज में तिरस्कृत नजरों से देखी जाती है । बच्चा न होना यानी 'स्त्री अपूर्ण है, उसके जीवन में अधूरापन है', यह मान्यता है क्योंकि चारों तरफ लोग वही मान्यता दे रहे हैं। उसी मान्यता के आधार पर स्त्री अपने आपको अधूरा महसूस करती है। मन जो मान लेता है, वैसा ही हमें दिखायी देता है। उदाहरण- एक गुरुजी ने अपने शिष्य को विचारों की शक्ति समझाने के लिए एक कमरे में बिठा दिया और कहा कि 'यही

विचार करते रहो कि मैं बैल हूँ।' अब वह शिष्य कमरे में यह विचार कर रहा है, उसे एक प्रयोग दिया गया है। गुरुजी खिड़की से आते हैं और कहते हैं कि 'बाहर आ जाओ' तो वह बाहर आ जाता है। फिर उसे कहते हैं, 'रुको, वापस अंदर जाओ और यही ध्यान करते रहो।' ऐसे दो दिन किया गया। तीसरे दिन गुरुजी आये और उससे कहा, 'खिड़की से बाहर आ जाओ' तो वह बाहर ही नहीं आ पा रहा था। इसका कारण उससे पूछा कि 'तुम बाहर क्यों नहीं आ पा रहे हो?' तो उसने कहा, 'बाहर आने में मेरे सींग अटक रहे हैं।' ऐसा इसलिए हुआ क्योंकि बार-बार यही दोहराया गया कि 'मैं बैल हूँ...मैं बैल हूँ।' उसी तरह वह स्त्री 'मैं माँ नहीं बन सकी' बार-बार दोहराती है इसलिए उसे अधूरापन महसूस होता है और लोग भी वही बता रहे हैं कि आप बाँझ हैं...आपने बच्चा पैदा नहीं किया...आप अधूरी हैं मगर ऐसा नहीं है। आपको बच्चा नहीं हो रहा यानी आपका जीवन हटकर है, आपकी गीता अलग है, आपके द्वारा कुछ अलग कार्य होने हैं, आपके लिए कुछ अलग चुनौतियाँ हैं, इस समझ के साथ जीवन को देखें।

सभी लोग एक जैसा कार्य नहीं करते। कुछ लोग नये रास्ते खोजते हैं, पीछे वालों के लिए नये रास्ते बनाते हैं। यह बात समझी जाय, उस पर चला जाय तो इस तरह की बातें परेशान करना बंद कर देंगी। आपके साथ बड़ी संभावना खुल सकती है। हम छोटी संभावना में ही खुश होकर रह गये कि एक स्त्री ने बच्चा पैदा कर लिया, अब उसका वही जीवन रह गया। उसी में पूरा जीवन खतम हो गया। उस शरीर का वैसा कार्य है। जिसके साथ भी यह घटना हो रही है, वह अपने आपसे पूछे कि उसे उस घटना को वरदान बनाना है कि अभिशाप बनाना है?

इंसान अधूरापन इसलिए भी महसूस करता है क्योंकि वह शरीर को ही 'मैं' मानता है। आप जब अपने आपको शरीर से परे जानेंगे तब इस अधूरेपन का सवाल ही नहीं आयेगा क्योंकि आप पहले से ही पूर्ण हैं। पूर्णता से कुछ निकाला नहीं जा सकता और कुछ डाला भी नहीं जा सकता। पूर्ण तो पूर्ण ही रहता है।

इसका अर्थ यह भी नहीं कि स्त्री कभी माँ नहीं बन सकती। यदि उचित उपचार किया जाय तो बाँझ स्त्री भी माँ बन सकती है।

भारतीय समाज में लोगों का मानना है कि 'हर नारी को बच्चा होना जरूरी है।' लेकिन यह पूर्ण सत्य नहीं है। इंसान अपने आपको शरीर मानकर ऊपर दी गयी मान्यता में उलझता है। अगर बच्चा होता है तो वह एक औरत के लिए अच्छा है मगर 'बच्चा नहीं हुआ तो जीवन बेकार है', ऐसा न समझें। अगर कोई स्त्री बाँझ है, उसे बच्चा नहीं हो सकता तो वह समाज के टोकने की वजह से स्वयं को कम मानती है और अपूर्ण महसूस करती है। वह अपनी सुरक्षा का कोई दूसरा साधन जुटा नहीं पाती। अगर स्त्री को बेटा हुआ तो उसका पालन करने में माँ का जीवन पूर्ण होता है। माँ को बेटे की वजह से सुरक्षा मिलती है और माँ बेटे को तेज प्रेम भी दे पाती है। इसके विरुद्ध अगर किसी स्त्री को औलाद न हो तो वह दूसरे तरीकों से भी पूर्णता प्राप्त कर सकती है। तेजज्ञान प्राप्त करने वाले लोग हमेशा यह समझ रखते हैं कि शारीरिक पूर्णता ही पूर्णता नहीं है।

पूर्णता को भी पूर्ण होने की आवश्यकता होती है। आध्यात्मिक पूर्णता के बगैर पूर्णता पूरी नहीं होती। जो लोग जीवन में आगे बढ़ना चाहते हैं, संपूर्णता चाहते हैं, वे नये प्रयोग जरूर करें। ऐसे लोग बच्चे गोद लेकर भी पूर्णता प्राप्त कर सकते हैं। यह आवश्यक नहीं है कि अपना ही बच्चा हो, अपने ही शरीर से आया हुआ हो। जो लोग बच्चे के द्वारा अपने जीवन में पूर्णता चाहते हैं, वे एक बच्चे को गोद लेकर भी पूर्णता प्राप्त कर सकते हैं और विश्व को मदद भी कर सकते हैं। यह काम जो लोग स्वयं बच्चे पैदा कर सकते हैं, वे भी कर पायेंगे। ऐसे लोग भी बच्चे पैदा कर सकते थे मगर वैसा न करते हुए वे बच्चे को गोद लेते हैं क्योंकि वे आत्मनिर्भर होते हैं। जिन्हें इस बात की दृढ़ता होती है कि उनकी खुशी इस बात पर निर्भर नहीं होती है कि उनके बच्चे उनका साथ देते हैं या नहीं। ऐसे लोग अपने गुणों पर इतना ज्यादा काम करते हैं कि उन्हें बुढ़ापे का डर नहीं होता क्योंकि वे पहले से ही सभी काम करते हैं, जिनसे वह स्वयं को शरीर से अलग जानते हैं

और उनका स्वयं के शरीर पर आत्मनियंत्रण होता है । ऐसे लोगों को मौत भी डरा नहीं सकती । उन्हें कोई असुरक्षा नहीं डराती । यह समझ रखते हुए तेजसंसारी काम करते हैं ।

इसका अर्थ यह नहीं है कि बच्चे पैदा न करें । बच्चा गोद भी लिया जा सकता है । हर एक अपने लिए यह सोचे कि 'मैं कैसे निमित्त बन सकता हूँ!' किसी के लिए बच्चे को गोद लेना ही निमित्त बनने का तरीका हो सकता है । किसी बच्चे को घर देकर आप उसके लिए निमित्त बन सकते हैं । किसी के लिए निमित्त बनने का कोई और तरीका हो सकता है । कोई इंसान किसी और तरह की सेवा करके भी निमित्त बन सकता है । जिसे जो बातें योग्य लगती हैं, वैसा वह कर सकता है ।

भाग २

बच्चे के जन्म के साथ स्त्री का पुनर्जन्म

तेज प्रेम व्यक्त करने का मौका

ऐसा कहा गया है कि 'बच्चे के जन्म के साथ माँ का भी नया जन्म होता है।' ऐसा इसलिए कहा जाता है क्योंकि जब स्त्री में तेज प्रेम अभिव्यक्त होता है तब वहाँ पूर्णता होती है। तेज प्रेम माँ के रिश्ते में ज्यादा होता है। जब बच्चे का जन्म होता है तब माँ के साथ यह संभावना खुलती है और वह अपने बच्चे को बेशर्त, बेहद और अनन्य प्रेम देती है। बच्चे के जन्म से पूर्व स्त्री अपने इस गुण को जानती भी नहीं थी। बच्चे का जन्म होते ही, उसके इस गुण को प्रकट होने का मौका मिलता है। बच्चे के जन्म के साथ तेज प्रेम प्रकट होना आसान है।

इसका अर्थ यह नहीं है कि तेज प्रेम प्रकट होने का यही एकमात्र तरीका है मगर बच्चे के जन्म के साथ माँ अपने तेज प्रेम को अभिव्यक्त कर सकती है। आपके अंदर कोई गुण हो और वह कभी अभिव्यक्त न हुआ हो तो आपको अपूर्णता का एहसास होता है । जैसे चित्रकार ने चित्र नहीं बनाया तो उसे अपूर्णता महसूस होती है। ठीक उसी तरह बच्चे के जन्म के साथ माँ का भी जन्म होता है यानी वह अपने तेज प्रेम को प्रकट कर पाती है। बच्चे के जन्म के पहले कोई उसे माँ कहने वाला नहीं था इसलिए वह पहले एक स्त्री, महिला या नारी थी मगर बच्चे के जन्म के साथ वह 'माँ' कहलायी जाती है। इसका अर्थ बच्चे के जन्म के पहले माँ का जन्म भी नहीं हुआ था। इस तरह एक संभावना प्रकट करने के लिए और पूर्णता पाने के लिए बच्चे का जन्म होता है। स्त्री के अंदर एक विशेष गुण है, स्त्री हृदय में रह पाती है इसलिए वह तेज प्रेम आसानी से प्रकट कर पाती है। तेज प्रेम नारी के शरीर (मनोशरीर यंत्र) द्वारा आसानी से प्रकट होता है और बच्चे को प्रेम दे पाना सबसे आसान है इसलिए कहा गया है कि बच्चे के जन्म के साथ स्त्री का भी जन्म होता है।

इसी के साथ यह समझ भी रखें कि एक बच्चा पूरे परिवार के लिए बहुत बड़ा मौका हो सकता है। माँ के साथ-साथ वह पूरे परिवार के लिए निमित्त बन सकता है। बच्चा घर में आया यानी आपको बच्चा बनने का मौका मिला। आप जीवन को फिर शुरुआत से देख सकते हैं, जो अनुभव हम बड़े होने के बाद भूल गये हैं। जीवन का बहुत बड़ा समय इंसान भूल जाता है। अगर उसे आज सब याद रहता तो आज उसके निर्णय अलग होते।

एक बच्चे के जन्म के साथ इंसान को फिर से बच्चा बनने का जो मौका मिलता है, उसमें फिर से इंसान को अपना बचपन दिखायी देने लगता है। उस बच्चे की आँखों में उसे असली अनुभव की झलक दिखायी देती है। उस बच्चे के सवालों में उसे भोलापन, स्वअनुभव पर रहकर बातचीत करने की आदत जो कभी उसमें थी, वह याद आने लगती है इसलिए बच्चा हर एक के लिए मौका

होता है। फिर से बच्चा बनने और बच्चे की तरह खुलकर जीने का इंसान को आभास होता है। बच्चों को गुस्सा आया तो गुस्सा करके वे उससे मुक्त हो जाते हैं, उस घटना को याद नहीं रखते हैं, बच्चों के ये सभी गुण देखकर बड़ों को भी प्रेरणा मिल सकती है। इस तरह बच्चा सभी के लिए निमित्त बन सकता है। बच्चे के द्वारा हर एक को अपना तेजप्रेम व्यक्त कने का मौका मिलता है, एक स्वाद मिलता है। वह स्वाद सभी के लिए निमित्त बन सकता है, फिर वह हर एक को तेजप्रेम दे सकता है। अगर सही ढंग से बच्चे को पाला गया तो फिर से सभी को तेजप्रेम जागृत करने का मौका मिल सकता है।

भाग ३

गर्भावस्था में संतुलित जीवन का महत्त्व
मातृत्व की नयी सुखद राह की ओर

गर्भावस्था का सबसे महत्त्वपूर्ण पहलू है उत्तम स्वास्थ्य बनाये रखना। सही भोजन और सही व्यायाम ही वो एकमात्र उपाय है, जिसकी मदद से आप अपनी पूरी गर्भावस्था को चुस्ती-फुर्ती और सेहत से भरपूर बनाये रख सकती हैं। एक स्वस्थ शिशु को जन्म दे सकती हैं।

गर्भधारण करने से पहले माता और पिता की पोषण संबंधी स्थिति का प्रभाव बच्चे के स्वास्थ्य पर हो सकता है और हो सकता है यह प्रभाव बच्चे के स्वास्थ्य पर जीवनभर बना रहे। एक भावी माता-पिता

के रूप में आपके सामान्य स्वास्थ्य, आहार और आपकी फिटनेस आपके गर्भस्थ शिशु के स्वास्थ्य के लिए बहुत ही महत्त्वपूर्ण भूमिका निभा सकती है। आपका शरीर एक नन्हीं सी जान को पूरे नौ महीने तक अपने भीतर रखकर, इसे पोषण और सुरक्षा देने वाला है। इस दौरान आपको अपने बच्चे की पोषण संबंधी हर जरूरत पूरी करनी होगी। साथ ही आपको स्वयं अपने स्वास्थ्य को भी चुस्त-तंदुरुस्त बनाए रखना होगा।

बच्चे और आप दोनों के लिए, आपको अभी से अपने शरीर को वे सभी पोषक तत्त्व उपलब्ध कराने होंगे, जो आप और आपके बच्चे का उत्तम स्वास्थ्य बनाये रखने के लिए जरूरी हैं।

अगर आप अभी से ही शुरुआत करेंगी तो आपकी अच्छी आदतें अभी से ही बन जायेंगी। साथ ही आपका शरीर गर्भधारण करने के लिए अपनी सर्वोत्तम स्थिति में बिलकुल तैयार हो जायेगा।

यही नहीं, गर्भावस्था के दौरान, शारीरिक और मानसिक रूप से भी कई बदलाव आयेंगे। आप इन बदलावों का अच्छी तरह सामना तभी कर पायेंगी, जब आप स्वस्थ-संतुलित भोजन करेंगी। इसके अलावा, अभी से ही सेहतमंद भोजन करके आप अपने शरीर को वे सभी पोषक तत्त्व और शक्ति दे सकती हैं, जिसकी जरूरत आपको शिशु को भविष्य में स्तनपान कराने के दौरान पड़ सकती है।

यदि आप अपने भोजन के संबंध में अधिक जानकारी चाहें या फिर कोई सप्लीमेंट (पूरक आहार) लेना चाहें तो अपने डॉक्टर की सलाह लें। बेहतर यही है कि आप अपने रोजाना भोजन में ही सभी जरूरी पोषक तत्त्वों को शामिल करके ही, हर दिन उत्तम संतुलित आहार लें। यदि आप विटामिन की गोलियाँ लेना चाहें तो अपने डॉक्टर की सलाह लें।

पोषक आहार तालिका :

माँ और बच्चे दोनों के लिए स्वस्थ-संतुलित भोजन बहुत जरूरी होता है इसलिए आपको अपने भोजन में पोषक तत्त्वों को बहुत सावधानी से शामिल

करना होगा क्योंकि आपके द्वारा लिए गये भोजन से ही आपके बच्चे की आहार संबंधी जरूरतें पूरी होती हैं। समझदारी के साथ तैयार की गयी एक पोषण आहार तालिका माँ की सेहत बनाये रखने में हर कदम पर बहुत ही लाभदायक साबित होती है। साथ ही बढ़ते शिशु की पोषण संबंधी आवश्यकता को भी पूरा करने में सहायक होती है।

अपने भोजन में आप अलग-अलग तरह के खाद्य पदार्थ शामिल करें। नीचे आपके लिए अलग-अलग खाद्य समूहों में मौजूद पोषण तत्त्वों की संक्षिप्त जानकारी दी गयी है।

१. **अनाज** – इनमें कार्बोहायड्रेट, आयरन, जिंक और कुछ ट्रेस मिनरल्स (खनिज) भी होते हैं। गेहूँ, चावल, मकई, जई इसी श्रेणी के खाद्यान्न हैं।

२. **शाकभाजी और फल** – ये विटामिन ए और सी, कार्बोहायड्रेट और फॉलिक ऐसिड का उत्तम माध्यम हैं। फ्रिज में रखे फल (फ्रोजन फ्रूटस) की तुलना में ताजे फल और शाकभाजी अधिक पोषक होते हैं। साथ ही, फलों के रस की तुलना में साबूत फल खाना अधिक गुणकारी होता है।

३. **दूध के उत्पादन** – इसमें दूध, सोया मिल्क, पनीर, चीज शामिल हैं, जिनमें कैल्शियम, प्रोटीन, विटामिन डी और विटामिन बी २ होते हैं।

४. **फलियाँ, मूँगफली व सूखे मेवे** – इनमें प्रोटीन, आयरन, विटामिन बी ६, विटामिन बी १२, जिंक और फॉलिक ऐसिड भरपूर मात्रा में पाया जाता है। सूखे मेवे (बादाम, अखरोट, जर्दालु), अंकुरित मूँग और राजमा इसी श्रेणी में आते हैं।

५. **मांसाहारी भोजन** – यदि आपको मांसाहारी भोजन की सलाह डॉक्टर से मिली है तो अंडे, मछली, चिकन और मटन में प्रोटीन और आयरन भरपूर मात्रा में होता है।

साथ ही ध्यान रखें कि आपके भोजन में निम्नलिखित पोषक तत्त्व भी अवश्य शामिल हों :

- **कैल्शियम** – शिशु की हड्डियों और दाँतों के स्वस्थ विकास के लिए उत्तम है।
- **आयरन** – गर्भावस्था में रक्त की मात्रा बढ़ाने, भ्रूण के रक्त और मांसपेशियों के ऊतकों के लिए लाभदायक है।
- **प्रोटीन** – शरीर की रचना का प्रमुख आधार है।
- **कार्बोहायड्रेट** – चुस्ती-फुर्ती देता है और शरीर की हर कार्यप्रणाली को शक्ति देता है।
- **वसा** – ऊर्जा या शक्ति का महत्त्वपूर्ण माध्यम।

यदि गर्भावस्था के दौरान आपको छाती में जलन हो तो थोड़ा-थोड़ा करके कई बार धीरे-धीरे चबाकर खायें। तले और मसालेदार खाद्य पदार्थ न खायें (जैसे काली मिर्च फ्राइड चिकन)। भोजन के साथ तरल पेय पीने के बदले दो समय के भोजन के बीच ज्यादा से ज्यादा तरल पदार्थ लें। खाने के तुरंत बाद न सोयें।

संतुलित भोजन के लिए १० कदम :

एक संतुलित आहार योजना बनाने के लिए नीचे कुछ सुझाव दिये गये हैं :

१. अपने भोजन में हर दिन अलग-अलग पोषक खाद्य पदार्थों को शामिल करें।

२. डबलरोटी और अनाज (खास तौर पर साबूत अनाज), फल और सब्जियाँ अधिक मात्रा में खायें।

३. खास तौर पर चरबी (सैचुरेटेड वसा) और वसा युक्त भोजन कम करें।

४. भोजन और व्यायाम के बीच संतुलन बनाये रखकर, एक स्वस्थ-वजन बनाये रखें।

५. यदि आप मद्यपान करती हैं तो बंद करने की कोशिश करें।

६. शक्कर और शक्कर युक्त पदार्थ कम मात्रा में खायें।

७. कम नमक युक्त भोजन करें। नमक का उपयोग कम करें।

८. कैल्शियम युक्त खाद्य पदार्थ लें।

९. आयरन या लौह युक्त भोजन करें।

इन खाद्य पदार्थों से परहेज करें :

कुछ ऐसे खाद्य और पेय पदार्थ होते हैं, जिन्हें गर्भावस्था के दौरान लेने पर ये आपके शिशु को नुकसान पहुँचा सकते हैं। आपकी जानकारी के लिए इन खाद्य और पेय पदार्थों की सूची नीचे दी गयी है, जहाँ तक हो सके, इनका सेवन न करें:

- ❒ ऐसी मछली न खायें, जिसमें मिथाइलमर्क्युरी (एक ऐसा पदार्थ जो मछली में होता है) और गर्भस्थ शिशु को नुकसान पहुँचा सकता है। इसी तरह गर्भावस्था के दौरान शार्क, टाइलफिश आदि का सेवन न करें।
- ❒ अधिक मात्रा में कैफिन युक्त पदार्थ न खायें। यदि आप बहुत अधिक मात्रा में कॉफी, चाय या सोडा पीती हैं तो आप अपने डॉक्टर से अवश्य सलाह लें कि आपको कॉफी कितनी मात्रा में लेना चाहिए। कैफिन रहित अपना मनपसंद कोई भी पेय पीयें, जैसे मलाई बिना गर्म दूध, दूध और शहद या साफ-स्वच्छ मिनरल वॉटर।
- ❒ ऐसी कोई भी चीज न खायें जो खाने योग्य न हो। कुछ गर्भवती महिलाएँ ऐसी चीजें खाने की इच्छा करती हैं, जिन्हें खाना नहीं चाहिए, जैसे मुलतानी मिट्टी। यदि आपको ऐसी किसी चीज को खाने का मन करे तो अपने डॉक्टर से बात करें।

नोट : अपने डॉक्टर से बात करें और ऐसे खाद्य या पेय पदार्थों की सूची प्राप्त करें, जिनसे आपको परहेज करना चाहिए।

गर्भावस्था के दौरान वजन बढ़ना :

सही संतुलित मात्रा में कैलोरी युक्त भोजन करने से आपका और आपके बच्चे का वजन भी सही मात्रा में बढ़ता है और आपको गर्भावस्था के साथ-साथ, प्रसूति के समय भी ज्यादा तकलीफ नहीं होती। इसके अलावा, आपको गर्भावस्था के कारण होने वाली कुछ खास जटिलताओं जैसे डायबिटीज, हाई ब्लड प्रेशर,

कब्ज और कमरदर्द का भी जोखिम कम हो जाता है। आपकी गर्भावस्था के पहले तीन महीनों के दौरान, आपको उस कैलोरी को कम नहीं करना चाहिए, जो आप ले रही हैं।

साथ ही, गर्भावस्था के दौरान बहुत कम मात्रा में वजन बढ़ने के कारण भी आपके शिशु के संपूर्ण विकास में रुकावट आ सकती है। इसके अलावा, अगर आपका वजन बहुत ज्यादा बढ़ जाता है तो प्रसूति के बाद इसे घटाने में आपको तकलीफ हो सकती है। आपकी जानकारी के लिए सामान्य वजन वृद्धि के संबंध में एक सिफारिशी तालिका आगे दी गयी है, इसे आप अपने गर्भावस्था पूर्व के वजन के साथ तुलना करके देखें। *बहरहाल, सबसे बेहतर यही है कि आप अपने डॉक्टर की सलाह लें कि गर्भावस्था के दौरान आपका वजन कितना बढ़ना चाहिए।*

यदि आपका वजन जरूरत से कम है तो आपको बढ़ाना चाहिए : लगभग १२ से १८ कि.ग्रा. वजन।

यदि आपका वजन सामान्य है तो आपको बढ़ाना चाहिए : लगभग ११ से १५ कि.ग्रा. वजन।

यदि आपका वजन जरूरत से ज्यादा है तो आपको बढ़ाना चाहिए : लगभग ६.८ से ११ कि.ग्रा. वजन।

यदि आप मोटी हैं तो आपको बढ़ाना चाहिए : लगभग ६.८ कि. ग्रा. या इससे कम वजन।

पूरक आहार :

१. बी-ग्रुप के विटामिन पूरक - फोलेट बी ग्रुप का विटामिन है (इसे फॉलिक ऐसिड भी कहते हैं) और शिशु की कोशिकाओं के स्वस्थ विकास के लिए यह जरूरी है। अनुसंधान से पता चला है कि अधिकतर महिलाओं के भोजन में फोलेट की पर्याप्त मात्रा नहीं होती इसलिए महिलाओं को गर्भदान से पहले और गर्भावस्था के दौरान फोलेट लेने की सिफारिश की जाती है।

२. आयरन पूरक – गर्भावस्था के दौरान आयरन की पूरक के रूप में ३० से ६० मि. ग्रा. मात्रा लेने की सिफारिश की जाती है। यदि आपके भोजन से आपको इतनी मात्रा नहीं मिलती तो आपको पूरक के रूप में आयरन की गोली लेनी चाहिए।

३. अन्य पूरक में शामिल हैं कैल्शियम, मल्टी-विटामिन आदि की गोलियाँ। *कोई भी आहार पूरक लेने से पहले या इसे बंद करने से पहले अपने डॉक्टर की सलाह अवश्य लें।*

अन्य दवाएँ :

यदि आप कोई भी दवा ले रही हैं, फिर चाहे वो डॉक्टर द्वारा निर्देशित हो या न हो, अपने डॉक्टर से अवश्य पूछ लें कि इनका आपकी गर्भदान क्षमता (अगर आप गर्भधारण की योजना बना रही हैं) और आपके शिशु के विकास (एक बार गर्भवती होने के बाद), दोनों पर क्या प्रभाव होगा।

इसके अलावा, अगर आप सिरदर्द या अन्य किसी दर्द के लिए दर्द निवारक गोलियाँ ले रही हैं तो अपने डॉक्टर से अवश्य पूछ लें कि गर्भवती होने के बाद इनका आपके शिशु पर क्या असर होगा। साथ ही गर्भधारण करने से पहले आपको हर ऐसी औषधि को लेना बंद करना होगा, जो आप मौज-मस्ती के लिए ले रही हैं लेकिन इन्हें ऐसे ही न छोड़ दें। पहले अपनी मौजूदा दवाओं के बारे में अपने डॉक्टर को बतायें और उनसे पूछें कि आपकी इस दवा की आदत को सुरक्षा के साथ बदलने का कोई अन्य तरीका है या नहीं। कुछ दवाओं की मात्रा को डॉक्टर की निगरानी में धीरे-धीरे कम किया जा सकता है।

इसलिए बेहतर यही होगा कि आप अपने डॉक्टर से मिलकर बात करें और अपना हर तरह का संदेह दूर करें।

सक्रिय गर्भावस्था के लिए जीवन जीयें चुस्ती-फुर्ती के साथ :

चुस्ती-फुर्ती के साथ जीवन जीने के कई लाभ होते हैं। इससे हृदय, फेफड़े और शरीर की मांसपेशियाँ बढ़िया तरीके से काम करती हैं। नियमित शारीरिक

व्यायाम और भोजन की स्वस्थ आदत से आपको अधिक शक्ति मिलती है। तनाव कम होता है और आप खुद को स्वस्थ और तरोताजा महसूस करती हैं।

अच्छे स्वास्थ्य के लिए हलका व्यायाम करना, खास तौर पर सक्रिय गर्भावस्था के लिए बहुत जरूरी होता है। गर्भावस्था के दौरान आपके शरीर में कई तरह के बदलाव आते हैं। अगर आप चुस्त-तंदुरुस्त रहेंगी तो इनका सामना आसानी से कर सकेंगी।

शारीरिक गतिविधि :

यदि आप गर्भवती होने की योजना बना रही हैं तो आपके लिए शारीरिक गतिविधि अपनाना बहुत ज्यादा जरूरी है। कमर, घुटनों और कूल्हों का व्यायाम करके उन्हें प्रसव वेदना और प्रसूति के लिए अधिक शक्तिशाली बनायें।

१   उससे कमर दर्द की तकलीफ की रोकथाम में मदद मिलती है।
२   रक्त संचार बेहतर होता है और गर्भावस्था में टखनों पर आने वाली सूजन कम हो जाती है।
३   पैरों की मांसपेशियों में आने वाले खिंचाव की रोकथाम होती है।
४   शरीर का वजन नियंत्रित रहता है।
५   शरीर का संतुलन और तालमेल बना रहता है।
६   तनाव का सामना करने में मदद मिलती है।
७   शिशु को जन्म देने और शिशु की देखभाल करने की शक्ति मिलती है।
८   मांसपेशियों की जकड़न दूर होती है।
९   शरीर के आकार और साइज में आने वाले बदलाव को स्वीकार करने में आसानी होती है।
१० गर्भावस्था से संबंधित जटिलताओं जैसे गेस्टेशनल डायबिटीज की रोकथाम में मदद मिलती है।
११ आप स्वयं को चुस्त-तंदुरुस्त और बेहतर महसूस करती हैं।
१२ शिशु जन्म के बाद स्वास्थ्य लाभ में समय कम लगता है।

यदि आप पहले चाहे व्यायाम न करती हों या चुस्ती-फुर्ती से काम न

करती हों लेकिन अब समय आ गया है... कीजिये शुरुआत!

नोट : अगर आप गर्भवती हों तो डॉक्टर से पूछे बिना कोई भी व्यायाम शुरू न करें।

लंबे समय तक अपना व्यायाम जारी रखने के लिए आप पहले धीरे-धीरे शुरू करें। इसके बाद अपने व्यायाम का समय बढ़ाती जायें। आपके द्वारा किये जाने वाले व्यायाम और इसकी मात्रा पर ही निर्भर करेगा कि गर्भावस्था के दौरान इसे जारी रखना सुरक्षित है या नहीं।

नोट : आप गर्भवती हैं, पता चलते ही आप अपने व्यायाम की सुरक्षितता के संबंध में डॉक्टर से सलाह अवश्य लें।

अपने लिए एक उपयुक्त व्यायाम योजना तैयार करने के लिए पहले यह पता लगाइये कि आप निम्नलिखित में से किस श्रेणी में आती हैं।

क्या आप व्यायाम नहीं करतीं?

यदि आप बिलकुल व्यायाम नहीं करतीं तो यह सही समय है। कीजिये आज ही से शुरुआत। चुस्ती-फुर्ती बनाये रखने के लिए आप चाहे थोड़े समय के लिए लेकिन नियमित व्यायाम करें। फिर चाहे पैदल चलना हो, स्विमिंग हो, कोई खेलकूद हो या फिर योगा। सबसे जरूरी (और शायद सबसे मुश्किल भी) है कि आप बस एक बार शुरू करें।

नीचे आपके लिए कुछ सुझाव दे रहे हैं, जिनकी मदद से आप हलकी व्यायाम योजना तैयार कर सकती हैं। व्यायाम के दौरान, खास तौर पर अपनी शारीरिक स्थिति को मजबूत बनाने और हृदय की रक्तवाहिनियों को अधिक स्वस्थ रखने वाले व्यायाम करें। कुछ हफ्ते इन्हें जारी रखें। आप खुद ही अपने आपको इतना बेहतर महसूस करेंगी कि आपको यकीन नहीं आयेगा। व्यसन छोड़ने की कोशिश के दौरान भी व्यायाम बहुत लाभदायक होता है। इसके अलावा अगर आपके काम के दौरान माहौल तनावपूर्ण हो या आपको नींद न आने की समस्या हो तो ऐसे में व्यायाम बहुत ही लाभदायक होता है।

बस नीचे दिये कुछ सुझावों पर अमल करके देखिये ... आप खुद को कितना बेहतर महसूस करती हैं:

- कम से कम हफ्ते में तीन बार २० से ३० मिनट तेज पैदल सैर के लिए जायें।
- योगा क्लास में जायें। इससे आपका शरीर मजबूत और तनावमुक्त रहेगा।
- अपने नजदीकी स्विमिंग पूल में जाइये और थोड़ी देर स्विमिंग कीजिये।
- जिम जाइये और अपने कोच से आपके लिए एक खास व्यायाम कार्यक्रम तैयार करने के लिए कहिये लेकिन याद रखें यदि आपने अभी-अभी व्यायाम शुरू किया है तो हर बार व्यायाम शुरू करने से पहले स्ट्रैचिंग और वार्म-अप अवश्य करें।

गर्भावस्था के लिए कुछ महत्त्वपूर्ण निर्देश :

गर्भावस्था का दूसरा त्रैमासिक कोई भी नया व्यायाम कार्यक्रम अपनाने या व्यायाम का समय बढ़ाने के लिए सबसे सही समय होता है। गर्भावस्था के पहले त्रैमासिक में अधिक मेहनत वाला कोई भी व्यायाम न करें। इससे आपके गर्भ में विकसित हो रहे शिशु को नुकसान पहुँच सकता है।

- किसी भी अनियमित गतिविधि की तुलना में नियमित व्यायाम ज्यादा बेहतर होता है।
- व्यायाम करने से पहले वॉर्म-अप और खतम होने के बाद कूल-डाउन (शवासन) बहुत जरूरी होता है।
- किसी भी व्यायाम से पहले, दौरान और बाद में काफी मात्रा में पेय पदार्थ पीयें।
- गर्म और नमी युक्त जगह पर व्यायाम न करें।
- ऐसे व्यायाम या गतिविधि न करें, जिनमें कूदने, झटके लगने या तेजी से घूमने-मुड़ने की जरूरत पड़े।
- ऐसे खेलकूद में शामिल न हों, जिसमें चोट लगने का जोखिम अधिक हो।

- याद रखें, व्यायाम हमेशा चुस्त-तंदुरुस्त रहने के लिए करें, वजन घटाने के लिए नहीं। गर्भावस्था में वजन घटाना आपके शिशु के स्वस्थ विकास में रुकावट बन सकता है।

अधिक व्यायाम के संकेत :

- योनि से रक्त स्राव होना
- योनि से तरल स्राव होना
- गर्भाशय का लगातार फैलना या सिकुड़ना
- कमर दर्द या श्रोणि (प्यूबिक) के हिस्से में लगातार दर्द रहना
- अजीब तरह से पेट दर्द होना
- टखनों, हाथों या चेहरे पर अचानक सूजन आना
- एक पैर की पिंडली पर सूजन आना, दर्द होना या लाल हो जाना
- लगातार सिरदर्द होना या देखने में तकलीफ होना
- बिना कारण चक्कर आना या बेहोश हो जाना
- बहुत ज्यादा थकान लगना, धड़कन बढ़ जाना, छाती में दर्द होना या साँस फूलना
- वजन न बढ़ना (अंतिम दो त्रैमासिक के दौरान १ किलो से भी कम वजन बढ़ना)
- शिशु की हलचल न होना या कम हो जाना
- व्यायाम के बाद धड़कन तेज हो जाना या ब्लड प्रेशर बढ़ जाना

यदि इनमें से कोई भी संकेत दिखायी दें तो अपने डॉक्टर को तुरंत दिखायें।

अपने आपको चुस्त-तंदुरुस्त महसूस करने के लिए इन सुझावों पर अमल करें :

- अच्छी नींद लें या भरपूर आराम करें
- कोई मजेदार फिल्म देखें और जी खोलकर हँसें, भजन गायें या किसी अच्छी पुस्तक का पठन करें, जैसे – 'स्वसंवाद का जादू'
- प्रसूति और शिशु जन्म के अनोखे प्राकृतिक चमत्कार का आनंद उठायें

- अपने परिवार के नये सदस्य से मिलने के लिए ऐसे लोगों को घर पर बुलायें, जिनके साथ रहना आपको अच्छा लगता हो
- ऐसे ग्रुप के साथ मिले-जुलें, जिसमें आप और आपके शिशु दोनों को मजा आये, जैसे 'नयी-नवेली माँओं' का ग्रुप

यात्रा और टहलते वक्त क्या करें :

गर्भावस्था के दौरान आपको टहलने के लिए अवश्य जाना चाहिए क्योंकि इसे आप अपने कहीं भी आने-जाने के रोजाना कार्यक्रम में लगने वाले समय के साथ में आसानी से शामिल कर सकती हैं।

दरअसल ऐक्टिव ट्रांसपोर्टेशन का मतलब है साफ-स्वच्छ और प्रदूषण रहित माहौल में घूमना-फिरना ... जैसे खुली हवा में पैदल चलना, साइकिल चलाना आदि।

मान लीजिये आपके घर के आस-पास २ कि.मी. का खुला क्षेत्र है। हर बार इस क्षेत्र से गुजरते समय आप पैदल चलकर आयें या जायें :

- घर से दफ्तर या दफ्तर से घर
- रोजाना के काम के लिए - जैसे पोस्ट ऑफिस, स्टोर या पार्क में जाते समय
- मौज-मस्ती या फुरसत का समय बिताने के लिए

निजी लाभ :

१. इससे आने-जाने के कारण होने वाला तनाव कम होता है।
२. चुस्ती-फुर्ती, आत्मविश्वास और स्वस्थ होने की भावना पैदा होती है।
३. अन्य औपचारिक व्यायाम कार्यक्रम (जैसे जिम) की तुलना में अधिक किफायती और सुविधाजनक।
४. लोगों से मिलने-जुलने और बात करने का मौका मिलता है।
५. अस्थमा या साँस की तकलीफ ग्रस्त महिलाओं को ताजी हवा में रहने का मौका मिलता है।

६. हृदय की बीमारी, हाइपरटेंशन, मोटापा, डायबिटीज, ऑस्टियोपोरोसिस तथा अवसाद (डिप्रेशन) जैसी बीमारियों की रोकथाम और देखभाल में सहायक होता है।

७. लकवा, आंतों के कैंसर, हृदय की रक्तवाहिनियों संबंधी बीमारियों का जोखिम कम होता है।

८. चोट तथा विकलांगता का सामना करने के लिए शरीर को शक्ति मिलती है।

बहरहाल, एक्टिव ट्रांसपोटेशन हो सकता है लंबी यात्रा के दौरान संभव न हो पाये लेकिन फिर भी आप निम्नलिखित सुझावों पर अमल करके अपनी यात्रा को आरामदायक अवश्य बना सकती हैं।

यात्रा के दौरान :

ट्रेन या बस के लिए दौड़ना-भागना गर्भवती महिला के लिए अधिक हानिकारक हो सकता है। समय-पूर्व लक्षणों से बचने के लिए निम्नलिखित उपाय अपनायें :

- समय पर ट्रेन या बस पकड़ने के लिए घर से सामान्य से कुछ अधिक पहले निकलें।
- अपनी बस या ट्रेन को आती देखकर दौड़ें नहीं। इसके बदले दूसरी ट्रेन या बस का इंतजार करें।
- आरामदायक और सुरक्षित यात्रा के लिए कम भीड़-भाड़ वाली ट्रेन या बस का इंतजार करें।
- ऊबड़-खाबड़/ऊँची-नीची सड़कों पर यात्रा न करें।

अधिक जोखिम युक्त गर्भावस्था :

असामान्य या जटिल गर्भावस्था युक्त महिलाओं को जहाँ तक हो सके, यात्रा नहीं करनी चाहिए। इन जटिलताओं में प्रमुख हैं :

- योनि से रक्तस्राव होना
- एक से अधिक भ्रूण
- यदि आपकी उम्र ३५ वर्ष या इससे अधिक है और पहली बार गर्भवती हुई हैं
- गेस्टेशनल डायबिटीज, पहले से या अभी
- हाईब्लड प्रेशर, पहले से या अभी
- प्लेसेंटा में असामान्यता, पहले से या अभी
- पहले हो चुका गर्भपात
- पूर्व में होने वाली एक्टॉपिक गर्भावस्था
- पहले कभी समय से पहले प्रसव वेदना

लंबी दूरी का सफर :

सामान्य रूप से कहें तो एक गर्भवती महिला अपनी गर्भावस्था के दूसरे त्रैमासिक में सुरक्षापूर्वक यात्रा कर सकती है, बशर्ते उसमें जटिलता के कोई लक्षण न दिखायी दें। अगर आप गर्भवती हैं और यात्रा की योजना बना रही हैं तो उस स्थिति में यदि आपकी गर्भावस्था से कोई जोखिम जुड़ा हो तो अपने डॉक्टर की सलाह लें। यात्रा पर निकलते समय जरूरी दवाओं को अपने साथ ले जाना न भूलें क्योंकि सफर के दौरान हो सकता है आपको इनकी जरूरत पड़े।

कुछ दवाओं से परहेज करें :

गर्भवती महिलाओं को बिना सोचे-समझे कोई भी दवा नहीं लेना चाहिए क्योंकि कुछ दवायें प्लेसेंटा के जरिये आपके शिशु के शरीर में भी पहुँच सकती हैं। इससे शिशु में जन्मजात दोष पैदा हो सकता है या गर्भपात का जोखिम हो सकता है। निम्नलिखित सावधानियाँ अपनायें :

- जब तक आपका डॉक्टर आपको काउँटर से खरीदकर दवायें लेने के लिए न कहे, जो यह जानता है कि आप गर्भवती हैं, आप कोई भी दवा न लें।
- यात्रा के दौरान होने वाले डायरिया के लिए आम तौर पर उपयोग की जाने वाली दवायें गर्भावस्था के समय हानिकारक हो सकती हैं।

हमेशा याद रखें :

- गर्भवती महिलाओं के लिए गर्भावस्था का दूसरा त्रैमासिक यात्रा के लिए सबसे सुरक्षित होता है, बशर्ते उसे किसी तरह की जटिलता का जोखिम न हो।
- यदि आप गर्भवती हैं और यात्रा की योजना बना रही हैं तो खास तौर पर यदि आपको गर्भावस्था का अधिक जोखिम हो तो अपने डॉक्टर से सलाह अवश्य लें।
- गर्भावस्था के दौरान विकसित हो रहे देशों की यात्रा न करें।
- गर्भवती महिलाओं को डायरिया के लिए उपयोग की जाने वाली सामान्य दवाओं सहित बिना सोचे-समझे या डॉक्टर से सलाह लिए कोई भी दवा नहीं लेनी चाहिए।
- गर्भवती महिलाओं को इस स्थिति में अपने दाँतों का विशेष खयाल रखना अनिवार्य है क्योंकि गर्भावस्था में दाढ़/दाँत नहीं निकाल सकते। गर्भावस्था के प्रथम तीन माह में जब गर्भ के अवयव (organogenesis) तैयार होते हैं तब दाढ़/दाँत निकालते समय अति सावधानी आवश्यक है। एण्टीबायटिक्स दिये जाने की वजह से या दाँत निकालने पर बहुत बार रक्तप्रवाह, इन्फेक्शन (infection) हो सकता है इसलिए दाँत न निकालना उत्तम है। इस अवस्था में एक्सरे नहीं निकाल सकते क्योंकि 'क्ष'-किरणों (x-rays) के उत्सर्जन के कारण गर्भ पर विपरीत परिणाम होने की संभावना रहती है।

- गर्भावस्था में दाँतों में असह्य दर्द हो तो दाँत निकाल तो सकते हैं परंतु बेहतर है कि उसे डॉक्टर से भरवा लें या 'रुट कॅनाल' करके बचायें या प्रसूति होने तक टालें । शादी के बाद गर्भावस्था से पहले ही अपने दाँतों की जाँच करवायें । अगर कुछ खराबी हो तो योग्य इलाज करवायें । यही सबसे उच्चतम इलाज है, यह बात ध्यान में रखें ।

नोट - आज समाज ने इस बात की स्वीकृति दे दी है कि पति और पत्नी दोनों के अंदर अनेक गुण हैं। दोनों की अनंत संभावनाएँ हैं लेकिन फिर भी जरूरत है दोनों के बीच के अंतर को समझने की ताकि दोनों एक-दूसरे के साथ एक जुट होकर अपने अंदर की शक्तियों को दिशा दें और उस शक्ति से नये व रचनात्मक निर्माण करें। पुस्तक के इस खण्ड का उद्देश्य यही है कि पति-पत्नी एक-दूसरे को समझने के पहले अपने आपको समझें ताकि दोनों खुशहाल और संतुष्टि भरा जीवन जी पायें।

पति-पत्नी के अलग-अलग व्यवहार को देखकर कोई यह न समझ ले कि दोनों में से एक उच्च है और दूसरा निम्न। पति-पत्नी दोनों अपनी-अपनी दुनिया में रहते हैं। हम सभी यह जानते हैं कि स्त्री और पुरुष दोनों के जीवन जीने के नियम अलग-अलग हैं इसलिए शायद पश्चिमी देशों में ५०% शादियाँ केवल इस वजह से टूटती हैं क्योंकि दोनों अपने हमसफर के साथ बहस करते हैं। अपने हमसफर की मान्यताओं पर, उसके विचारों पर, उसके दृष्टिकोण पर और उसके व्यवहार पर वाद विवाद करते रहते हैं। इस वाद-विवाद से बचने के लिए दोनों को एक-दूसरे के स्वभाव का ज्ञान होना आवश्यक है। यही ज्ञान आपको इस खण्ड में दिया जा रहा है।

शेष

सुखी वैवाहिक जीवन का रहस्य

भाग १

रिश्तों में ज्ञान और पहचान बढ़े

ज्ञान में जैसे ही होश बढ़ता है तो वही बात जो अज्ञान में बुरी लगती थी अब बुरी नहीं लगती। ज्ञान मिलने से बदलाहट कहाँ पर आती है? दुनिया बदल जाती है या आप बदल जाते हैं? असल में क्या होता है? असल में इंसान के चेतना (होश) के स्तर में बदलाव होता है। इंसान चेतना के पहले स्तर पर पूर्ण अज्ञान में होता है और साँतवें स्तर पर संपूर्ण ज्ञान से देख पाता है। जो चीजें उसे असंभव लगती थीं वे अब उसे संभव दिखायी देने लगती हैं।

इस बीच में जो यात्रा होती है उसमें अलग-अलग पड़ाव आते हैं। हर पड़ाव पर आप अपना एक नया आयाम देखते हैं। पहले स्तर पर इंसान मात्र संसारी होता है, तेज संसारी नहीं होता। संसारी यानी इंसान यह मानकर बैठा होता है कि संन्यास लेने की आवश्यकता नहीं है। कबीर, गुरु नानक और महाराष्ट्र के कई संतों ने कहा है कि घर गृहस्थी में रहकर भी सत्य पाया जा सकता है। इससे लोगों ने गलत अनुमान लगा लिया कि 'यदि संसारी रहकर भी सत्य मिलने वाला है तो संसारी तो हम हैं ही, कुछ और करने की आवश्यकता नहीं है, सत्य श्रवण करने की आवश्यकता नहीं है।' यह गलतफहमी लोगों को हो गयी है। ऐसे बहाने पाकर इंसान सुबह से लेकर रात तक अपने रिश्तों में झगड़ रहा है। उसे तो यह भी नहीं पता कि वह झगड़ रहा है क्योंकि उसे तो वह रोजमर्रा का जीवन लगता है, उसे वह सामान्य लगता है। 'ऐसा ही जीवन है', यह मानकर वह झगड़ते रहता है। इस तरह उसका संसार चलता है। जब उसे थोड़ी समझ मिलती है तब उसे दिखायी देने लगता है कि जो चल रहा है वह सामान्य नहीं है, यह अज्ञान की वजह से हो रहा है। पति-पत्नी झगड़ रहे हैं तो क्या ऐसा होना सामान्य है? या हम यह मानकर बैठे हैं कि पति-पत्नी के बीच झगड़े होते ही हैं। आजू-बाजू के संसार में यही दिखता है इसलिए हमें लगता है कि ऐसे ही चलते रहेगा, इसमें कोई बदलाव नहीं आयेगा परंतु यह केवल मान्यता है।

लड़के और लड़कियों की कम उम्र में शादी करवायी जाती है यानी समझ प्राप्त होने से पहले ही शादियाँ करवा दी जाती हैं। बच्चों की तरह दिखने वाले लोग शादियाँ करते हैं और बच्चे पैदा करते हैं... बच्चों जैसे झगड़ने वाले लोग बच्चे पैदा करते हैं। अब सोचें कि उनके बच्चों का क्या होगा! जब वे बड़े होंगे तब अपनी (ध्यान पाने की) मूल चाहत पूरी करने के लिए गलत लोगों को अपनी तरफ आकर्षित करेंगे और उनके साथ झगड़ते रहेंगे कि 'मैंने तुम्हें अपने जीवन में अपनी पूर्णता के लिए बुलाया मगर तुम तो अपनी पूर्णता चाहते हो, तुम भी खाली हो... मैं भी खाली हूँ, तुम भी प्रेम शून्य हो... मैं भी प्रेम शून्य हूँ।' संसारी प्रेम में देना

नहीं जानते इसलिए उनके बीच में झगड़े होते है, छीना-झपटी होती है। कोई प्रेम देने को तैयार नहीं होता तो उनके बीच यह होने ही वाला है। यह समझ चेतना के पहले स्तर से ऊपर आकर प्राप्त होती है कि 'जो झगड़े चल रहे हैं उनके पीछे मूल कारण है समझ का न होना।' समझ होगी तो इंसान अपनी कमी को पूरा करने के लिए कुछ श्रवण, पठन और मनन करेगा। समझ प्राप्त करने के बाद इंसान को पता चलेगा कि कुछ कारण हैं जिन कारणों की वजह से ये झगड़े चल रहे हैं और वे कारण हमारे अंदर ही हैं। फिर वह कारणों की गहराई में जाने लगेगा और निवारण की तरफ बढ़ने लगेगा। इस तरह जब ज्ञान में होश बढ़ता है तब पति-पत्नी के बीच जो समझ होनी चाहिए, उसकी संभावना शुरू हो जाती है और उनके बीच झगड़े कम होने लगते हैं।

'तुम मैं बनो' ही समस्या है :

हम कभी भी इस बात पर ध्यान नहीं देते कि सामने वाला हमारे जैसा नहीं है जबकि यह सबसे मूल बात है। पति-पत्नी जब आपस में झगड़ते हैं तब वे जानते ही नहीं कि सामने वाला शरीर किस स्वभाव का है और यह न जानने की वजह से उनके अंदर यह वार्तालाप चलता है कि 'तुम मैं बनो' यानी उनकी यह चाहत होती है कि सामने वाला उनकी तरह बने। वे चाहते हैं कि 'जिस तरह मैं सोचता हूँ तुम भी उसी तरह सोचो... मैं जिस तरह समस्या का समाधान करता हूँ तुम भी उसी तरह करो... मैं जैसे चीजों को रखता हूँ वैसे तुम भी रखो... मैं जैसे बच्चों के साथ बात करता हूँ वैसे तुम भी बात करो...इत्यादि।' इस तरह आपने समझा कि 'तुम मैं बनो' यही समस्या है। जब पति-पत्नी अपने मनमुटाव के पीछे के कारणों की गहराई में जाते हैं तब वहाँ उन्हें यह बात समझ में आती है कि उनकी मूल चाहत की वजह से झगड़े होते हैं। झगड़े के ऊपरी कारण तो जल्दी पकड़ में आते हैं लेकिन मूल कारण जल्दी पकड़ में नहीं आता। वे कभी यह नहीं समझ पाते कि झगड़ा होने के बाद यदि दोनों में से किसी एक ने एक फूल लाकर सामने वाले को दिया होता तो वह खुश हुआ होता, उसे 'सॉरी' कहा होता तो

जल्दी झगड़ा खतम हुआ होता, 'प्लीज' कहा होता तो सामने वाला जल्दी मान गया होता। 'मैं गलत हूँ' कहने के साथ झगड़ा तुरंत समाप्त होता। यदि रिश्तों में यह समझ हो, इस तरह सोचा जाय तो रिश्ते जल्दी सुलझ सकते हैं।

स्त्री और पुरुष दोनों का स्वभाव अलग-अलग है :

स्त्री और पुरुष दोनों के मनोशरीर यंत्रों (शरीर) का स्वभाव अलग-अलग होता है। जिस वजह से दोनों जो कह रहे होते हैं वह असल में नहीं कहा जा रहा होता। इसे उदाहरण द्वारा समझें : दोनों को यदि एक ही संदेश दिया जाय कि 'यह संदेश जाकर फलाँ इंसान को बताओ', फिर भी वे दोनों अलग-अलग तरीके से संदेश बतायेंगे। यदि वे एक-दूसरे को भी संदेश देंगे तो वह संदेश कोई तीसरा संदेश हो जायेगा। जो पहला संदेश बताया गया वह कभी बाहर नहीं आयेगा क्योंकि जिस शरीर से कहा जा रहा है उस शरीर का स्वभाव भी जानना जरूरी है।

स्त्री-पुरुष दोनों शरीरों का स्वभाव अलग-अलग होने की वजह से वे एक संदेश को कैसे लेंगे, इसे समझें। आप ने उन्हें संदेश दिया कि यह पंक्ति सामने वाले को बताओ तो क्या होगा? दोनों का शरीर उस संदेश के कुछ शब्द बदल देगा। जैसे आप जानते हैं कि कुछ लोग तोतली भाषा में बात करते हैं तो एक शब्द की जगह पर दूसरा कहते हैं तो आप कहते हैं वह तो उस मनोशरीर यंत्र की दिक्कत है। उदाहरण : एक इंसान को आपने संदेश दिया तो वह 'च' को 'म' कर देता है। वही संदेश यदि दूसरे इंसान को दिया तो वह 'च'को 'ट' कर देता है। अब आपने उन दोनों को संदेश दिया कि 'चीनू के चाचा ने चीनू की चाची को चम्मच से चटनी चटाई' और आपने उसे कहा कि यह संदेश सामने वाले को दे दो अब 'ट' को 'म' कहने वाला इंसान कहेगा, 'मीनू के मामा ने मीनू की मामी को ममचे से मटनी मटायी।' इस तरह पूरा संदेश ही बदल जाता है और संदेश के पात्र भी बदल जाते हैं। जो वह संदेश बोल रहा है उसे एक क्षण के लिए भी याद नहीं आता कि 'यह मेरे स्वभाव (माईक) का दोष है, ऐसा संदेश नहीं होगा।' थोड़ी सजगता आयेगी तब पता चलेगा कि संदेश में कुछ गड़बड़ है। जब तक सजगता

नहीं आती तब तक पता नहीं चलता कि माईक में दिक्कत है।

जब सजगता बढ़ेगी, समझ आयेगी तब पति-पत्नी दोनों का स्व संवाद होगा, 'तू तू ही रहे, मैं मैं ही रहता हूँ। जब तक वे चेतना के साँतवें स्तर पर नहीं पहुँचते तब तक एक-दूसरे को स्वीकार कर लेते हैं कि तुम्हारे माईक (शरीर) में 'च' का 'ट' हो जाता है और मेरे माईक में 'ट' का 'च' हो जाता है। शरीर ऐसा ही है।' एक बार यह पक्का हो गया तो 'तुम मैं बनो' कहना बंद हो जायेगा क्योंकि दोनों को पता चल जायेगा कि दोनों सही संदेश नहीं दे रहे हैं। पहले दोनों को यह लगता था मैं तो सही संदेश दे रहा हूँ, सामने वाला गलत बोल रहा है लेकिन बाद में उन्हें पता चलता है कि वे भी सही संदेश नहीं दे रहे थे, वे भी अपने आपको शरीर मान रहे थे।

परिवार में सभी सदस्य एक-दूसरे के शुभचिंतक होते हैं, फिर भी उनके बीच में झगड़े होते हैं। सभी सदस्य एक-दूसरे से प्यार करते हैं फिर भी झगड़े क्यों होते हैं? झगड़े होने के कुछ कारण हैं। जब चेतना का स्तर बढ़ेगा तब हम दूसरे स्तर से तीसरे स्तर पर जायेंगे। दूसरे स्तर पर तो ऊपर-ऊपर के कारण दिखे जो प्रकाश में तो आये। अब तीसरे स्तर पर जायें क्योंकि अब आपको यह समझ में आ चुका है कि माईक (स्वभाव) शब्द बदलता है।

बचपन की प्रोग्रामिंग :

इंसान (मनोशरीर यंत्रों) का स्वभाव बचपन से माँ-बाप को देखकर बनता है, पुरानी प्रोग्रामिंग की वजह से बनता है। जिसकी वजह से ही दूसरों से ध्यान पाने की मूल चाहत जगती है। जब ये रहस्य खुलने लग जाते हैं कि हर एक का स्वभाव अलग है तब सामने वाले को बदलने की चाहत खतम हो जाती है। हमें समझ में आ जाता है कि सामने वाला इस तरह से कह रहा है क्योंकि उसका माईक (स्वभाव) अलग है, अब हमें उसे स्वीकार कर लेना है। हमें ऐसा कुछ करना है जिससे उसके साथ रहते हुए भी तेज प्रेम बरकरार रहे यानी हम चेतना के सातवें स्तर पर रह पायें।

आप किस तरह का जीवनसाथी आकर्षित करते हैं :

पृथ्वी पर शादियाँ क्यों करवायी गयीं? शादियाँ इसलिए करवायी गयीं ताकि पति-पत्नी एक-दूसरे के लिए निमित्त बनें, 'वे अनुभव करवाने के लिए जो अनुभव करने के लिए वे पृथ्वी पर आये हैं।' यह समझ अगर दोनों रखते हैं तो ही वे सही मायने में एक-दूसरे के लिए निमित्त बनते हैं। समझ प्राप्ति के बाद वह मूल चाहत, जो वे एक-दूसरे से चाह रहे थे, छूट जाती है।

लोग शादी करने के बाद सोचते हैं कि मैंने ऐसा कठोर जीवनसाथी अपने जीवन में क्यों आकर्षित किया? फिर मनन करने पर पत्नी को पता चलता है कि 'असल में अपने पिताजी को मैंने इस तरह से देखा, बचपन में पिताजी बहुत कठोर थे, मैं चाहती थी कि वे मेरी तारीफ करें इसलिए मैंने ऐसे जीवनसाथी को अपने जीवन में आकर्षित किया।' हर बच्चा माँ-बाप में से किसी एक से बहुत प्रभावित होता है और वह उसकी तारीफ भी चाहता है। अगर बच्चा है तो कोई बड़ा कार्य कर नहीं पाता, छोटे-छोटे कार्य करके देखता है। फिर वह अपने पिताजी की तरफ, माँ की तरफ देखता है कि वे मेरी तारीफ करें लेकिन माँ-पिताजी को पता नहीं होता कि बच्चा अंदर से क्या महसूस कर रहा है। यही गलती हर माँ-बाप से होती है। अगर वे जानते होते तो तुरंत उसे पूर्ण करते ताकि बड़ा होकर वह वैसे जीवनसाथी को आकर्षित न करे वरना पूर्णता पाने के लिए पति ऐसी लड़की आकर्षित करेगा जो बहुत ही कठोर है। लड़की ऐसा लड़का आकर्षित करेगी जो बहुत कठोर है, गुस्से वाला है। फिर जो बचपन में वह नहीं कर पायी वह करना चाहेगी ताकि उसे तारीफ मिले। अब यदि सामने वाला तारीफ नहीं करता तो उसे गुस्सा आता है। यह सब इसलिए होता है क्योंकि उसे अपनी प्रोग्रामिंग के बारे में पता नहीं है। उसे स्वयं नहीं पता तो सामने वाले को कैसे पता होगा। इस तरह बड़े होकर हम गलत जीवनसाथी को आकर्षित करते हैं।

इंसान अपने विचारों के हिसाब से जो माँग करता है, वैसा ही जीवनसाथी आकर्षित करता है। बाद में वह इस उम्मीद में रहता है कि पहली माँग गलत की

तो गलत परिणाम आया मगर दूसरी माँग (शादी) का परिणाम जरूर सही आयेगा मगर वैसा नहीं होता क्योंकि वह स्वयं को नहीं बदलता। वह चाहे दूसरी शादी कर ले, फिर भी वह वैसे ही जीवनसाथी को आकर्षित करेगा क्योंकि जो आकर्षित कर रहा है वह अपने स्वभाव अनुसार वैसी ही चीजें आकर्षित करता है। जैसे एक चोर, दोस्ती करने के लिए दूसरे चोरों को ही आकर्षित करता है, उसी तरह हम भी वैसे ही लोगों को आकर्षित करते हैं। समझना यह है कि जैसी हमारी वृत्ति है, जैसी हमारी अपूर्णता है वैसे ही इंसान को हम अपने जीवन में आकर्षित करते हैं। जब इंसान को एक-दूसरे का स्वभाव समझ में आने लगता है तब वह ऐसी बातों से बाहर आने लगता है।

उपरोक्त बातों से आपने समझा कि पति-पत्नी एक दूसरे से अपनी मूल चाहत पूरी करवाना चाहते हैं क्योंकि बचपन में वे ऐसी बातों से, ऐसे माँ-बाप से प्रभावित हुए थे।

आपका बच्चा आने वाला भविष्य है :

माँ-पिताजी भी बच्चे की हालत नहीं समझ पाते क्योंकि वे अपनी सोच अनुसार कार्य करते हैं। उदाहरण : एक अमीर पिताजी अपने बेटे को बाहर लेकर गये, यह दिखाने के लिए कि 'देखो, तुम्हारे लिए मैंने क्या-क्या करके रखा है। तू इतने बड़े मकान में रहता है, तुझे कितनी सुख-सुविधाएँ हैं।' बेटे को अपनी सुख-सुविधाओं का एहसास करवाने के लिए वह उसे एक गाँव में लेकर गया। पिताजी ने उसे दिखाया कि देखो लोग कैसे कीचड़ में खेल रहे हैं। यह भी दिखाया कि कैसे बाकी बच्चे कम कपड़ों में खेल रहे हैं। फिर उसे वह नदी किनारे लेकर गया, वहाँ उसने देखा कि लोगों को नहाने की व्यवस्था नहीं है तो नदी पर जाकर नहा रहे हैं और कपड़े भी उसी नदी में धो रहे हैं। लोगों के घर में बाथरूम नहीं है तो वे नहाने के लिए बाहर जा रहे हैं।

उसने अपने बेटे को यह सब दिखाया और अंदर से खुश हुआ कि अब बेटा समझ जायेगा कि पिताजी ने मुझे कितनी सहूलियतें देकर रखी हैं। जब बाप-

बेटा दोनों घर पहुँचे तब शाम में पिताजी ने बेटे से पूछा, 'आज तुमने क्या-क्या सीखा? तुम्हें यह देखकर खुशी हुई या नहीं कि तुम्हारे पास सब कुछ है।' बच्चे ने जवाब दिया कि 'आज मुझे पहली बार मालुम पड़ा, मुझे लग रहा था कि मेरे पास ही बड़ा बाथ-टब है लेकिन उन लोगों के पास तो मुझसे भी बड़ा बाथ-टब है। हमारे पास इतना छोटा शॉवर है, उनके पास कितना बड़ा शॉवर है। हमारा लॉन कितना छोटा है और उनके पास कितना बड़ा लॉन है।' बेटे का जवाब सुनकर पिताजी को आश्चर्य हुआ और उसे पहली बार पता चला कि बच्चे कैसे देखते हैं!

जो माँ-बाप बच्चों से पूछते हैं उन्हें पता चलता है कि बच्चे कैसे सोचते हैं। जो माँ-बाप बच्चों के साथ प्लैटफॉर्म बनाते हैं, वे ही उनकी भावनाएँ जान पाते हैं। ऐसे माँ-बाप ही अपने बच्चों के प्रति लचीले रह पाते हैं। वे ही बच्चों के साथ, बड़े होने तक टिक पाते हैं वरना बच्चे माँ-बाप को छोड़कर चले जाते हैं। बच्चे उन्हें खुशी से छोड़कर नहीं जाते। खुशी से गये होते तो वापस आकर मिलते रहते। वे उन्हें जोर-जबरदस्ती से छोड़कर जाते हैं। पिताजी बच्चों को छोड़ना नहीं चाहता, बच्चा उनके साथ नहीं रहना चाहता, ऐसी हालत में बच्चे माँ-बाप से अलग हो जाते हैं। ऐसा इसलिए होता है क्योंकि माँ-पिताजी बच्चों के प्रति लचीलापन नहीं दिखाते, वे अपनी बात पर अड़े रहते हैं। आप तेज संसारी माँ-बाप बनें।

तेज संसारी माँ-बाप बनें :

तेज संसारी बनना यानी क्या? तेज संसारी बनना यानी आपके अंदर कुछ ऐसे गुण हों, जैसे आपकी बुद्धि में लचीलापन हो यानी आप अपने आपको सामने वाले की जगह पर रखते हुए उसकी सोच को अपना पायें। अगर आप सामने वाले के जूतों (शूज) में जाकर उसे नहीं समझ पायेंगे तो पीढ़ी (जनरेशन गैप) में कैसे जा पायेंगे? जनरेशन गैप आज रिश्तों की बड़ी समस्या बन चुकी है। यदि इस समस्या को सुलझाना है तो दूसरी जनरेशन में जाना जरूरी है, उसके लिए

लचीली बुद्धि होना जरूरी है। जब तक आप दूसरों के दृष्टिकोण को नहीं देख पायेंगे तब तक आप पूरी पीढ़ी को पार नहीं कर पायेंगे।

जो माँ-बाप बच्चों की पीढ़ी में जा पाते हैं उन्हें कम से कम तकलीफें होती हैं क्योंकि वे अपनी बुद्धि को लचीला रख पाते हैं वरना कई माँ-बाप ऐसे होते हैं जो सोचते हैं कि हमारे बच्चे ऐसे ही होने चाहिए, हमने जैसे कहा उन्हें वैसा ही करना चाहिए। ऐसे माँ-बाप के बच्चे बड़े होकर समझ जाते हैं कि हम ऐसे माँ-बाप के साथ नहीं रह पायेंगे, अगर हम इनके साथ रहे तो हम हमेशा दु:खी रहेंगे इसलिए पहली नौकरी मिलते ही वे घर से अलग हो जाते हैं। वे उसी मौके की तलाश में होते हैं कि कब हमें मौका मिले और हम अपने माँ-बाप से दूर हो जायें।

शुरुआत में उनके माँ-बाप खुश होते हैं कि हमारे बच्चे हमारे साथ रहते हैं, हमारा कहा मानते हैं लेकिन उन्हें पता नहीं होता कि आगे क्या होने जा रहा है? बच्चा अंदर से क्या सोच रहा है? वे अपने बच्चे से कभी नहीं पूछते कि उनका बच्चा क्या चाहता है। जो माँ-बाप बच्चों से पूछते हैं वे जान पाते हैं कि हर पीढ़ी में एक नयी विचारधारा आती है। अगर हम अपने आपको लचीला रख पायेंगे, नये विचारों को सुनेंगे, मनन करेंगे तो ही हम अपने बच्चों के साथ रह पायेंगे वरना नहीं रह पायेंगे। हर माँ-बाप का बच्चा उनका आने वाला भविष्य है।

भाग २
जीवनसाथी का स्वभाव जानें

पत्नी कैसे सोचती है :

पत्नी एक लेखिका की तरह होती है। इसे एक उदाहरण द्वारा समझें। जैसे कोई लेखिका है, वह एक ऐसी पुस्तक लिख रही है जिसका विषय है 'व्यक्तित्त्व विकास (पर्सनैलिटी डेवलपमेन्ट)', 'अन्य विकास (अदर डेवलपमेन्ट)' या फिर 'ससपेन्स नॉवल'। अब यदि उसके पति को पता है कि मेरी पत्नी ऐसी पुस्तक लिख रही है तो वह पत्नी की बातों को समझ पाता है। अब जब भी उसकी पत्नी उससे कहेगी कि 'यह कैसी शर्ट पहनी है,

यह तुम्हारी पैन्ट से मैच नहीं करती!' तो पति समझ जायेगा कि उसकी पत्नी का 'व्यक्तित्त्व विकास (पर्सनैलिटी डेवलपमेन्ट)' पर कुछ कार्य चल रहा है। फिर उसे कोई तकलीफ नहीं होगी। अगर पति को पता नहीं होगा कि उसकी पत्नी ऐसी पुस्तक लिख रही है तो पति चिढ़ जायेगा, वह सोचेगा कि 'यह मुझे क्या समझती है... मैं क्या बुद्धू हूँ.... क्या मुझ में अक्कल नहीं है... टाय कौन सी पहननी है क्या मुझे पता नहीं है...।'

यदि पति को पता है कि पत्नी बहुत ही ध्यान से पुस्तक लिख रही है और वह एक लेखक के दृष्टिकोण से देख रही है तो उसे दिक्कत नहीं होगी। लेखक को सब विस्तार से मालूम होना चाहिए। पत्नी व्यक्तित्त्व विकास पर लिख रही है तो वह जो भी नुक्स निकाल रही है कि 'ऐसे जूते होने चाहिए... ऐसी शर्ट होनी चाहिए...' वे सब चीजें व्यक्तित्त्व विकास से संबंधित होनी चाहिए। अगर पति के पास यह समझ है, उसे पता है तो वह उसका फायदा लेगा यानी अपने अंदर सुधार लायेगा। फिर ऐसी बातों पर झगड़े नहीं होंगे।

जब पत्नी कहती है कि 'चाय पीते वक्त ऐसे आवाज क्यों निकाल रहे हो', 'फलाँ इंसान का बार-बार फोन आता है तो बात क्यों नहीं करते?', 'थोड़ा आराम करो, ऑफिस से छुट्टी ले लो, कमजोर होते जा रहे हो।' तब पति को अंदर से समझ जाना चाहिए कि मेरी पत्नी व्यक्तित्त्व विकास के बारे में सोच रही है। पति सोचता है कि उसके ऑफिस की दिक्कतें केवल उसे ही मालूम हैं, पत्नी को मालूम नहीं हैं इसलिए वह ऐसे कह रही है तो वह गुस्सा नहीं होता क्योंकि वह जानता है कि पत्नी लेखिका है, वह तो लिखेगी ही और वह जो लिख रही है वह बतायेगी भी। अब पति को तनाव नहीं आयेगा, वह पत्नी की बातें सुन लेगा, यह सोचकर कि 'मेरी बीबी जो लिख रही है वही बता रही है, वह अपने पुस्तक की प्रैक्टिस कर रही है.... अगर चुपचाप इसे सुन लिया तो वह ज्यादा परेशान नहीं करेगी, यदि बहस शुरू हो गयी तो गड़बड़ शुरू हो जायेगी।' बहस ही एक ऐसी चीज है जो पति-पत्नी के प्लैटफॉर्म को तोड़ती है।

पति-पत्नी का एक ही प्लैटफॉर्म हो :

हर पति-पत्नी का आपस में प्लैटफॉर्म होना चाहिए। उनकी समझ का स्तर एक ही होना चाहिए। पति-पत्नी के बीच प्लैटफॉर्म टूटने का कारण बहस होता है। आज तक जितने प्लैटफॉर्म टूटे हैं वे बहस की वजह से टूटे हैं। पत्नियाँ इसलिए बहस करती हैं क्योंकि उन्हें पता नहीं है कि वे कौन सी लेखिका हैं? वे क्या लिख रही हैं? उन्हें यह पता होता तो पति कभी परेशान नहीं होते। जब पत्नी कहती है कि 'थोड़ा बच्चों पर भी ध्यान दो' तो पति उतना परेशान नहीं होते। पत्नी के पूछने पर कि 'शक्कर लाये क्या या फिर भूल गये?' पति को गुस्सा नहीं आयेगा वरना पति को अकसर यह लगता रहता है कि मेरी पत्नी मुझे नाकाबिल समझ रही है, अयोग्य और अपात्र समझ रही है। दरअसल पत्नी, पति को अपात्र नहीं समझती, वह अपने पुस्तक की प्रैक्टिस करती है। पतियों को यह पक्का होना चाहिए, यह समझ होनी चाहिए कि जब भी पत्नी की तरफ से ऐसी कोई पंक्ति आये तो समझ जायें कि पुस्तक पर काम चल रहा है। समझ होगी तो पति कहेंगे कि 'चलो लगे हाथ हम भी थोड़ा फायदा ले लेंगे', फिर वे उलझेंगे नहीं।

पत्नी 'व्यक्तित्त्व विकास' के साथ-साथ 'सस्पेन्स नॉवेल' पर भी काम कर रही होती है। इसका अर्थ है कि जब पत्नी पति को कोई घटना बताना शुरू करती है तब वह कहती है कि 'कल ऐसा हुआ था! वह पड़ोसी ऐसा बोल रहा था' और पति कहता है, 'ठीक है फिर अंत में क्या हुआ वह बताओ?' पर वह अंत नहीं बताती, वह विस्तार से बताती है कि 'ऐसा हुआ... फिर वैसा हुआ।' ऐसे में पति को यदि पता होता है कि उसकी पत्नी सस्पेन्स नॉवेल पर लिख रही है तो वह आराम से सुनेगा, जल्दबाजी नहीं करेगा क्योंकि उसे पता है कि जो लेखक 'सस्पेन्स नॉवेल' लिखता है वह बढ़ा-चढ़ाकर लिखता है। वह जल्दी सस्पेन्स नहीं बताता। पत्नी से यदि आप पूछेंगे, 'आगे क्या हुआ?' तब वह कहेगी कि 'बता तो रही हूँ...!' इस तरह पति को यदि सही जानकारी है तो वह परेशान नहीं होगा।

अपने स्वभाव को समझें :

स्त्री के मनोशरीर यंत्र का स्वभाव सलाह देना और लेने का है, यह उनके मित्रता बढ़ाने की निशानी है। जब भी दो महिलाएँ मिलती हैं तब वे आपस में एक-दूसरे को सलाह देना शुरू कर देती हैं। उन्हें इस बात का खयाल नहीं आता कि सामने वाली स्त्री मुझे कम समझ रही है, वह मुझे नीचा दिखा रही है। इस तरह के विचार पुरुषों को अकसर आते हैं। हर पुरुष जिसे किसी ने सलाह दी तो उसे बुरा लगता है कि 'क्या मैं नाकाबिल हूँ, क्या मैं अयोग्य हूँ' मगर महिलाओं को ऐसा नहीं लगता। यही वजह है कि महिलाएँ सोचती हैं कि 'तुम मैं बनो'। वे सोचती हैं कि जिस तरह से सलाह लेने के बाद मुझे कुछ नहीं होता पति को भी कुछ नहीं होना चाहिए, उसे भी आसानी से मेरी सलाह ले लेनी चाहिए।

जब भी महिलाएँ सलाह देती हैं या लेती हैं या किसी को कुछ बताती हैं तब वे हल्का महसूस करती हैं। एक स्त्री सलाह इसी वजह से देती या लेती है क्योंकि ऐसा करने के बाद उसका मन हलका हो जाता है।

अकसर महिलाएँ बातूनी होती हैं। उनके शरीर का यह स्वभाव होता है कि वे बोलकर खाली होना चाहती हैं। महिलाओं का यह ढंग होता है कि वे बोलकर किसी नतीजे पर पहुँचती हैं। वे शांत बैठकर समस्या का समाधान नहीं निकाल पातीं। वे बताते-बताते खुद ही समझ जाती हैं और नतीजे पर पहुँच पाती हैं। अगर पति को यह बात पता है तो वह बड़ी आसानी से पत्नी की बातें सुनेगा। पत्नी को हमदर्दी चाहिए, वह हमदर्दी उसे तब मिलती है जब उसे लगता है कि उसे किसी ने सुना। पति हमेशा चाहते हैं कि पत्नी को तुरंत समस्या का समाधान बतायें परंतु पत्नी को यह लगता है कि 'हमें तो समस्या में रुचि नहीं है, हमें इस बात में रुचि है कि हम बताकर सोचें, उसमें हमें खुद ही समाधान मिल जायेगा... उतना ही काफी है।' इस तरह पत्नियाँ हमदर्दी, मित्रता बढ़ाने के लिए ज्यादा बात करती हैं। उन्हें यह पता नहीं होता कि इससे मित्रता कम होती है और दुश्मनी बढ़ती है। स्त्री सोचती है, 'जिस तरह अपनी सहेलियों के साथ बात करते-करते

मेरी मित्रता बढ़ी और हमारी घनिष्ठता बढ़ गयी, हम ज्यादा करीब आये, उसी तरह पति के साथ भी दोस्ती बढ़ाने का यही तरीका है' लेकिन पति के साथ ऐसा नहीं है, वहाँ ऐसी बातों से मित्रता की जगह दुश्मनी बढ़ती है।

पति के स्वभाव को समझें :

उपरोक्त बातों से आपने समझा कि महिलाओं के मनोशरीर यंत्र का स्वभाव कैसा है। उसी तरह महिलाओं को अपने पति का स्वभाव समझ में आना चाहिए। पति का स्वभाव कैसा होता है? अकसर जब पति को कोई समस्या सुलझानी है तो वह अकेले में जाकर सुलझाना चाहता है, शांत होकर वह मन में सोचना चाहता है। अगर पत्नी उसे टोकती रहे कि 'कुछ बोलते क्यों नहीं... क्या बात है कुछ तो बताओ...' तो पति परेशान हो जाता है। पत्नी को यह लगता है कि जिस तरह मैं बोलकर समस्या सुलझाती हूँ, उसी तरह पति भी कुछ बोले। इसका अर्थ वह चाहती है कि 'तुम मैं बनो' यानी जैसे मेरी समस्या मैंने सुलझायी वैसे तुम भी बोलकर समस्या सुलझाओ। पति अपनी पत्नी से कहता है, 'मैं इस तरह समस्या नहीं सुलझा सकता, मुझे भगवान के नाम पर अकेला छोड़ दो।' अब पत्नी को यह भाषा समझ में नहीं आती कि पति अकेला क्यों रहना चाहता है। वह सोचती है कि 'मैं पति को मदद करने के लिए तैयार हूँ और पति कुछ क्यों नहीं बोल रहा है' परंतु अगर पत्नी को यह पता है कि पति का स्वभाव कैसा है तो वह तुरंत शांत हो जायेगी। फिर वह अपने पति को समय और जगह (स्पेस) देगी ताकि पति अपनी समस्या अपने तरीके से सुलझा सके।

पति-पत्नी की सोच :

कालनिर्णय Vs साल निर्णय

पति कैलेन्डर समान होता है, इसे समझें। जिस तरह कैलेन्डर समय के साथ सब कुछ बताता है कि आज कौन सा दिन है? कौन सी तारीख है? वैसे ही पति कैलेन्डर की तरह है यानी वह कालनिर्णय की तरह है।

पत्नी सालनिर्णय की तरह होती है। दोनों मनोशरीर यंत्रों में यह तुलना

चलती रहती है। पति कहते हैं, 'अब सिर्फ इतना समय बचा है इसलिए मुझे अकेला छोड़ा जाय... मैं जल्द से जल्द निर्णय लेना चाहता हूँ, समय के पहले निर्णय लेना चाहता हूँ' मगर पत्नियाँ समय को समझ नहीं पातीं।

उदाहरण : पत्नी पति से कहती है कि 'कितने सालों से हम बाहर नहीं गये' तो पति उसे कहता है, 'परसों ही तो हम बाहर गये थे।' पति ऐसा जवाब देता है क्योंकि वह तुरंत कालनिर्णय में जाता है। उसे तुरंत दिखायी देता है कि फलाँ-फलाँ दिन तो दोनों बाहर जाकर आये थे। जब पत्नी इस तरह बात करती है तब यदि पति को पता है कि पत्नी सालनिर्णय है तो वह उसके बोलने पर नहीं जाता वरना पति गिनते रहेगा और पत्नी को गलत समझेगा कि 'यह मुझ पर इतना दोष क्यों लगा रही है !'

पत्नियाँ किस तरह सोचती हैं इसे एक और उदाहरण द्वारा समझें। कोई इंसान किसी घर में फ्रिज या टी.वी. दुरुस्त करके गया और एक साल के बाद फिर से फ्रिज खराब हुआ और वही मकैनिक फिर से घर आया तो पत्नी उस मकैनिक से कहती है, 'अरे! चार दिन पहले तो तुमने फ्रिज रिपेयर किया था, वापस इतनी जल्दी खराब कैसे हो गया!' वह मैकनिक उस स्त्री से कहता है, 'चार दिन पहले नहीं, कई महीने पहले इसे रिपेयर किया था और आप कह रही हैं चार दिन पहले रिपेयर किया था।' इस उदाहरण से आपने समझा कि पत्नी को समय समझ में नहीं आता, उसे कल-परसों की बात सालों की बात लगती है। यदि यह बात पति को पता है तो वह अंदर से खुश होगा कि मुझे मालूम है कि पत्नी सालनिर्णय है। पत्नी को यदि यह समझ है कि पति कालनिर्णय है तो वह भी खुश रहेगी। पति समय देखकर ही बतायेगा ताकि पत्नी फलाँ मुद्दे पर ज्यादा बहस न करे परंतु पत्नी को समझ है तो वह झगड़ेगी नहीं कि 'नहीं, इतना समय हो गया हम बाहर नहीं गये, तुम झूठ बोल रहे हो।' अब पत्नी को पता है कि पति कालनिर्णय है तो वह समझ जायेगी और पति पर इल्जाम नहीं लगायेगी।

यहाँ पत्नी में यह समझ होना भी जरूरी है कि पति को इल्जाम से बहुत डर लगता है। पति नहीं चाहता कि कोई उसे गलत समझे मगर पत्नी तो झट से उसे बोल देती है क्योंकि पत्नी के लिए उस शब्द का कोई अर्थ नहीं होता।

पति-पत्नी की खुशी का राज :

चेतना के तीसरे स्तर पर पति-पत्नी को समझ आने लगती है यानी पति यह समझ जाता है कि खुश रहना है तो कान दान करो और पत्नी यह समझ जाती है कि खुश रहना है तो जुबान दान करो।

जब पत्नी जुबान दान करेगी यानी वह जब यह इशारा पकड़ेगी कि पति इस वक्त कुछ सुनना नहीं चाहता, वह अकेले रहकर समस्या को सुलझाना चाहता है तब वह खुद भी मौन में जायेगी। वह तुरंत चुप हो जायेगी। इस तरह उस वक्त वह अपनी जुबान दान करेगी क्योंकि जैसे ही समस्या सुलझ जायेगी, पति उसके पास ही दौड़कर आयेगा क्योंकि शांत रहकर पत्नी ने अपने पति को सहयोग किया। पति को तब बहुत अच्छा लगता है जब उसकी पत्नी समय पर उसकी मदद करती है। केवल पत्नी यह समझे कि उसे अपने तरीके से पति की मदद नहीं करनी बल्कि पति जैसी मदद चाहता है वैसी मदद उसे करनी है। हर पत्नी अपने पति को मदद करना चाहती है लेकिन उसे पति का स्वभाव यानी उस माईक का सिस्टम मालूम नहीं इसलिए वह अपने तरीके से मदद करना चाहती है। कब माईक में सायरन बजने लगता है, कब ट्रयुनिंग बिगड़ जाती है, उसे यह पता नहीं। जब समझ बढ़ने लगती है और वह पति को थोड़ा समय देने लगती है तब उसे महसूस होता है कि उसने जुबान दान की यानी वह शांत भी रही और कार्य समाप्त होने पर उसने पति की प्रशंसा भी की तो बहुत बड़ा काम हुआ। कारण पुरुष प्रशंसा सुनकर ही अपने बारे में समझ पाता है क्योंकि पुरुष बुद्धि में ज्यादा रहते हैं और महिलाएँ हृदय पर ज्यादा रहती हैं। यह समझ हर पत्नी के लिए अति आवश्यक है कि पति शब्दों में सुनकर अपनी योग्यता के बारे में दृढ़ होता है। अगर पत्नी को यह मालूम है तो वह दो सही शब्द कहेगी और उसे पता है कि किस समय पर कुछ भी नहीं

कहना है तो वह चुप रहेगी। ऐसे में वह यह देख पायेगी कि अब पति उसके लिए बहुत कुछ करना चाहता है और उसे सुनना भी चाहता है क्योंकि पति को जैसे ही समय दिया गया तो वह कहेगा कि 'अब तुम भी अपनी बातें बताओ, अपने बारे में सोचो।'

इस तरह रिश्तों में समझ बढ़ने से रिश्ते दृढ़ बनते हैं। पति-पत्नी का रिश्ता हो या और कोई भी रिश्ता हो, रिश्तों में समझ का होना बहुत महत्त्वपूर्ण है। हर रिश्ता निभाते वक्त उसे समझ के साथ निभायें ताकि रिश्तों की उम्र बढ़े और कई घर टूटने से बच जायें। आपकी समझ ही आपके रिश्तों को बनाती है।

भाग ३
स्त्री-पुरुष संबंध और शिक्षा

वैज्ञानिकों की खोज द्वारा पता चलता है कि नर-नारी या पति-पत्नी दोनों के दिमाग की रचनाओं की वजह से उनके स्वभाव में अंतर होता है। इस बात की पुष्टि करने के लिए हर दिन हमें इसके सबूत मिल रहे हैं। फिर भी आश्चर्य की बात है कि इक्कीसवीं सदी के होने के बावजूद आज स्कूलों में महिलाओं और पुरुषों के रिश्तों के बारे में नहीं सिखाया जाता, वह समझ नहीं दी जाती जिसे अपनाना इस सदी की जरूरत है। हर स्कूल में पेड़-पौधे, फल-फूल, पशु-

पक्षी, अनाज-पानी, सामान्य ज्ञान-विज्ञान, इतिहास-भूगोल, गणित व अन्य कई विषयों पर ज्ञान दिया जाता है परंतु आदमी और औरत के शारीरिक भेद, उनके संबंध, उनके स्वभाव व व्यवहार के बारे में न तो हमें कोई शिक्षक सिखाता है और न ही हमारे घर वाले। अतः महिलाओं से यह अनुरोध है कि इस पुस्तक के माध्यम से इस तरह की जरूरी बातों द्वारा अपने आपको शिक्षित करें और अपना जीवन सुखमय तथा आनंदित बनायें और एक ऐसा जीवन जीयें, जिसके आप और आपका जीवनसाथी हकदार हैं।

स्त्री-पुरुष संबंध और सामान्य ज्ञान :

जिस तरह जीवन जीने के लिए साँसों का चलना महत्त्वपूर्ण होता है, उसी तरह वैवाहिक जीवन को खुशहाल बनाने के लिए आपसी समझ का होना अति महत्त्वपूर्ण है। कहते हैं कि पति पत्नी का रिश्ता बड़ा ही नाजुक होता है क्योंकि वह प्यार के अलावा विश्वास पर टिका होता है। शादी की छोटी-छोटी रस्में निभाने के बाद जब दुल्हा-दुल्हन अपने नये जीवन में कदम रखते हैं। शुरुआती दिनों में आपसी प्रेम व खिंचाव की वजह से उनका प्रेम अपनी चरमसीमा पर होता है पर धीरे-धीरे छोटी-छोटी बातों, नासमझी और अज्ञान की वजह से यह रिश्ता कड़वाहट और चिड़चिड़ेपन से फीका होने लगता है। ऐसे में अगर कुछ बातों को ध्यान में रखा जाय तो आपका वैवाहिक जीवन खट्टे-मीठे अनुभवों के बावजूद खिलखिलाने लगेगा।

आज-कल बहुत कम जोड़े ऐसे दिखायी देते हैं, जो शादी के कई सालों बाद भी अपनी शादी से खुश हों क्योंकि शादी के शुरुआती दिनों में दुल्हा-दुल्हन का एक-दूसरे के प्रति जो आकर्षण होता है, वह विपरीत स्वभाव होने की वजह से बिगड़ने लगता है। ऐसे में हर पति-पत्नी को यह सत्य अपना लेना चाहिए कि शादी के कुछ वर्षों बाद पहले जैसा प्रेम नहीं रह पाता क्योंकि पति-पत्नी के लिए बच्चे और घर की अन्य महत्त्वपूर्ण बातें ज्यादा जरूरी होने लगती हैं। ऐसे में शादी सिर्फ एक सुंदर सपना ही बनकर रह जाती है।

आज स्कूलों में लड़के और लड़कियों को यह बताया जा रहा है कि स्त्री-पुरुष दोनों एक बराबर हैं, दोनों की योग्यताएँ एक जैसी हैं लेकिन जब वे बच्चे बड़े हो जाते हैं, शादी करते हैं और एक साथ रात गुजारने के बाद जब वे सुबह उठते हैं तब उन्हें पता चलता है कि वे दोनों हर तरीके से कितने अलग हैं, शरीर से, मन से और बुद्धि से।

कई बार नये जोड़ों की शादियाँ जल्द ही तलाक के कगार पर जाकर खड़ी हो जाती हैं। ऐसे में यह सवाल आता है कि कुदरत ने फिर इन दोनों को इतना अलग क्यों बनाया है? इस सवाल का जवाब यह है कि अपना वैवाहिक जीवन आपको स्वयं ही खुशहाल बनाना है। इसके लिए सबसे महत्त्वपूर्ण है कि आप अपने और अपने जीवनसाथी के अंतर को समझ के साथ स्वीकार करें, उसे सराहें और अपने हृदय में बिठायें। याद रखें पुरुषों को हमेशा अधिकार जताना, सफलता प्राप्त करना और शारीरिक सुख में रुचि होती है। औरतों को रिश्तेदारी, स्थिरता और प्यार पाने में रुचि होती है। इन चीजों में अगर संतुलन न हो तो रिश्ते बिगड़ने लगते हैं।

सदियों से हम सुनते आये हैं कि आदमी और औरत अलग-अलग होते हैं, दोनों के स्वभाव, दोनों की सोच, दोनों की पसंद-नापसंद, दोनों की आदतें, दोनों की प्राथमिकताएँ, दोनों के प्रेम को व्यक्त करने का तरीका इत्यादि अलग-अलग होता है। इसका कारण यह होता है कि दोनों की परवरिश, आदर्श और संस्कार अलग-अलग परिवारों से आये हुए होते हैं। दोनों में केवल एक ही बात समान है कि वे दोनों इंसान हैं।

पति और पत्नी का रिश्ता शारीरिक रचनाओं के अलग-अलग होने पर भी टिकता है। इस बात का श्रेय औरतों को ही जाता है क्योंकि परिवार और रिश्तेदारी सँभालने के लिए जरूरी गुण कुदरती तौर पर औरतों में होते ही हैं। औरतों के अंदर परिवार वालों की भावनाओं के पीछे के उद्देश्य को समझने का बोध होता है। अतः समस्या आने से पहले उसके अंजाम के बारे में उन्हें पहले से

ही पता चल जाता है। औरत के इसी गुण की वजह से ऐसा कहा जाता है कि देश को अगर सुरक्षित बनना है तो हर देश की नेता एक औरत होनी चाहिए।

पतियों के बारे में जानने योग्य जरूरी बातें :

१) हर पति को यह लगता है कि उसकी पत्नी हर समस्या के लिए सलाह या समाधान चाहती है इसलिए वे तुरंत समाधान देते हैं। उन्हें लगता है कि यह उनके प्यार जताने का सबसे उच्चतम तरीका है क्योंकि पुरुषों का प्यार को अभिव्यक्त करने का तरीका अलग होता है। जब कि पत्नियाँ केवल इतना ही चाहती हैं कि कोई उन्हें पूरे ध्यान से सुने।

२) पतियों की अकसर यह शिकायत होती है कि उनकी पत्नी उनसे चीजें छिपाकर रखती है जब कि ऐसा नहीं है। वैज्ञानिक तौर से देखा जाय तो जो पुरुष किसी होटल या रैस्टोरैंट का पता आसानी से ढूँढ़ लेते हैं लेकिन वे अपने ही घर की अलमारियों में रखी हुई चीजें जैसे रूमाल, मोजे, बनियाइन इत्यादि तक नहीं ढूँढ़ पाते कारण उनकी शारीरिक रचना औरतों की शारीरिक रचना से भिन्न होती है।

३) पति यह कभी नहीं चाहते कि वाहन चलाते वक्त उनकी पत्नियाँ उनकी मार्गदर्शक बनें। वे यह समझते हैं कि औरतों को दिशा का ज्ञान नहीं होता। वे यह भी समझते हैं कि पत्नियाँ बहुत ज्यादा बातें करती हैं, उनमें सामान्य ज्ञान की कमी होती है।

४) पतियों के स्वभाव में यह देखा गया है कि उन्हें हमेशा अधिकार जताना, सफलता प्राप्त करना, अपने लिए व अपने परिवार के लिए रोटी, कपड़ा और मकान का इंतजाम करना और शारीरिक सुख प्राप्त करना, इन बातों में ही रुचि होती है।

५) पति हमेशा अपनी बुद्धि से सोचते हैं जब कि पत्नियाँ अक्सर हृदय से सोचती हैं।

६) पति की सबसे बड़ी शिकायत यह होती है कि उनकी पत्नी उन्हें बदलना चाहती है।

७) जिस प्रकार पत्नियों को तारीफ की जरूरत होती है उसी प्रकार पतियों को उनके अच्छे कार्य के लिए तारीफ की जरूरत होती है।

८) जहाँ पत्नियाँ अपने गुस्से को दबाती हैं या पी जाती हैं, वहीं पति अपने गुस्से को व्यक्त करते हैं।

९) औरतों की बातचीत का विषय ज्यादातर दूसरे लोग होते हैं। वे लोगों के बारे में ऐसी जानकारी प्राप्त करना चाहती हैं, जिसे अकसर छिपाया जाता है। औरतें जहाँ समस्याओं के बारे में बातें करती हैं, वहीं पुरुष समस्याओं के समाधान के बारे में बातें करते हैं। वे तुरंत निर्णय लेने में विश्वास करते हैं।

१०) जब किसी महिला से किसी जगह का पता पूछा जाय तब वे दुकानों के माध्यम से पता बताती हैं जब कि पुरुषों से पता पूछने पर वे होटल और रास्तों के माध्यम से पता बताते हैं।

११) महिलाएँ, अपने घर की सीढ़ियों पर रखी हुई चीजें ऊपर जाते वक्त लेकर जाती हैं। वहीं पुरुषों से जब तक कहा न जाय तब तक वे चीजें उठाकर नहीं रखते, वे उन चीजों को लाँघकर ऊपर चढ़ जाते हैं।

१२) पुरुष एक समय पर एक ही काम करते हैं। जब रेडियो चल रहा हो और फोन की घंटी बजे तब वे रेडियो बंद करने के लिए कहते हैं।

१३) पति जब टी. वी. देख रहे हों तो वे अपनी पत्नी से बातचीत नहीं कर पाते, खास तौर पर जब वे टी.वी. पर क्रिकेट या कोई और पसंदीदा खेल देख रहे हों। शारीरिक संबंध के दौरान भी वे बातचीत करना पसंद नहीं करते। शारीरिक संबंध के पहले वे बातें सुनना पसंद करते हैं लेकिन संबंध के दौरान नहीं।

१४) शारीरिक संबंध के माध्यम से पति वे बातें व्यक्त कर पाता है जो भावनात्मक रूप से वे व्यक्त नहीं कर पाते।

१५) शारीरिक संबंध पति के लिए एक नींद की गोली की तरह है, जिसे लेने के

बाद वे अपने दिनभर के तनाव को त्याग कर देते हैं। शारीरिक संबंध के बाद जहाँ एक पत्नी अपने आपको शक्तिशाली महसूस करती है, वहीं पति शायद कुछ काम करना चाहते हैं।

अगर पुरुष शारीरिक संबंध के बाद तुरंत सोये नहीं तो वे चाय या कॉफी तैयार करके पीना चाहते हैं। वे ऐसा इसलिए करते हैं क्योंकि पति हमेशा अपने आप पर नियंत्रण रखना चाहते हैं, केवल शारीरिक संबंध के दौरान वे अपना नियंत्रण खो देते हैं इसलिए उनका तुरंत कोई कार्य करना यह दर्शाता है कि वे अपने आप पर कितने नियंत्रित हैं।

पत्नियों के बारे में जानने योग्य जरूरी बातें :

१) पत्नियों की हमेशा यह शिकायत रहती है कि उनके पति उनकी बातें नहीं सुनते, उनका पूरा खयाल नहीं रखते, घर के कामों की जिम्मेदारी नहीं लेते, उनसे ज्यादा बात नहीं करते, उनसे ज्यादा प्यार नहीं करते और रिश्तेदारों से किये गये वादे भी पूरे नहीं करते। एक पत्नी की अपने पति से यह शिकायत भी होती है कि उनके पति उन्हें समय नहीं देते।

२) पति-पत्नी के विचार अलग होने के कारण कई बार वे दोनों तनाव में आ जाते हैं। पति हमेशा सोचते हैं कि पत्नियाँ हमारी तरह क्यों नहीं सोच पातीं। वहीं पत्नी हमेशा यह सोचती हैं कि उनके पति उनकी तरह व्यवहार क्यों नहीं कर पाते।

३) पुरुष हमेशा अपने पास रखी हुई चीजों को अपने जीवनसाथी को दिखाना चाहते हैं जब कि औरतें अपने पास रखी हुई चीजों को हमेशा छिपाना चाहती हैं।

४) औरतें आसानी से यह जान पाती हैं कि अब उनके बीच प्यार नहीं रहा इसलिए ज्यादातर रिश्तों के अंत की शुरुआत औरतों से ही होती है।

५) पुरुष अकसर पंक्तियों में बातें करते हैं और महिलाएँ अनुच्छेदों (पैराग्राफ) में बात करती हैं।

६) शारीरिक संबंधों द्वारा पत्नी अपने आपको प्यार से भर देना चाहती है। जब कि पति पूरी तरह से खाली होना चाहता है।

७) महिलाओं को अकसर दूसरों की राय पर निर्भर रहना अच्छा लगता है, वहीं पुरुष वही करते हैं जो उन्हें अच्छा लगता है।

८) पुरुषों को अगर किसी चीज की जरूरत हो तो वे उसे माँगते हैं। वहीं औरतों को किसी चीज की जरूरत पड़ने पर वे संकेतों में उस चीज के बारे में बताती हैं और उसके बाद सामने वाले से प्रतिसाद का इंतजार करती हैं।

९) पत्नियाँ ज्यादा भावुक होती हैं क्योंकि वे हृदय से सोचती हैं। वे अपने भावनाओं को व्यक्त करते ही हल्का महसूस करती हैं। वहीं पुरुषों को बचपन से ही अपनी भावनाओं पर नियंत्रण रखना सिखाया जाता है।

१०) अगर आप अपने पति से किसी महत्त्वपूर्ण निर्णय पर बात करना चाहती हैं तो शारीरिक संबंध के तुरंत बाद बात करें क्योंकि उस वक्त उनका दिमाग ग्रहणशील हो चुका होता है।

११) जब एक पत्नी अपने पति को कोई सलाह देना चाहती है, उसे बदलना चाहती है या सुधारना चाहती है तो पति को यह गलतफहमी होती है कि 'वह कुछ भी करने के योग्य नहीं है और वह अपने बलबूते पर कुछ नहीं कर पाता' इसलिए हर नारी को इन बातों को समझते हुए अपना वैवाहिक जीवन सँभालना है।

भाग ४

लेडी ए टू जेड

A TO Z FOR LADIES

A - ACCEPT - स्वीकार करें

छोटी–छोटी बातों पर क्रोध करने के बजाय घटनाओं को स्वीकार करें। जीवन में कई सारी छोटी–छोटी घटनाएँ होती हैं, जिस वजह से हम परेशान होते हैं। जैसे काम वाली नौकरानी का देर से आना, बच्चों का न सुनना, ऐसी घटनाएँ रोज होती हैं, उन्हें स्वीकार करें।

स्वीकार करने के तीन महत्त्वपूर्ण कदम -

१. कार्य अगर पसंद न हो तो उसे पसंद करना शुरू करें।

२. अगर पसंद नहीं कर पा रहे हों तो उसे बदलें।
३. अगर बदल नहीं पा रहे हों तो उसे समझ के साथ स्वीकार करें।

अस्वीकार है दुःख, स्वीकार है सुख।

B - BOLD - साहसी बनें

साहसी बनें, दूसरों पर निर्भर न रहें, छोटे-छोटे कार्य स्वयं करें। जैसे सब्जी खरीदने के लिए जाना, बच्चों को डॉक्टर के पास ले जाना, बच्चों की टीचर्स से बात करना हो तो अकेले जाकर देखें। आत्मसम्मान बढ़ायें, नकारात्मक विचारों से बचें। अपने आप पर विश्वास करें तो ही लोग आप पर विश्वास करेंगे। 'मैं कर सकती हूँ', 'मुझमें साहस है', जैसी सकारात्मक पंक्तियों को दोहरायें। हर एक के अंदर साहस होता ही है, सिर्फ उसे सकारात्मक विचारों से उभारें।

C - CREATIVE - सृजनात्मक बनें

हर कार्य को बेहतरीन व अलग ढंग से करें। एक ही कार्य, एक ही तरह से करने पर बोरियत महसूस होती है। अलग ढंग से कार्य करने से नये व सरल तरीकों का पता चलेगा व आनंद भी आयेगा। सबसे बेहतर यह है कि आपकी सोच शक्ति बढ़ेगी। उदाहरण-एक ही सब्जी को अलग अलग ढंग से बनायें। घर या ऑफिस के कार्य करते वक्त नित्यचर्या के कामों के क्रम बदलें, उसे रोज की तरह न करते हुए अलग लग ढंग से करके देखें।

अलग कार्य करने की बजाय, उसी कार्य को अलग ढंग से करें।

D - DECISION - निर्णय लें

छोटे-छोटे निर्णय स्वयं लें। निर्णय लेने से न घबराएँ क्योंकि गलत निर्णय भी हमें निर्णय लेना सिखाते हैं। निर्णय लेते वक्त दिल व दिमाग दोनों का इस्तेमाल करें। केवल भावुक होकर नहीं बल्कि बुद्धि से भी काम लें। उदाहरण आज क्या बनाऊँ, आज क्या पहनूँ, यह चीज खरीदूँ या न खरीदूँ इत्यादि जैसे निर्णय स्वयं लें। कुछ निर्णय पहले ही ले लें ताकि समय का सही उपयोग हो सके। एक सप्ताह का मेनू बनाकर रखें या कौन सा काम कौन से समय पर करेंगे, यह पहले ही सोच

कर रखें। क्रोध में कभी भी निर्णय न लें क्योंकि क्रोध में लिया हुआ हर निर्णय हमेशा गलत होता है।

E - EMOTIONAL HEALTH - अपनी भावनात्मक समझ को बढ़ायें।

किसी बात की वजह से रिश्तों में या शरीर में मानसिक तनाव आये तो अपनी भावनाओं को पहचानें, अपने आप से सवाल पूछें कि इस प्रकार की नकारात्मक भावनाएँ आप पर क्यों असर कर रही हैं। अपने गुस्से, तनाव, डर और दु:ख की भावनाओं को प्रकाश में लायें, उन्हें किसी डायरी में लिख लें यानी अपनी भावना को पेपर पर उतारें। अपने आप से कहें, 'ये घटनाएँ मुझे कुछ नया सीखने का मौका दे रही हैं। इन घटनाओं का मुझ पर उच्चत्तम असर होगा।' अपनी कल्पना शक्ति से सुलझी हुई, सकारात्मक व पंसदीदा तस्वीर अपने सामने लायें। इन घटनाओं से ऊपर उठें व अपने अंदर आत्मविश्वास महसूस करें।

भावनाओं की शक्ति को पहचानें,
उसका इस्तेमाल अच्छे कार्य करने के लिए करें।

F- FEARLESS - निर्भयी बनें

डर की भावनाओं से न डरें, निर्भयी बनें।

डर से गुजरकर ही साहसी बना जा सकता है इसलिए कितना भी डर क्यों न लग रहा हो, डर के विरूद्ध कार्य करें। उदाहरण अगर अंधेरे का डर हो तो अंधेरे में जाकर देखें। सकारात्मक विचार रखते हुए इस मंत्र का उपयोग करें- '**मैं ईश्वर की संपत्ति हूँ, कोई गलत शक्ति मुझे छू नहीं सकती।**'

डर की भावनाओं को कम करने के लिए कभी-कभार अपने परिवार व मित्रों के साथ घूमने जाने का प्रोग्राम बनायें। इससे आपको और उन्हें एक नया जोश व ताज़गी महसूस होगी।

डर ही एक ऐसी चीज है, जिसकी वजह से इंसान वह नहीं कर पाता
जो करने के लिए वह धरती पर आया है।

G - GIVING / FORGIVING- देने की भावना

लेना नहीं, देना सीखें क्योंकि लेने से केवल गुजारा होता है जब कि जो आप देते हैं उससे ही विकास होता है, लाभ होता है।

किसी गलती पर क्षमा माँगने व क्षमा करने में कतई न हिचकिचाएँ, इससे आपसी प्रेम और भी बढ़ेगा।

हमें यह नहीं देखना है कि सामने वाला कैसे गलत है, हमें यह देखना है कि सामने वाला कैसे सही है इसलिए दूसरों को माफ करना सीखें वरना इससे हमारा ही नुकसान होगा, हम अंदर से तकलीफ भोगेंगे और बिना वजह बोझ लेकर घूमेंगे। दूसरों को माफ करना, यह एहसान उन पर नहीं है, यह एहसान आपका आप पर है।

सुनहरा नियम – लोगों के साथ ऐसा व्यवहार करें,

जैसा आप चाहते हैं, लोग आपसे, जो आप हैं व्यवहार करें।

H - HABITS- अच्छी आदतें डालें

अच्छी आदतें डालें, समय सारिणी बनायें व उसे पूरा करने की कोशिश करें। छोटे-छोटे प्रयोग करें, सुबह जल्दी उठना, व्यायाम करना, कार्य को समय पर पूर्ण करना इत्यादि। यह करते हुए शुरुआत में तकलीफ होगी पर धीरे-धीरे ये सब आसान हो जायेगा। रोजाना व्यायाम करने की आदत जरूर डालें, जिससे आपके अंदर का तनाव कम होने में मदद मिलेगी।

कुछ लोग खाना खाते वक्त सिर्फ खाना नहीं खाते, दुनिया भर की बातें सोचते हैं। इस तरह की आदत से पाचन क्रिया में बाधा आती है।

अच्छी आदतों को धीरे-धीरे बढ़ायें व बुरी आदतों को धीरे-धीरे कम करें। उदाहरण – अगर आप दोपहर में दो घंटे सोते हैं और आप उसे कम करना चाहते हैं तो धीरे धीरे-समय को कम करें।

पहले इंसान आदतें बनाता है,

बाद में वे आदतें इंसान को बनाती हैं।

I - INITIATIVE - पहल करें

हर कार्य में पहल करें।

सुस्ती व तमोगुण से बचें। कई सारे काम ऐसे होते हैं जो हम करना चाहते हैं पर कर नहीं पाते। हमें यह मालूम होता है कि शुरू करेंगे तो पूर्ण भी करेंगे, पर फिर भी शुरू नहीं कर पाते। ऐसे ही काम के लिए पहल करें।

शुरुआत थोड़े से समय से करें और धीरे-धीरे उसे अंजाम तक ले जायें। अच्छे लीडर का यह गुण होता है कि वह बिना बताये, अपनी जिम्मेदारी समझकर स्वयं कार्य की शुरुआत करता है। इसी तरह रिश्तों में तानव हो तो पहल करके उसे भी सुलझा लें, किसी और के शुरुआत करने के लिए रुकें नहीं।

कामयाबी का रहस्य यह है कि कार्य शुरू करें।

J - JOIN GROUP - संघ बनायें

खाली समय बिताने के लिए किसी अच्छी संस्था के सदस्य बनें या अच्छे संघ में रहें। ऐसी संस्था या संघ जहाँ आप **अपनी पूर्ण संभावना खोल पायें, अपनी शक्तियों का उपयोग कर पायें व दूसरों की भी संभावनाओं को खोलने में मदद कर पायें।**

वहाँ सिखायी हुई बातों पर वादविवाद किये बिना अमल करें। लोक व्यवहार के नियम समझें व अपना जीवन सुधारकर सुखमय जीवन व्यतीत करें। घटनाओं के अनुसार दूसरों पर नियंत्रण रखने से बेहतर है, अपने आप पर नियंत्रण करना सीखें। केवल बोलें नहीं, सुनना भी सीखें।

आपके संघ को, सहेलियों को देखकर, आपके बारे में
जाना जा सकता है इसलिए अच्छे संघ का चुनाव करें।

K - KNOWLEDGE - ज्ञान प्राप्त करें

सीखने का नजरिया रखें, ज्ञान प्राप्त करें। पुरुष और बच्चे ज्यादातर घर के बाहर होने की वजह से काफी कुछ सीखते हैं, महिलाएँ घर पर होने की वजह से नयी बातों से अनजान रह जाती हैं इसलिए पुस्तकों, अखबार और टी.वी. में

अच्छे कार्यक्रमों द्वारा ज्ञान प्राप्त करें । हमेशा अपना ज्ञान बढ़ाने के लिए समय निकालें, कम से कम दिन का आधा घंटा सीखने का नजरिया रखें । आपकी नजर दूसरों की दौलत या शरीर पर न हो बल्कि दूसरों के ज्ञान पर हो ।

हर इंसान जो कुछ ज्ञान रखता है, वह आपको कुछ नया सिखायेगा, जिसकी वजह से आपके जीवन में हर वह चीज़ होगी, जो एक सफल जीवन में होती है ।

यह ध्यान रखें कि ज्ञान बाँटने से बढ़ता है और संचय करने से घटता है ।

L - LOVE (BRIGHT) - तेजप्रेम

ईर्ष्या, नफरत व द्वेष से बचें । यह भावना हर इंसान के अंदर होती है, इन भावनाओं का होना स्वाभाविक भी है क्योंकि ये भावनाएँ सुरक्षा व सावधानियों के लिए दी गयी हैं मगर ये भावनाएँ बढ़कर नकारात्मक हो जाती हैं । इन भावनाओं की शक्ति को जानें, इन भावनाओं को अपने व घर वालों के विकास के लिए उपयोग करें ।

ईर्ष्या, नफरत व द्वेष न देते हुए लोगों को प्रेम दें । प्रेम देना स्त्री का स्वाभाविक गुण है । हर स्त्री निस्वार्थ भाव से प्रेम देना चाहती है, अपने बच्चों को देती भी है पर यह अपने बच्चों तक ही सीमित रहता है ।

प्रेम ही एक ऐसी चीज है जो देने से मिलती है ।

M - MANAGE - प्रबंधक बनें

अपने घर के प्रबंधक बनें

जो कार्य दुनिया का कोई एक इंसान कर सकता है, वह काम आप भी कर सकती हैं । अपनी ताकत पर विश्वास रखें, अवसर पहचानें, सफलता जरूर मिलेगी । जो कार्य आप आज और अभी कर रहे हैं उसे बेहतर करें । जो आपने कल किया, उससे सीखकर उसे भूल जायें । जो आप कल करेंगे वह बेहतरीन होगा यह विश्वास रखें ।

समय के सदुपयोग का अर्थ है सही समय पर निर्धारित काम पूरा करना। समय का महत्त्व जानने वाले इंसान बनें और हर पल का इस्तेमाल सही मायने में सही चीजों के लिए करने की ठान लें क्योंकि अगर आज हमने समय को महत्त्व नहीं दिया तो आने वाला समय भी हमें महत्त्व नहीं देगा। **समय, शक्ति व पैसे का सदुपयोग जीवन में सफलता की सीढ़ी है। समय मानव के लिए सबसे बड़ा वरदान है।**

N - NO NO'S - न करें

कुछ बातों को कभी न करने की ठानें। ऐसी बातें जिस पर समय व शक्ति बरबाद होती है, उसे न करने कि सूची में डालें। जैसे...

- बेवजह बात करना
- सोच शक्ति का दुरुपयोग करना
- गलत आदतों में फँसना इत्यादि।
- अपनी अतीत में हुई गलतियों से सीखें। उन्हें कभी न दोहराने का संकल्प करें।
- किसी भी चीज की अति में न जायें क्योंकि यह हमारे होश व व्यवहार पर प्रभाव डालता है।
- अपरोधबोध, चिंता व तनाव जैसी भावनाओं से दूर रहें। अपने नियम बनायें।

जब हम अपने नियम नहीं बनाते तो हमें दूसरों के नियमों पर चलना पड़ता है।

O - OBSERVE- निरीक्षण

दूसरों के अच्छे गुणों पर ध्यान दें। अपने आजू-बाजू के लोग, रिश्तेदार, पड़ोसियों के अच्छे गुण अपने पास लिखकर रखें। वे गुण जो आप चाहते हैं कि आपमें भी हों ताकि अगली बार जब भी वे सामने आयें तो आपका ध्यान उनके गुणों पर जाये, न कि बुराइयों पर। इस प्रकार हर एक इंसान के अच्छे गुणों का निरीक्षण करें। टी.वी., रेडियो पर ऐसे कार्यक्रम देखें व सुनें जिनसे आपको प्रेरणा मिले। शकल की नहीं अकल की नकल करें। कामयाब महिलाओं की आत्मकथा

पढ़ें उनके गुणों को पहचानें क्योंकि हर महिला को केवल बौद्धिक या मानसिक स्तर पर नहीं, शारीरिक और सामाजिक स्तर पर भी मजबूत बनना है।

जिस चीज पर हम ध्यान देते हैं, वह चाहे अच्छी हो या बुरी,
वह चीज हमारे अंदर आने लगती है। यह कुदरत का नियम है।

P - PRAYER- प्रार्थना करें

जिस चीज के लिए आप प्रार्थना करते हैं, वह चीज आपके जीवन में बढ़ती है। अगर आप दूसरों के मदद के लिए प्रार्थना करते हैं तो आप तक मदद पहुँचती है। हर इंसान जाने अनजाने में प्रार्थना करता है। दूसरों के लिए प्रार्थना करें। हम किसी के प्रति ईर्ष्या, द्वेष के कारण जल्दबाजी में गलत निर्णय ले लेते हैं क्योंकि हमारी मन की शुद्धता नहीं होती है, जिस वजह से हम खुद का ही नुकसान कर बैठते हैं। इसलिए हम अपने संपर्क में आये हुए सभी लोगों के लिए प्रार्थना करने की आदत डालें। ऐसा करने से जिन लोगों के प्रति हमने प्रार्थना की, उनके प्रति द्वेष होना बंद हो जाता है। इस प्रकार से हम दूसरों के लिए निमित्त बनते हैं और चारों तरफ खुशियाँ फैला पाते हैं।

प्रार्थना करने के लिए जरूरी है, प्रेम, विश्वास,
भाव, शुद्धता, एकाग्रता, समझ और धीरज।

Q - QUIT - त्याग करें

त्याग से ही तेज प्रेम को परखा जा सकता है। प्रेम की वजह से मन को पसंद आने वाली चीजों, आदतों का त्याग किया जा सकता है। त्याग में दो तरह की बातें होती हैं, एक त्याग में आप कुछ ऐसा चुनते हैं जो आज के बाद आप नहीं करेंगे और दूसरे त्याग में आप कुछ ऐसा चुनते हैं जो आज के बाद आप बिना शिकायत करेंगे।

R - RESPONSE - प्रतिसाद

अगर किसी कारणवश संबंधों में तनाव आ जाय तो उसे तुरंत दूर करने की कोशिश करें। 'पहले तुम, पहले तुम' वाली स्थिति से बचें वरना तनाव नजदीकियों

को दूरियों में तबदील कर देगा। इल्जाम नहीं, काम को अंजाम दें – शिकायत करना बंद करें।

S - STRESS MANAGEMENT- तनावमुक्त रहें

कोई भी इंसान परिपूर्ण नहीं होता इसलिए लचीली बुद्धि रखें। बाहर की घटनाओं पर तो किसी प्रकार से नियंत्रण रखा जा सकता है पर सबसे महत्त्वपूर्ण है आप अपनी भावनाओं पर नियंत्रण रखें। जब भी तानव आये, उस समय में अपना ज्ञान बढ़ाने के लिए अच्छी पुस्तकों का सहारा लें। जरूरत हो तो अपने तनाव को ऐसे इंसान के साथ बाँटें, जिस पर आपको विश्वास हो, जो आपको समझ पाये और आपकी बातें किसी और को न बताये। नकारात्मक विचारों व घटनाओं से बचें। अपने आप से सवाल पूछें, 'क्या हम तनावमुक्त जीवन जी सकते हैं, अगर नहीं तो कब तक अपने जीवन को तनाव की वजह से बिगड़ने देंगे?' अपनी शक्तियों को सृजनात्मक चीजों को सीखने में लगायें। अपने गुजरे हुए कल का यह जानने के लिए इस्तेमाल करें कि 'क्या सीखा?' अपने भविष्य को सँवारने के लिए अपने वर्तमान को बदलें।

T - THANK - धन्यवाद दें

छोटी से छोटी मदद मिलने पर धन्यवाद जैसे जादुई शब्दों का उपयोग करें।

U - UNDERSTANDING - समझ बढ़ायें

मान्यताएँ हैं अंधेरा तो समझ है रोशनी, दोनों एक वक्त में एक साथ नहीं रह सकते। हम सभी अज्ञान की वजह से मान्यताओं (गलत धारणाओं) में जीवन जीते हैं। मान्यताओं की वजह से हम जीवन में आगे नहीं बढ़ पाते हैं। जैसे बिल्ली ने रास्ता काटा या तीन लोग एक काम के लिए जायेंगे तो काम नहीं होगा इत्यादि। इसलिए ईमानदारी से समझ बढ़ायें, शुभ विचार रखें और देखें कि ये मान्यताएँ कैसे बनीं, किसने और क्यों बनायीं। मान्यताओं को प्रकाश में लायें। इस प्रकार के सवालों से आपके विचारों में सकारात्मक बदलाव आयेगा और वे विचार आपको जीवन में खिलने व खुलने में मदद करेंगे। आपकी समझ बढ़ेगी तो जीवन

में सही ढंग से अभिव्यक्ति होगी।

सब मान्यताओं का खेल है UNDERSTANDING IS THE WHOLE THING

V - VERSATILE- योग्यता बढ़ायें

अपने आप को ऑल राउंडर बनायें यानी हर तरह के कार्य करने की योग्यता रखें। खाना बनाने से लेकर ऑफिस के कार्य सँभालने तक के सारे गुणों को बढ़ायें। अपनी दिनचर्या में पारिवारिक जिम्मेदारी, पति, ससुराल, बच्चे, मायका, रिश्तों में अहमियत, समाज, नौकरी, खुद का व घरवालों के स्वास्थ्य को संतुलित करने में अपनी योग्यता को कपट मुक्तता से परखें। दूसरों को दोष देने की बजाय अपनी योग्यता पर काम करें।

योग्यता बढ़ाने के लिए जागृत होकर निरंतरता से कार्य करें। जब भी नये कार्य करने का मौका मिले तो उसका पूर्ण लाभ लें, मौके को हाथ से न जाने दें।

योग्यता बढ़ाना यानी अपने शरीर, मन, बुद्धि का विकास करना।

W - WANT- चाहत या जरूरत

अपनी चाहतों को पूरा करने लिए कई बार हम बिना वजह समय व पैसा बरबाद करते हैं। कुछ चीजों की हमें जरूरत न होते हुए भी उन्हें खरीद लेते हैं व बाद में पछताते हैं इसलिए यह जरूरी है कि हर कार्य करने से पहले अपने आप से पूछें कि यह कार्य मेरी चाहत है या जरूरत है। उदाहरण – फोन करने से पहले अपने आप से पूछें 'ज' या 'च'। कोई सामान खरीदने से पहले, टी.वी. देखने से पहले, बच्चों को डाँटने या क्रोध करने से पहले जरूर देखें कि यह हमारी चाहत है या इसकी जरूरत है।

अपनी चाहतों को जरूर पूरा करें पर उसके पहले अपनी जरूरतों को पूरा करें।

X - X-PRESS - व्यक्त करें

अपनी भावनाओं को सही शब्दों में व्यक्त करें। हर समय एक दूसरे की हाँ में हाँ और ना में ना सिर न हिलायें। यह जरूरी नहीं कि उचित लगने पर ही बोलें,

अनुचित लगने पर भी अपनी प्रतिक्रिया जरूर जाहिर करें। अपनी भावनाओं को दूसरों के सामने व्यक्त करने से कभी न घबराएँ।

हम हमेशा यह उम्मीद करते हैं कि सामने वाला स्वयं हमारी भावनाएँ समझ जाय पर जब तक आप शब्दों में नहीं बतायेंगे, सामने वाला नहीं समझेगा इसलिए यह जरूरी है कि अपनी भावनाओं को सही शब्दों में व्यक्त करें। **सामने वाले इंसान के सामने अपनी इच्छा–अनिच्छा को साफ साफ व्यक्त करें पर यह उम्मीद न रखें कि सामने वाला आपकी इच्छा पर सहमति दे।**

अपनी भावनाओं को शब्दों में व्यक्त करें,

भावनाओं को अपने अंदर दबाकर बीमारियाँ न पालें।

Y - YOGA- योगा (स्वास्थ्य)

स्वास्थ्य का अर्थ किसी एक मौसम में स्वस्थ रहना नहीं है बल्कि हर मौसम में संतुलित रहना स्वास्थ्य है। अपने स्वास्थ्य के प्रति हमेशा सजग रहें। अच्छा स्वास्थ्य पाने के लिए वायु, प्रकाश, धूप स्नान का भरपूर प्रयोग करें। अपने शारीरिक स्वास्थ्य के लिए भरपूर आराम करें, जरूरी नींद लें, शिथिल होन की कला सीखें। हर दिन कम से कम आठ गिलास पानी पीयें। सात्विक व पौष्टिक आहार लें, व्यायाम (योगा) करें। सबसे महत्त्वपूर्ण है अपनी ज़ुबान पर नियंत्रण रखें।

मानसिक स्वास्थ्य के लिए ध्यान (मेडिटेशन) करें। शुभविचार (हैपी थॉट्स) रखें। योग्य आरोग्य प्राप्त करने के लिए अपने मन पर लगाम रखें। संपूर्ण स्वास्थ्य की पहचान रखें।

शरीर व मन स्वस्थ हो यह बात हर एक मानता है

लेकिन इनके साथ रिश्तों, बुद्धि, पैसे व ज्ञान में भी स्वास्थ्य हो,

यह बहुत कम लोग जानते हैं।

Z - ZEALOUS- उत्साहित रहें

हर दिन एक उपहार है इसलिए मुस्कुरायें और हर नये दिन के लिए धन्यवाद दें। लोगों से जब भी मिलें उत्साहित होकर मिलें। हर कार्य को उत्साहपूर्वक करें क्योंकि अगर आप मायूस होते हैं तो उसका असर हमारे साथ रहने वाले लोगों पर भी होता है, वे भी मायूस हो जाते हैं। अगर आप उत्साहित रहते हैं तो उसका भी असर होता है, लोग उत्साहित हो जाते हैं।

उत्साह लाने के लिए खुश रहें। अपने विचारों में सकारात्मक बदलाव लायें। (हैपी थॉट्स) शुभविचार रखें। उत्साहित लोगों के साथ रहें और अपना पसंदीदा कार्य करें।

स्वयं उत्साहित रहकर दूसरों को उत्साहित करें।

यह पुस्तक पढ़ने के बाद आप अपने अभिप्राय (विचार सेवा) इस पते पर भेज सकते हैं:
Tej Gyan Foundation,
Pimpri Colony Post office, P.O. Box 25,
Pune- 411017. Maharashtra (India).

अतिरिक्त जानकारी

भाग १

क्या आप जाग्रत महिला हैं

महिला दिवस संदेश

नारी मुक्ति के कई आंदोलन हैं, जिनका लक्ष्य नारी को स्वतंत्र करना है। बहुत सी महिलाएँ स्वयं को मुक्त या जाग्रत मानती हैं। कौन मुक्त नहीं है और कौन जाग्रत है? वह नारी मुक्त नहीं है जो :

* **अपने साथ मनोरंजन या कामना की वस्तु जैसा व्यवहार होने देती है :** दूसरों को खुश करने के लिए कपड़े पहनना चाहती है या किसी खास अंदाज में दिखना चाहती है।
* **स्वयं को भेदभाव की वस्तु बनने देती है :** वह सिर्फ महिला होने के कारण कई ऐसे काम करती है जो

उसे भेदभाव की वजह से तथा लोगों की हिंसा से बचने के लिए करने पड़ते हैं।

* **दूसरी महिलाओं के साथ वस्तुओं जैसा व्यवहार होने देती है।**

आपने गौर किया होगा कि यहाँ 'वस्तु' शब्द को उठाया गया है। कुछ लोगों को यह शब्द थोड़ा कड़ा लगेगा। लेकिन सच्चाई यही है कि समाज महिलाओं के साथ वस्तुओं जैसा बरताव करता है, महिलाएँ अपने साथ वस्तु जैसा व्यवहार होने देती हैं और दूसरी महिलाओं के साथ भी ऐसा ही व्यवहार होने देती हैं। कई महिलाएँ सोचती हैं कि वे स्वयं को मनोरंजन की वस्तु नहीं बनाती हैं। लेकिन शायद अचेतन रूप से बाकी दो बिंदुओं पर वे अनुमति दे रही हों। इसलिए चाहे आप पुरुष हों या महिला, इन बिंदुओं को सावधानी से पढ़ें ताकि आप यह समझ सकें कि आप परिवार, समाज और संसार में शांति व सौहार्द्र बढ़ाने के लिए महिलाओं को आगे जाग्रत करने हेतु सच्चा योगदान कैसे दे सकते हैं।

महिलाएँ मनोरंजन की वस्तु के रूप में

आइए, अब इस बारे में थोड़े विस्तार से समझते हैं कि महिलाओं के साथ मनोरंजन या कामना की वस्तु जैसा बरताव कैसे होता है। पुरुषों और महिलाओं का एक-दूसरे के प्रति आकर्षण या कामना सहज है। मुद्दा तो कामना या मनोरंजन की 'वस्तु' बनना है। इसमें कुछ गलत नहीं है कि कोई महिला सुंदर नृत्य करके कला की अभिव्यक्ति करे और इस कला से दूसरों का मनोरंजन करे। लेकिन जब उस नृत्य में नारी शरीर का शोषण हो तो कला तुच्छ हो जाती है।

महिलाओं के वस्तुकरण का अर्थ सिर्फ इतना है कि इसमें नारी के अनूठे गुणों और योग्यताओं पर ध्यान नहीं दिया जाता। इसके बजाय उन्हें मनोरंजन के साधन के रूप में देखा जाता है। महिलाएँ बड़े होते समय इसका अनुभव करती हैं, सुनती हैं या दूसरी महिलाओं के साथ यह होते देखती हैं। किसी दूसरे के लिए खास तरीके से 'कपड़े' पहनने या 'दिखने' की सामाजिक शिक्षा भी दी जाती है।

इस तरह महिलाएँ अंत में स्वयं को 'वस्तु' बना लेती हैं। वे अपना मूल्यांकन अपने शारीरिक हुलिए के आधार पर करती हैं, जो इस अनुभूति पर निर्भर होता है कि दूसरे उनका मूल्यांकन कैसे करेंगे। वे इस तरह से तैयार होने लगती हैं, जो उनके हिसाब से दूसरों को पसंद आएगा। या फिर, अगर वे आदर्श काया के पैमाने तक पहुँचने में असमर्थ होती हैं तो संभवत: उन्हें अपनी देह पर शर्म भी आ सकती है।

फैशन, फिल्में और टेलीविजन कुछ प्रमुख माध्यम हैं, जो महिलाओं को मनोरंजन की वस्तुएँ बनाने का विचार मन में भरते हैं। उनका ध्यान सिर्फ इस बात पर केंद्रित होता है कि महिलाओं को मनोरंजन की 'बेहतर' वस्तु बनना सिखाएँ। बेहतर कॉस्मेटिक्स से लेकर ज्यादा तंग कपड़े और सुंदर त्वचा का प्रदर्शन – महिलाओं का चेतन और कई बार अचेतन शोषण हो रहा है, जिसकी लत पुरुषों (शोषकों) को भी पड़ती जा रही है और महिलाओं (शोषितों) को भी पड़ रही है:

बिना किसी अतिशयोक्ति के यह कहा जा सकता है कि महिलाओं के बिना कोई सिनेमा संभव नहीं है। दु:ख की बात यह है, ऐसा इसलिए नहीं है क्योंकि फिल्म में वास्तविक नारीत्व की सहज चिंताओं को प्रकट किया जाता है, बल्कि इसलिए क्योंकि सिनेमा के प्रारंभ से ही महिला को आकर्षण का केंद्र बना दिया जाता है, उसे मनोरंजन या कामना की वस्तु के रूप में प्रस्तुत किया जाता है। फिल्मों में कामना की वस्तु के रूप में महिलाओं का सुनियोजित उपयोग नशे की लत की धीमी प्रक्रिया जैसा है: पहले तो इसके प्रभाव थोड़े मृदु और सुखद रूप से प्रेरित करनेवाले थे इसलिए पुरुषों और महिलाओं दोनों ने ही इसे हानिरहित माना, कुछ हद तक मुक्तिदायक भी लेकिन जब समय गुजरने के साथ खुराक बढ़ती गई तो निर्भरता की उन्मादी अवस्था आ गई। जिसका प्रारंभ परंपरा से मुक्ति की खोज के रूप में हुआ, उसका अंत दासता के एक अलग रूप में हुआ।

–इन सर्च ऑफ ट्रू लिबरेशन फॉर विमेन– मारिया वैगनर

कंपनियों के मालिक यह कहने में जरा भी नहीं हिचकिचाते, 'किसी महिला को रिसेप्शन में बैठा देते हैं। इससे सजावट बढ़ जाएगी।' उन कंपनियों में काम करनेवाली कई महिलाएँ भी यही मानसिकता रखने लगती हैं। अगर वे महिला को रिसेप्शनिस्ट इसलिए बनाते हैं क्योंकि इससे संतुलन बढ़ेगा तो यह अच्छी बात है। लेकिन प्रदर्शन या आकर्षण की 'वस्तु' की तरह नहीं रखना चाहिए। इसलिए मुख्य बात है इरादा। जब कोई महिला इस जन-सम्मोहन में अंधी होकर पुरुषों को खुश करने की खातिर किसी खास अंदाज में कपड़े पहनती है या मेकअप करती है तो वह मुक्त नहीं है क्योंकि वह अपने साथ वस्तु जैसे बरताव की अनुमति दे रही है। महिला के रूप में आपके कपड़ों या मेकअप के चयन के पीछे इरादा क्या है – उसी से यह तय होता है कि आप अपने साथ वस्तु जैसा बरताव होने दे रही हैं या नहीं।

सवाल यह है कि महिलाओं को मेकअप करना चाहिए या नहीं? महिला के रूप में मेकअप करना सही है या नहीं, यह इस बात पर निर्भर करता है कि आप स्वयं को क्या मानती हैं। मेकअप करने से पहले जाग्रत होना सबसे अच्छा होता है। अगर कोई महिला सोचती है, 'मेरी काया एक मंदिर है और मेरी ओर देखने से लोगों की चेतना का स्तर ऊपर उठना चाहिए; हम अपने रोजमर्रा का जीवन जीते समय भी दैवी आनंद में स्थापित हो सकते हैं, यह विचार उनमें भी आना चाहिए' तो मेकअप करना पूरी तरह सही है। आत्मविश्वास महसूस हो या अच्छा दिखने के लिए मेकअप करना उचित है। लेकिन दूसरों की नजरों में 'आकर्षक' दिखने के लिए मेकअप करना समाज के उस वस्तुकरण का समर्थन करना है, जिससे जाग्रत नारी बचती है।

कई महिलाएँ लोगों की प्रशंसा का शिकार हो जाती हैं और आगे चलकर अनजाने में शोषित हो जाती हैं। यह सिर्फ आज की बात नहीं है। इसकी गहरी जड़ें तो अतीत तक जाती हैं। विषकन्या से लेकर नगरवधू की अवधारणा तक यह शोषण होता आया है। संभावना इस बात की है कि इन महिलाओं ने कभी इस

बारे में विचार ही नहीं किया कि उन्हें क्या बनाया जा रहा है और ऐसे उद्देश्यों के लिए उनका उपयोग क्यों किया जा रहा है। अगर नारी अपने माहौल और अपने आस-पास के लोगों के बारे में अधिक जागरूक बनने का निर्णय लेती है और अपनी इच्छाओं पर नियंत्रण रखती है तो वह किसी इंसान के हाथों की कठपुतली नहीं बनेगी। अगर वह अपनी कमजोरी पर विचार करती है और यह समझ लेती है कि उसे अपनी कमजोरी का समाधान खोजना चाहिए तो वह सही मार्ग पर आगे चल पड़ेगी।

महिलाएँ भेदभाव की वस्तु के रूप में

महिलाओं के साथ वस्तु जैसा व्यवहार करने का एक और तरीका है उनके साथ भेदभाव करना, उन्हें 'हीन' मानना या यह सोचना कि महिलाओं को पुरुषों के अधीन रहना चाहिए। इसमें पुरुष महिलाओं के साथ कम अधिकारवाली वस्तुओं जैसा बरताव करता है। इस लिंगभेद के कारण महिलाएँ भी स्वयं को वस्तु मानने लगती हैं। कई संस्कृतियों की महिलाएँ बड़े होते समय यह सोचती हैं कि महिलाओं की तुलना में पुरुषों के पास ज्यादा अधिकार होना सामान्य है।

यूनिसेफ के एक सर्वे का निष्कर्ष है कि कई संस्कृतियों में घरेलू हिंसा को सामान्य माना जाता है। सर्वे में १५ से ४९ वर्ष की महिलाओं से पूछा गया कि क्या उनके हिसाब से कुछ परिस्थितियों में पति का पत्नी को मारना या पीटना जायज है। सर्वे के अनुसार जॉर्डन की ९० प्रतिशत, गिनी की ८५.६ प्रतिशत, जाम्बिया की ८५.४ प्रतिशत, सिएरा लियोन की ८५ प्रतिशत, लाओस की ८१.२ प्रतिशत और ईथोपिया की ८१ प्रतिशत महिलाओं ने पत्नी की पिटाई को जायज माना।

पुरुष के रूप में अपनी जाँच करके देखें कि क्या आप नीचे दी गई बातों में से किसी को सच मानते हैं :

☐ *महिलाएँ मानसिक दृष्टि से पुरुषों से कमजोर होती हैं।*
☐ *हर क्षेत्रों में महिलाओं के पास पुरुषों से कम अधिकार होने चाहिए।*

- *केवल महिलाओं को पुरुषों की सेवा करनी चाहिए।*
- *कोई काम पुरुष करे तो सही है लेकिन महिला करे तो गलत है।*
- *'सिर्फ' महिला को ही घर के कामकाज करने चाहिए या 'सिर्फ' माँ को ही बच्चे की देखभाल करनी चाहिए।*
- *महिला को घर के बाहर काम करने नहीं जाना चाहिए। उसे कैरियर नहीं बनाना चाहिए।*
- *महिला कंपनी में सफलता की सीढ़ी नहीं चढ़ सकती।*
- *महिला बिजनेस सँभालने में पुरुष जितनी कुशल नहीं हो सकती।*
- *आध्यात्मिकता और आध्यात्मिक विकास सिर्फ पुरुषों के लिए है।*

अगर आपने ऊपर दिए गए सवालों में से किसी का भी जवाब हाँ में दिया है तो आप महिलाओं के प्रति भेदभाव कर रहे हैं। आप एक सीमित, परतंत्रता की मानसिकता से महिलाओं को देख रहे हैं। आप यह सोच सकते हैं कि महिला की तुलना में पुरुष शारीरिक दृष्टि से ज्यादा शक्तिशाली होता है इसलिए कुछ काम पुरुष ही ज्यादा अच्छी तरह कर सकते हैं। ऐसा सोचना शायद भेदभाव नहीं है लेकिन यह सोचना निश्चित रूप से भेदभाव है कि महिलाएँ मानसिक रूप से भी कमजोर होती हैं। शोध से पता चलता है कि शारीरिक भिन्नताओं का मानसिक श्रेष्ठता से कोई संबंध नहीं होता। शारीरिक भिन्नताओं के कारण यह कहना विज्ञानसम्मत नहीं है कि मानसिक रूप से महिलाएँ पुरुषों से श्रेष्ठ होती हैं या पुरुष महिलाओं से श्रेष्ठ होते हैं। इसी तरह, यह सोचना भी भेदभाव नहीं है कि नारी ज्यादा परवाह करती है और बच्चे की ज्यादा अच्छी देखभाल करती है। लेकिन यह सोचना भेदभाव है कि बच्चे संभालना महिला का ही काम है, पुरुष का काम नहीं है इसलिए इसे महिला को ही करना चाहिए। जाग्रत नारी सिर्फ नारी होने के कारण अपने (और दूसरों के) साथ भेदभाव नहीं होने देती। नारी के रूप में स्वयं की जाँच करके देखें कि क्या आपके मन में ये या इनसे मिलते-जुलते विचार हैं :

- *मैं नारी हूँ, सिर्फ इसलिए - मुझे और दूसरी महिलाओं को ही घरेलू कामकाज करने चाहिए।*

- *मैं नारी हूँ, सिर्फ इसलिए - मुझे पर्याप्त अवसर नहीं मिलते हैं।*
- *मैं नारी हूँ, सिर्फ इसलिए - मैं कभी अमीर नहीं बन पाऊँगी।*
- *मैं नारी हूँ, सिर्फ इसलिए - पति के गुजर जाने पर मैं अपना जीवन अच्छी तरह नहीं चला सकती।*
- *मैं नारी हूँ, सिर्फ इसलिए - मैं कभी कंपनी में सफलता प्राप्त नहीं कर पाऊँगी।*
- *मैं नारी हूँ, सिर्फ इसलिए - मेरा कष्ट उठाना तय है। महिलाएँ पुरुषों की तुलना में ज्यादा कष्ट उठाती हैं।*

यदि आपने ऊपर दिए गए सवालों में किसी का भी जवाब हाँ में दिया है तो आप स्वयं को भेदभाव की वस्तु बनने दे रही हैं। कंपनी जगत में काँच की छत होती है, यह सच हो सकता है। यह भी सच हो सकता है कि पुरुष और दूसरी महिलाएँ ऐसा सोचकर या व्यवहार करके भेदभाव कर रहे हों। लेकिन महिला के रूप में, आपको अपने साथ भेदभाव करने की कोई जरूरत नहीं है। आपको इस व्यापक मान्यता को स्वीकार करने की आवश्यकता नहीं है कि महिला होने के कारण आप कंपनी में सफलता के पायदान नहीं चढ़ पाएँगी। यदि आप सोचती हैं कि आपको सारे घरेलू कामकाज करने चाहिए क्योंकि महिला होने के कारण आपके पास विकल्प नहीं है तो आप स्वयं को वस्तु बना रही हैं। एक बार फिर, सब कुछ इरादे पर निर्भर करता है। यदि कोई महिला निर्णय लेती है कि मैं किसी ऑफिस में काम नहीं करूँगी और इसके बजाय घर पर रहकर अपने बच्चों की देखभाल करूँगी क्योंकि देखभाल का स्वभाव नारी की शक्ति है तो यह एक जाग्रत निर्णय है। लेकिन यदि कोई पति अपनी पत्नी को आदेश देता है कि 'तुम्हें बाहर काम नहीं करना चाहिए और सबसे अच्छा यह है कि तुम घर पर ही रहो' तो वह उसके साथ भेदभाव की वस्तु जैसा बरताव कर रहा है। इसके बजाय अगर पति-पत्नी दोनों मिलकर यह फैसला करें कि वे अपने काम इस तरह बाँटेंगे ताकि बच्चा पालने की जिम्मेदारी पत्नी के पास रहेगी और इसलिए वह ऑफिस

में काम करने नहीं जाएगी तो यह एक जाग्रत चयन होगा और वे मुक्त दंपति बन जाएँगे।

अन्य महिलाओं के साथ वस्तु जैसा व्यवहार होने की अनुमति देना

महिलाएँ स्वयं के साथ वस्तु, मनोरंजन की वस्तु या भेदभाव की वस्तु जैसा बरताव होने देती हैं, इसका प्रमुख कारण यह है कि अन्य महिलाएँ ऐसा होने की अनुमति देती हैं। जब कोई लड़की बड़ी होती है तो उसके मन पर अपनी माँ और दूसरी महिलाओं की कही बातों की ज्यादा गहरी छाप पड़ती है। इतनी गहरी छाप पुरुषों की कही बातों की नहीं पड़ती है।

विकसित देशों में नारी को भेदभाव की वस्तु मानना ज्यादा बड़ा मुद्दा नहीं है। वहाँ तो मुद्दा है नारी को कामना या मनोरंजन की वस्तु मानना। वहाँ प्रारंभ से ही इस तरह की प्रोग्रामिंग कर दी जाती है कि 'प्रभावित करने के लिए' कैसी दिखना है, क्या पहनना है। वास्तव में, ध्यान स्वयं को व्यक्त करने पर केंद्रित होना चाहिए, किसी दूसरे को प्रभावित करने पर नहीं।

कम विकसित देशों में, जहाँ सेक्स वर्जित है, नारी को मनोरंजन या कामना की वस्तु मानने का मुद्दा अपेक्षाकृत कम होता है। लेकिन नारी को भेदभाव की वस्तु मानने का मुद्दा बहुत बड़ा होता है। भारत और चीन जैसे विकासशील देश इन दोनों अतियों के भँवर में फँसे हुए हैं और यहाँ नारी को दोनों तरह की वस्तुओं के रूप में देखा जाता है।

पुरुष, दूसरी महिलाएँ और पूरा समाज लड़की के बड़े होते समय उसमें जो मान्यताएँ भरता है, उनसे उसे विश्वास हो जाता है कि वह या तो भेदभाव या कामना की वस्तु है। इन विश्वासों की आम विषयवस्तु यह होती है : चूँकि मैं महिला के रूप में पैदा हुई हूँ, इसलिए...

...मैं निर्णय लेने में सक्षम नहीं हूँ। मैं जो भी निर्णय लेती हूँ, वे हमेशा गलत साबित होते हैं।

...मैं बिजनेस या कंपनी जगत में विशेषज्ञ नहीं हूँ।

...मैं इस संसार में बहुत असुरक्षित महसूस करती हूँ।

...मुझे अच्छी दिखना चाहिए। लेकिन मैं ज्यादा मोटी या ज्यादा दुबली हूँ इसलिए पर्याप्त अच्छी नहीं हूँ।

...मुझे गोरी होना चाहिए। मेरा रंग गोरा नहीं है। मैं पर्याप्त अच्छी नहीं हूँ।

...लोग मेरा नाजायज फायदा उठाएँगे। पुरुष स्वभाव से मूलतः बुरे होते हैं।

...मेरे साथ धोखा किया जाएगा। दूसरी महिलाओं के साथ धोखा हुआ है। इस दुनिया में किसी का भरोसा नहीं करना चाहिए।

...मेरी माँ के साथ जो गलत बातें हुई हैं, वही मेरे साथ भी होंगी।

...मुझे रोना और सहन करना है। अगर मैं ज्यादा खुश होती हूँ या हँसती हूँ तो अंत में मुझे रोना पड़ेगा।

...मुझे जीवन में सीमित चीजें ही मिलती हैं। आखिर, आप जीवन में हर चीज तो नहीं पा सकते।

...मैं पैसों के मामले में चतुर नहीं हूँ।

...ईश्वर चाहता है कि मैं कष्ट उठाऊँ। जीवन नहीं चाहता कि मैं अच्छी तरह जीऊँ।

...जीतना मुश्किल है। समाज महिलाओं के खिलाफ है इसलिए मैं नहीं जीत सकती।

...हर व्यक्ति की रुचि सिर्फ मेरे शरीर में है। कोई भी मुझे सच्चा प्यार नहीं करता।

...मैं ताकतवर नहीं, कमजोर हूँ। बीमारी मेरे खून में है।

...मुझे पुरुषों के अधीन रहना चाहिए। पुरुष जो चाहता है, उसे करने के सिवा दूसरा कोई विकल्प नहीं है।

महिलाओं को न सिर्फ स्वयं के साथ वस्तुओं जैसा बरताव नहीं होने देना चाहिए बल्कि दूसरी महिलाओं के साथ भी ऐसे व्यवहार की अनुमति नहीं देनी चाहिए। पुरुष कई बार प्रशंसा करके या धमकाकर महिलाओं को उकसाते हैं कि वे दूसरी महिलाओं को सताएँ या उनका दमन करें। ऐसी कई महिलाएँ देखने में

आई हैं, जिन्होंने पर्याप्त जागरूकता न होने के कारण गैर-कानूनी और गलत गतिविधियों में खुशी-खुशी साथ दिया है। इसलिए महिला को इस बारे में थोड़ा जागरूक बनने का निर्णय लेना चाहिए कि वह कैसे स्वयं को वस्तु (चाहे यह भेदभाव की वस्तु हो या कामना की) बनने देती है? उसे संकल्प लेना चाहिए कि वह स्वयं किसी दूसरे के हाथ की कठपुतली नहीं बनेगी और दूसरी महिलाओं को वस्तु बनाने की अनुमति नहीं देगी। इस निर्णय और संकल्प के बाद उसके आस-पास का संसार निश्चित रूप से बदल जाएगा।

अगर आप वस्तु बनना छोड़ देती हैं तो पुरुष कोई दूसरा विकल्प खोजेंगे, जिसके साथ वे वस्तु जैसा व्यवहार कर सकें। आज चूँकि महिलाएँ इच्छा या अनिच्छा से अपने साथ वस्तु जैसा बरताव होने देती हैं और दूसरी महिलाएँ खामोश रहती हैं इसलिए यह सहज सुलभ विकल्प है। इसीलिए शोषकों को ज्यादा ऊँचा विकल्प सोचने की जरूरत नहीं पड़ी है। इस तरह सच्ची जाग्रति ही एकमात्र समाधान है। स्वतंत्रता वस्त्रों में ही नहीं होनी चाहिए, सोच में स्वतंत्रता अनिवार्य है। 'चूँकि मैं एक महिला हूँ', वाले ऊपर बताए गए बिंदु पर सोचना स्वयं भी छोड़ दें और दूसरी महिलाओं को भी छोड़ने के लिए प्रेरित करें। नारी के रूप में अपने अंदर की सारी मान्यताओं की जाँच करें। बचपन से लेकर आज तक के उन सारे आदेशों की जाँच करें, जिनकी वजह से आपने स्वयं और दूसरी महिलाओं के साथ वस्तु जैसा बरताव होने दिया। अब जाग्रत हों।

जाग्रत कैसे हों?

यह कहा जा सकता है कि महिलाओं ने कामना और भेदभाव की वस्तु बनने से निबटने के तीन तरीके खोजे हैं :

* **वे बिलकुल जाग्रत नहीं होतीं और सहन करती हैं :** इस मामले में वे सहनशीलता की अपनी शक्ति का उपयोग करती हैं और अनावश्यक कष्ट उठाती हैं।

* **जाग्रति के नाम पर वे पुरुषों से प्रतिशोध लेने की दूसरी अति पर पहुँच जाती हैं :** ये महिलाएँ पुरुषों को वस्तु बनाकर उनके साथ वस्तु जैसा बरताव करना चाहती हैं। उनका ध्यान पुरुषों का उपयोग करके उन्हें मजा चखाने पर केंद्रित होता है। यह एक निरर्थक कार्य है क्योंकि आप सिर्फ एक अति से दूसरी अति पर जा रही हैं।

* **जाग्रति के नाम पर वे स्वयं पुरुष जैसी बन जाती हैं :** वे पुरुषों के खेल को उन्हीं की तरह खेलने का निर्णय लेती हैं और वह सब करती हैं, जिसकी जरूरत सफलता के पायदान चढ़ने के लिए होती है। इस प्रक्रिया में वे अपनी मौलिकता खो बैठती हैं।

तो विचार यह है कि स्वयं भी जाग्रत हों और दूसरों को भी जाग्रत करें लेकिन बिना किसी मानसिक दुर्भावना के और बगैर मौलिकता खोए उन अनूठे गुणों का उपयोग करें, जो महिलाओं को दिए गए हैं। ऊपर बताए गए तीन गलत व्यवहारों के बजाय जाग्रति के उन पाँच शक्तिशाली व्यवहारों को अपनाएँ, जो नीचे बताए गए हैं :

१. कामना की वस्तु बनना छोड़ दें : हर उस चीज को छोड़ दें, जहाँ आपके साथ कामना की वस्तु जैसा बरताव किया जाता है। बता दें कि आप किसी खास व्यवहार को क्यों बरदाश्त नहीं करेंगी। नम्रता से संवाद करने के लिए संतुलन की अपनी शक्ति का उपयोग करें। दृढ़ता से बार-बार संवाद करने के लिए सहनशीलता की शक्ति का उपयोग करें।

२. भेदभाव की वस्तु बनना छोड़ दें : अपने विचारों और मान्यताओं की जाँच करें तथा भेदभाव के हर विचार को मन से निकाल दें। अगर कोई भेदभाव कर रहा हो तो संवाद करें। विद्रोह न करें – बस अपने दृष्टिकोण को बदल लें। अगर आप यह सोचकर घरेलू काम कर रही हैं कि महिला होने के कारण ही मुझे इन्हें करना पड़ रहा है तो यह नहीं कहा गया है कि आपको घरेलू काम करना छोड़ देना चाहिए। इसके बजाय अपना दृष्टिकोण बदलें। अपने विचार बदलें, अपने

गुणों को बेहतर बनाएँ और घर के बाहर का काम भी करें।

३. दूसरी महिलाओं के साथ वस्तु जैसे बरताव की अनुमति न दें : दूसरी महिलाओं को जाग्रत करने के लिए उन्हें सिखाएँ, उन्हें शिक्षा दें। जब आप दूसरी महिलाओं के साथ वस्तुओं जैसा बरताव होता देखें तो विनम्रता से, शिष्टता से और लगातार संवाद करें। इसके लिए कोई अभियान शुरू करें या किसी अभियान में शामिल हों। कुछ महिलाओं के लिए यह ऐसा अव्यक्तिगत लक्ष्य हो सकता है, जिसे वे जीवनभर के लिए बना सकती हैं।

४. शांति को सबसे पहले रखें : चाहे आप पुरुष हों या महिला, शांति को सबसे पहले रखें। जब आप खुश और शांतिपूर्ण होते हैं तो आप दूसरों को वस्तुओं की तरह बरताव नहीं करते हैं या स्वयं के साथ वस्तुओं जैसे बरताव की अनुमति नहीं देते हैं। जब आप शांतिपूर्ण और खुश होते हैं तो आप खुद-ब-खुद दूसरों को स्वयं की तरह देखते हैं – एक और इंसान के रूप में।

५. जीवन के प्रति जाग्रत हों : नारी के रूप में जाग्रत होना पर्याप्त नहीं है। इंसान के रूप में भी जाग्रत हों। आप इंसान के रूप में तब जाग्रत होंगी, जब आप अंदर की चेतना के बारे में ज्यादा समझेंगी, जिसके अंदर आप निवास करती हैं। आध्यात्मिक विकास हर मनुष्य – चाहे वह पुरुष हो या स्त्री की पहली प्राथमिकता होनी चाहिए। तभी आपको जाग्रति के जादू का सच्चा अनुभव होता है।

Tej Gyan Foundation's initiatives

Write to us or call us:
- If you want to join a campaign to awaken women
- If you want us to organize a 2 hour free seminar in your society or organization on putting peace first to unleash the natural qualities of a women within
- If you would like to participate in the Magic of Awakening Retreat (Maha Aasmani Shivir) for the direct experience of the Self

Visit http://www.happythoughts.in for our world peace initiative. Sign up to do world peace prayer with thousands of others across the world on the website.

Visit http://www.tejgyan.org for more information about the foundation and to sign up for our free newsletter

Email us at mail@tejgyan.com or call us on: +91 20 2432 1925 and +91 992100 8060 between 10.00 AM to 8.00 PM Indian Standard Time.

तेजज्ञान फाउण्डेशन परिचय

तेजज्ञान फाउण्डेशन आत्मविकास से आत्मसाक्षात्कार प्राप्त करने का एक रास्ता है। इसके लिए सरश्री द्वारा एक अनूठी बोध पद्धति (System for Wisdom) का सृजन हुआ है। इस पद्धति को अन्तर्राष्ट्रीय मानक ISO 9001:2008 के आवश्यकताओं एवं निर्देशों के अनुरूप ढालकर सरल, व्यावहारिक एवं प्रभावी बनाया गया है।

इस संस्था की बोध पद्धति के विभिन्न पहलुओं (शिक्षण, निरीक्षण व गुणवत्ता) को स्वतन्त्र गुणवत्ता परीक्षकों (Quality Auditors) द्वारा क्रमबद्ध तरीके से जाँचा गया। जिसके बाद इन पहलुओं को ISO 9001:2008 के अनुरूप पाकर, इस बोध पद्धति को प्रमाणित किया गया है।

फाउण्डेशन का लक्ष्य आपको नकारात्मक विचार से सकारात्मक विचार की ओर बढ़ाना है। सकारात्मक विचार से शुभ विचार यानी हॅपी थॉट्स (विधायक आनंदपूर्ण विचार) और शुभ विचार से निर्विचार की ओर बढ़ा जा सकता है। निर्विचार से ही आत्मसाक्षात्कार संभव है। शुभ विचार (Happy Thoughts) यानी यह विचार कि 'मैं हर विचार से मुक्त हो जाऊँ।' शुभ इच्छा यानी यह इच्छा कि 'मैं हर इच्छा से मुक्त हो जाऊँ।'

ज्ञान का अर्थ है सामान्य ज्ञान लेकिन तेजज्ञान यानी वह ज्ञान जो ज्ञान व अज्ञान के परे है। कई लोग सामान्य ज्ञान की जानकारी को ही ज्ञान समझ लेते हैं लेकिन असली ज्ञान और जानकारी में बहुत अंतर है। आज लोग सामान्य ज्ञान के जवाबों को ज्यादा महत्त्व देते हैं। उदाहरण के तौर परह्न कर्म और भाग्य, योग और प्राणायाम, स्वर्ग और नरक इत्यादि। आज के युग में सामान्य ज्ञान प्रदान करनेवाले लोग और शिक्षक कई मिल जाएँगे मगर इस ज्ञान को पाकर जीवन में कोई बड़ा परिवर्तन नहीं होता। यह ज्ञान या तो केवल बुद्धि विलास है या फिर अध्यात्म के नाम पर बुद्धि का व्यायाम है।

सभी समस्याओं का समाधान है तेजज्ञान। भय से मुक्ति, चिंतारहित व क्रोध से आज़ाद जीवन है तेजज्ञान। शारीरिक, मानसिक, सामाजिक, आर्थिक और आध्यात्मिक उन्नति के लिए है तेजज्ञान। तेजज्ञान आपके अंदर है, आएँ और इसे पाएँ।

यदि आप ऐसा ज्ञान चाहते हैं, जो सामान्य ज्ञान के परे हो, जो हर समस्या का समाधान हो, जो सभी मान्यताओं से आपको मुक्त करे, जो आपको ईश्वर का साक्षात्कार कराए, जो आपको सत्य पर स्थापित करे तो समय आ गया है तेजज्ञान को जानने का। समय आ गया है शब्दोंवाले सामान्य ज्ञान से उठकर तेजज्ञान का अनुभव करने का।

अब तक अध्यात्म के अनेक मार्ग बताए गए हैं। जैसे जप, तप, मंत्र, तंत्र, कर्म, भाग्य, ध्यान, ज्ञान, योग और भक्ति आदि। इन मार्गों के अंत में जो समझ, जो बोध प्राप्त होता है, वह एक ही है। सत्य के हर खोजी को अंत में एक ही समझ मिलती है और इस समझ को सुनकर भी प्राप्त किया जा सकता है। उसी समझ को सुनना यानी तेजज्ञान प्राप्त करना है। तेजज्ञान के श्रवण से सत्य का साक्षात्कार होता है, ईश्वर का अनुभव होता है। यही तेजज्ञान सरश्री महाआसमानी शिविर में प्रदान करते हैं।

महाआसमानी महानिवासी शिविर

यदि आपके पास सत्य प्राप्त करने की आकांक्षा अथवा इच्छा है तो महाआसमानी शिविर में आपका स्वागत है, जहाँ इस समझ में आपको सहभागी बनाया जाएगा। इस शिविर में भाग लेने के लिए आपको कुछ खास माँगें पूरी करनी हैं। जैसे -

१) आपको सत्य-स्थापना शिविर में भाग लेना होगा, जहाँ आप सीखेंगे - वर्तमान के हर पल को कैसे जीया जाए और निर्विचार दशा में कैसे प्रवेश पाएँ।

२) आपको कुछ प्राथमिक प्रवचनों में उपस्थित होना है, जहाँ आप उस समझ को आत्मसात करते हैं, जो आपने सत्य-स्थापना शिविर में प्राप्त की है और तब आप महाआसमानी शिविर के लिए तैयार होते हैं।

महाआसमानी शिविर में असली अध्यात्म और सीधा सत्य तीन भागों में बताया जाता है - १) हर वर्तमान पल को जीना, वर्तमान यानी न भूत का बोझ, न भविष्य की चिंता २) 'मैं कौन हूँ', यह अपने ही अनुभवों से जानना ३) स्वबोध की अवस्था में स्थापित होना। यह शिविर सरश्री की शिक्षाओं पर आधारित है।

स्वबोध यानी **'जो आप वास्तव में हैं'** को जानने के लिए आए हुए सभी लक्षार्थियों के लिए यह महाआसमानी शिविर है। यह शिविर साल में तीन या चार बार

आयोजित होता है, जिसका लाभ हजारों खोजी उठाते हैं।

यह शिविर चेतना की दौलत बढ़ाने के लिए तथा अंतिम सफलता पाने के लिए सत्य के हर खोजी के लिए अनिवार्य है। महाआसमानी शिविर में ईश्वरीय ज्ञान प्राप्ति (सेल्फ रियलाइजेशन) के बाद आप वह नहीं रह जाएँगे, जो आज आप हैं। आप नकली आनंद से दूर, असली आनंद के मार्ग पर चलने लगेंगे।

महाआसमानी ज्ञान पाने की तैयारी हर खोजी अपने नजदीक के तेजस्थान पर कर सकता है। आप महाआसमानी शिविर की तैयारी फाउण्डेशन में उपलब्ध पुस्तकों, सी.डी. और कैसेट को सुनकर भी कर सकते हैं। इसके अलावा आप टी.वी. और रेडियो पर सरश्री के प्रवचनों का लाभ भी ले सकते हैं मगर याद रहे, ये पुस्तकें, कैसेट, टी.वी. व रेडियो के प्रवचन शिविर का परिचय मात्र है, तेजज्ञान नहीं। आप महाआसमानी शिविर में भाग लेकर तेजज्ञान का आनंद ले सकते हैं।

मैं कौन हूँ? मैं यहाँ क्यों हूँ? मोक्ष का अर्थ क्या है? क्या इसी जन्म में मोक्ष प्राप्ति संभव है? यदि ये सवाल आपके अंदर हैं तो यह शिविर उसका जवाब है।

महाआसमानी शिविर आपके जीवन का लक्ष्य है क्योंकि यह शिविर आपको भयमुक्त और तनावमुक्त जीवन देता है, दुःख से मुक्त और दुःखी से भी मुक्ति देता है, सभी समस्याओं का समाधान करता है, आपको नकारात्मक विचारों से निकालकर आत्मसाक्षात्कार कराता है तथा सीधा, सरल, शक्तिशाली और समृद्ध जीवन देता है।

महाआसमानी शिविर की तैयारी नीचे दिए गए स्थानों पर कराई जाती है। पुणे, मुंबई, दिल्ली, सांगली, कोपरगाँव, बार्शी, सातारा, जलगाँव, अहमदाबाद, कोल्हापुर, नासिक, अहमदनगर, औरंगाबाद, सूरत, बरोड़ा, बारामती, मालेगाँव, नागपुर, हैदराबाद, भोपाल, रायपूर, चेन्नई।

इस महाआसमानी शिविर में भाग लेकर आप अपनी सत्य की खोज पूर्ण कर सकते हैं। इस शिविर के लिए भोजन और रहने की व्यवस्था की जाती है।

महाआसमानी महानिवासी शिविर में भाग लेने के लिए संपर्क स्थान

पूना सेंटर : विक्रांत कॉम्प्लेक्स, तपोवन मंदिर के नजदीक, पिंपरी, पूना-४११ ०१७.

आगामी महानिवासी शिविर में अपना स्थान आरक्षित करने के लिए संपर्क करें
020-67097700/ 09921008060/75 09011013208

महाआसमानी महानिवासी शिविर स्थान

महाआसमानी महानिवासी शिविर 'मनन आश्रम' पर आयोजित किया जाता है। यह आश्रम पूना शहर के बाहरी क्षेत्र में पहाड़ों और निसर्ग के असीम सौंदर्य के बीच बसा हुआ है। इस आश्रम में पुरुषों और महिलाओं के लिए अलग-अलग, कुल मिलाकर ६०० लोगों के रहने की व्यवस्था है। यह आश्रम पूना शहर से १७ किलो मीटर की दूरी पर है। हवाई अड्डा, हाइवे और रेल्वे से पूना आसानी से आ-जा सकते हैं।

मनन आश्रम, पूना, सर्वे नं. ४३, सनस नगर, नांदोशी गाँव, किरकट वाडी फाटा, तहसील - हवेली, जिला - पूना - ४११ ०२४.
फोन : 09921008060

तेजज्ञान ग्लोबल फाउण्डेशन द्वारा प्रकाशित अन्य साहित्य

१० अवतार का जन्म आपके अंदर

बड़ों के लिए गर्भसंस्कार

Total Pages - 200
Price - 150/-

जिस तरह संसार में जन्म लेने से पूर्व गर्भ में पल रहे नवजात शिशु पर नौ महीने गर्भ संस्कार किए जाते हैं, वैसे ही आपको भी इस ग्रंथ से मार्गदर्शन पाकर फिर से नौ महीने गर्भ में रहने का मौका मिलेगा। यह पढ़कर चौकिए मत बल्कि इस ज्ञान रूपी गर्भ का पूरा-पूरा लाभ लें। इसी से आपके पुराने संस्कार मिटते जाएँगे और नए संस्कार बनते जाएँगे। वरना लोगों की यह धारणा होती है कि गर्भसंस्कार केवल गर्भवती स्त्री के लिए जानने योग्य है। वे सोचते हैं, 'बच्चा जब गर्भ में है तब गर्भसंस्कार हो।' जबकि हकीकत यह है बचपन से लेकर बड़े होने तक इंसान की जो भी आदतें बन चुकी होती हैं, वे गलत वृत्तियों में परिवर्तित हो चुकी होती हैं। जिनसे मुक्ति पाने हेतु बड़ों पर भी गर्भ संस्कार होना जरूरी है और यह संभव है। इसी का रास्ता है यह ग्रंथ।

अधिकांश लोगों ने सत्यवान-सावित्री की पौराणिक कथा सुनी होगी। क्या आप जानते हैं कि उस कथा में आपके लिए कौनसे अदृश्य इशारे छिपे हुए हैं? कथा की हर घटना आपको कोई न कोई संकेत देती है, सत्य की ओर इशारा करती है। यह पुस्तक सत्यवान-सावित्री की पौराणिक कथा पर आधारित है। हकीकत में सावित्री हमारे शरीर का प्रतीक है। हर शरीर फिर वह स्त्री हो या पुरुष, सावित्री है और सत्यवान तेज अनुभव (ईश्वर) है।

सत्यवान-सावित्री की इस कथा को नए रूप में प्रस्तुत करके, आपको अपने अंदर के दस मूल विकारों से मुक्त करवाने का प्रयास इस ग्रंथ द्वारा किया जा रहा है। इन विकारों को मिटाने के लिए आपको दस अवतारों की जरूरत है, आपमें इन दस अवतारों को जगाने का कार्य यह ग्रंथ करेगा।

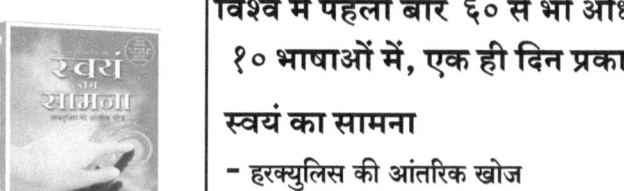

विश्व में पहली बार ६० से भी अधिक शहरों में, १० भाषाओं में, एक ही दिन प्रकाशित पुस्तक

Total Pages - 240

Price - 125/-

Also available in Marthi, English, Gujarati, Malayalam, Kannada, Punjabi, Tamil, Oriya & Telugu

स्वयं का सामना

- हरक्युलिस की आंतरिक खोज

न्याय, स्वास्थ्य, खुशी और रिश्तों पर अनोखी समझ देनेवाली अद्‌भुत खोज प्रस्तुत करती पुस्तक 'स्वयं का सामना' व्यक्तित्व विकास के लिए एक महत्त्वपूर्ण रचना है। इस पुस्तक में एक अनोखे ढंग से आत्मपरीक्षण तथा आत्मदर्शन करवाया गया है। हँसते-खेलते छोटे-छोटे कथानकों के माध्यम से इस सत्य को प्रकाश में लाया गया है कि किस तरह से दूसरों के प्रति की गई शिकायत की जड़ हमारे अंदर ही छिपी होती है। पुस्तक में भिन्न-भिन्न किरदारों द्वारा जीवन में होनेवाली उन सामान्य घटनाओं पर खोज करवाई गई है, जो आए दिन उन्हें दुःख देती रहती हैं।

Total Pages - 200

Price - 150/-

Also available in Marathi & English

स्वसंवाद का जादू

- अपना रिमोट कंट्रोल कैसे प्राप्त करें

यह पुस्तक आपको स्वसंवाद का आश्चर्य दिखाती है। उत्तम स्वसंवाद कैसे करें? स्वसंवाद से विचारों को दिशा कैसे दें? हर दिन नए स्वसंवाद का लाभ अपने जीवन में कैसे लें? इन सवालों के जवाब इस पुस्तक में विस्तार से बताए गए हैं। जीवन के विविध क्षेत्रों में और हर घटना में स्वसंवाद का जादू कैसे काम करता है, इसका रहस्य इस पुस्तक द्वारा उद्‌घाटित किया गया है। यह पुस्तक इंसान को मौन में कुदरत से उत्तम स्वसंवाद कराना सिखाती है। यदि आपको अपने विचार शुभ व सकारात्मक रखने हैं और अपने स्वसंवाद बदलने हैं तो यह पुस्तक आपकी मार्गदर्शक बनेगी। 'स्वसंवाद' बदलने से आप अंदर से बदल जाते हैं, यही स्वसंवाद का जादू है। स्वसंवाद का रहस्य जानते ही आप दुःखों के चक्र से मुक्त हो जाएँगे।

सच्चा सोना सो मत जाना

Total Pages - 200
Price - 111/-

'सच्चा सोना' इस पुस्तक में सोना का अर्थ है, सो मत जाना यानी हमेशा जाग्रत रहना है। यदि हम जाग्रत यानी चेतन रहने की नई परिभाषा के हिसाब से अपने आस-पास नजर डालें तो हमें ज्यादातर लोग सोए ही दिखेंगे। वे ऑफिस जा रहे हैं, बाजार से सामान ला रहे हैं, मित्रों के साथ मौज-मस्ती कर रहे हैं, एक-दूसरे की टाँग खींच रहे हैं लेकिन चेतन नहीं हैं यानी वे नींद में हैं, सो रहे हैं।

जागरण का वास्तविक अर्थ सिर्फ आँखों का खुला रहना या शरीर का जाग्रत होना ही नहीं है। जब हम संसार में जाग जाते हैं यानी संसार की मान्यताओं, इच्छाओं, डरों और कल्पनाओं से बाहर आ जाते हैं, तभी हम सच्चे अर्थ में जाग्रत होते हैं। इसी लक्ष्य के साथ इस पुस्तक में हर शब्द जन जाग्रति के लिए प्रकाशित किया गया है जो सोना है।

पुस्तकें प्राप्त करने के लिए नीचे दिए गए पते पर मनीऑर्डर द्वारा पुस्तक का मूल्य भेज सकते हैं। पुस्तकें रजिस्टर्ड, कुरियर अथवा वी.पी.पी. द्वारा भेजी जाती हैं। इसके लिए नीचे दिए गए पते पर संपर्क करें।

तेजज्ञान ग्लोबल फाउण्डेशन, पिंपरी कॉलनी, पोस्ट ऑफिस बॉक्स 25, पिंपरी-पूना - 411017 (महाराष्ट्र) मो.: 09011013210.

आप ऑन-लाइन शॉपिंग द्वारा भी पुस्तकों का ऑर्डर दे सकते हैं। लॉग इन करें - www.tgfonlinestore.com

पुस्तकें मँगवाने पर डाक-व्यय की छूट है और ४ से अधिक पुस्तकें मँगवाने पर डाक-व्यय के साथ १०% की भी छूट है।

आप कौन सी पुस्तकें पढ़ें

सभी के लिए

- सूक्ष्म विकारों पर विजय
- संपूर्ण लक्ष्य • अपना लक्ष्य
- स्वसंवाद का जादू • पृथ्वी प्रतिसाद
- स्वास्थ्य त्रिकोण • प्रार्थना बीज
- स्वीकार का जादू • सच्चा सोना
- विचार नियम -पॉवर ऑफ हॅपी थॉट्स
- आत्मनिर्माण पीस बाय पीस
- रिश्तों में नई रोशनी • ग्रे बुक
- नींव नाइन्टी • स्वयं का सामना
- शांति की शक्ति • ध्यान नियम
- B.F.T. बॅच फ्लॉवर थेरेपी
- कैसे लें ईश्वर से मार्गदर्शन
- तनाव का डॉक्टर आपके अंदर

विद्यार्थियों के लिए

- नींव नाइन्टी • संपूर्ण लक्ष्य
- निर्णय और जिम्मेदारी
- आत्मविश्वास सफलता का द्वार
- संपूर्ण सफलता का लक्ष्य
- संपूर्ण प्रशिक्षण - विकासपथ के 7 सूत्र

अभिभावकों (Parents) के लिए

- परवरिश रहस्य
- आत्मनिर्भर कैसे बनें
- रिश्तों में नई रोशनी • स्वास्थ्य त्रिकोण

व्यापारी / कर्मचारी के लिए

- कैसे करें ईश्वर की नौकरी
- तनाव का डॉक्टर आपके अंदर
- संपूर्ण सफलता का लक्ष्य

सत्य के खोजियों के लिए

- ध्यान दीक्षा • पृथ्वी लक्ष्य
- कर्मात्मा और कर्म का सिद्धांत
- कर्मजीवन सरश्री और आप
- बुराई पर जीत प्राप्त करने का मार्ग
- प्रार्थना बीज • गुरूर से मुक्ति
- निःशब्द संवाद का जादू
- खोज • संपूर्ण जीवन रहस्य
- The मन • संपूर्ण ध्यान
- मोक्ष • The मीरा
- भारत के दो महान जीवन
- पृथ्वी चदरिया • अनोखा अवतार

जेष्ठ नागरिकों के लिए

- महाजीवन - मृत्यु उपरांत जीवन
- स्वास्थ्य त्रिकोण
- पृथ्वी लक्ष्य
- जीवन की नई कहानी मृत्यु के बाद

बच्चों के लिए

- गुस्सा छू मंतर • भय छू मंतर
- स्वीकार का जादू
- कौओं की नहीं, हंस की सुनो
- बुद्धा • बच्चे कामयाब कैसे बनें

महिलाओं के लिए

- आत्मनिर्भर कैसे बनें
- स्वसंवाद का जादू
- स्वास्थ्य त्रिकोण
- जीवन के लिए खाना, खाने के लिए मत जीना

उपरोक्त विषयों पर वी.सी.डी. और कॅसेट्स भी उपलब्ध हैं।

तेजज्ञान फाउण्डेशन - मुख्य शाखाएँ

पूना (रजिस्टर्ड ऑफिस) : विक्रांत कॉम्प्लेक्स, तपोवन मंदिर के नजदीक, पिंपरी, पूना-४११ ०१७. फोन : 020-27411240, 27412576

मनन आश्रम : सर्वे नं. ४३, सनस नगर, नांदोशी गाँव, किरकट वाडी फाटा, तहसील - हवेली, जिला - पूना - ४११ ०२४. फोन : 09921008060

तेजज्ञान कार्यक्रम

* हर शनिवार शाम ६.३० से ७.०० जी जागरण चैनल पर प्रवचन
* हर मंगलवार सुबह ९.१५ रेडियो विविध भारती, एफ. एम. पूना पर प्रवचन
* शुक्रवार, शनिवार, रविवार सुबह ९.१५ पर 'तेजविकास मंत्र' रेडियो विविध भारती, एफ. एम. पूना
* हर शनिवार सुबह ८.५५ रेडियो एम. डब्ल्यू. पूना, तेजज्ञान इनर पीस ॲण्ड ब्यूटी कार्यक्रम

नोट : *उपरोक्त कार्यक्रमों के समय बदल सकते हैं इसलिए समय पुष्टि करें।*

पुस्तकों से संबंधित अधिक जानकारी के लिए संपर्क करें

09011013210 / 09623457873 / 020 - 27412434

Online Shopping cart available. Visit us today : www.tgfonlinestore.com

---

तेजज्ञान इंटरनेट रेडियो

* २४ घंटे और ३६५ दिन सरश्री के प्रवचन और भजनों का लाभ लें, तेजज्ञान इंटरनेट रेडियो द्वारा। देखें लिंक - http://www.tejgyan.org/internetradio.aspx

---

e-book	:	'The Source', 'Complete Meditation' & 'Self Encounter' ebooks available on Kindle
Free apps	:	U R Meditation & Tejgyan Internet Radio on all platforms like Android, iPhone, iPad and Amazon
e-magazine	:	'Yogya Aarogya' & 'Drushtilakshya' emagazines available on www.magzter.com
e-mail	:	mail@tejgyan.com
website	:	www.tejgyan.org, www.happythoughts.in

विश्व शांति के लिए लाखों लोग प्रतिदिन सुबह और रात ९:०९ मिनट पर प्रार्थना करते हैं। आप भी इसमें शामिल हो जाएँ।

www.ingramcontent.com/pod-product-compliance
Lightning Source LLC
LaVergne TN
LVHW091630070526
838199LV00044B/1009
* 9 7 8 8 1 8 4 1 5 4 6 5 8 *